PANTHÈRE

DU MÊME AUTEUR
CHEZ GALLIMARD JEUNESSE :

Chouette, collection Folio Junior
Comme un poison dans l'eau, collection Folio Junior

Traduit de l'anglais (américain) par Yves Sarda

GALLIMARD JEUNESSE

Titre original : *SCAT*
Édition originale publiée en 2009 par Alfred A. Knopf,
division de Random House, Inc., États-Unis

Ce livre est dédié à la mémoire du Dr David Maehr, éminent biologiste de la faune, qui m'a aidé dans mes recherches pour sa rédaction. Dave a passé plusieurs années à pister et étudier les panthères menacées de disparition de Floride. Grâce à ses efforts et à ceux de de ses successeurs, ces félins magnifiques rôdent encore en liberté dans les marais et les plaines herbeuses de Floride du Sud.

UN

La veille de la disparition de Mrs. Starch, ses élèves de biologie entrèrent comme toujours en silence et en traînant les pieds dans sa salle de classe. On lisait sur leurs visages le dosage habituel d'effroi et de mélancolie, car elle était le professeur le plus craint de l'école Truman.

Quand la sonnerie retentit, elle se leva, tel un échassier, en dépliant avec raideur, et sur toute sa hauteur, son quasi-mètre quatre-vingts. Elle faisait tourner entre ses doigts un crayon Ticonderoga n° 2 bien taillé, un signe certain d'ennuis à venir.

Nick lança un coup d'œil à Marta Gonzalez, de l'autre côté de l'allée. Marta avait les yeux rivés sur Mrs. Starch ; ses coudes frêles, plantés comme des piquets, gardaient son manuel de biologie ouvert au chapitre 8. Nick avait oublié le sien dans son casier et en avait les mains moites.

– Bonjour, tout le monde, fit Mrs. Starch, d'une voix douce à donner le frisson. Qui est disposé à me parler du cycle de Calvin ?

Une seule main se leva. Celle de Graham, qui prétendait toujours connaître les réponses mais ne les savait jamais. Elle ne l'avait pas interrogé depuis la rentrée.

– Le cycle de Calvin ? répéta-t-elle. Y a-t-il un amateur ?

Marta avait à nouveau l'air d'être sur le point de vomir. La dernière fois que ça lui était arrivé, Mrs. Starch avait à peine attendu que le sol soit nettoyé pour ordonner à

Marta d'écrire un devoir où seraient répertoriés cinq des muscles principaux qu'on utilisait pour régurgiter.

Nick et ses camarades en avaient été estomaqués. Quel genre de professeur punissait un élève pour avoir eu mal au cœur ?

– À l'heure qu'il est, poursuivit Mrs. Starch, le processus de la photosynthèse devrait être familier à chacun de vous.

Marta ravala sa salive avec difficulté, et à deux reprises. Elle faisait des cauchemars dans lesquels Mrs. Starch empilait ses cheveux teints en blond d'un seul côté du crâne, comme une dune. La garde-robe de cette dernière pour l'école ne changeait jamais : ensemble pantalon en polyester d'un coloris pastel fané et ballerines marronnasses. Si elle utilisait un fard à paupières d'un violet soutenu, elle ne faisait pourtant aucun effort pour dissimuler une étrange marque cramoisie sur son menton. Et même si ladite marque, en forme d'enclume, faisait l'objet des plus folles spéculations, personne n'avait trouvé le cran d'interroger Mrs. Starch à son sujet.

Marta tourna des yeux angoissés vers Nick avant de les reporter sur le professeur. Nick aimait beaucoup Marta, mais n'était pas sûr de l'aimer assez pour se sacrifier. Mrs. Starch commençait à arpenter la salle. Elle scrutait les élèves, choisissant sa victime.

Une gouttelette de transpiration glissa comme une araignée le long du cou de Nick. S'il rassemblait son courage et levait la main, Mrs. Starch aurait vite fait de fondre sur lui. Elle verrait aussitôt qu'il avait oublié son livre de biologie, faute qui ne lui serait pardonnée que s'il était capable d'expliquer et de tracer un schéma du cycle de Calvin, ce qui était peu probable. Nick en était encore au chapitre 7, à se dépatouiller avec le cycle de Krebs.

– Les plantes, comme on sait, sont vitales à l'existence humaine, fit Mrs. Starch, toujours en chasse. Et sans le cycle de Calvin, les plantes ne pourraient pas exister. Pas exister…

Graham agitait son bras, en se trémoussant comme un petit chien. Le reste de la classe priait pour qu'il soit interrogé, mais elle faisait comme s'il était invisible. Tout à coup, elle s'arrêta en pivotant devant la rangée de Marta.

Raide comme la justice, celle-ci était assise au second rang, derrière une grosse tête, une fille appelée Libby qui savait tout sur le cycle de Calvin – qui savait tout sur *tout* – mais qui ouvrait rarement la bouche.

– Le schéma de la page 169, continua Mrs. Starch, rend les choses claires comme le jour. C'est une excellente illustration, il est très probable que vous tombiez dessus lors d'un contrôle. Plus que probable…

Marta baissa la tête ; erreur tactique. Ce mouvement, même infime, attira l'attention de Mrs. Starch.

Nick retint son souffle. Son cœur s'emballa et sa tête se mit à bourdonner. Il savait que c'était maintenant ou jamais. Marta parut se ratatiner sous le regard glacial de Mrs. Starch. Nick, apercevant des larmes se former au coin de ses yeux, se détesta d'hésiter.

– Allons, tout le monde, on sort de cet état comateux, les morigéna le professeur en tapotant le bureau de Libby avec son crayon. Le cycle de Calvin ?

L'unique réponse fut un bruit de papier déchiré : les coudes de la tremblante Marta venaient de trouer les pages de son manuel. Mrs. Starch se rembrunit.

– J'espérais une marée de mains levées, fit-elle avec un soupir de déception. Mais, encore une fois, il semble que je doive désigner un ou une volontaire. Volontaire malgré lui ou malgré elle…

Au moment où l'enseignante pointait son crayon vers la tête de Marta, Nick leva la main.

« Je suis cuit, songea-t-il. Elle va m'écraser comme une punaise. »

Baissant les yeux, il se prépara à entendre Mrs. Starch prononcer son nom.

– Ah, tiens, Duane ? lâcha-t-elle.

« Génial, se dit Nick. Elle a oublié comment je m'appelle. »

Mais en relevant la tête, il vit la prof viser de son crayon un autre élève, à l'autre bout de la salle. Ce vieux chameau l'avait complètement zappé et Marta, idem.

Le nom de l'autre garçon était *vraiment* Duane. Nick le connaissait depuis l'école primaire : il était deux classes au-dessus de Nick et on l'appelait Duane le Débile. Mais un bel été, Duane le Débile avait gagné plus de dix centimètres et pris une quinzaine de kilos et, à partir de là, tout le monde le surnomma Smoke, parce qu'il voulait qu'on l'appelle comme ça. Certains élèves prétendirent que c'était parce qu'il était pyromane[1].

– Eh bien, Duane, fit Mrs. Starch aimablement, avez-vous terminé le chapitre 8 ?

Ébouriffé, l'air de dormir debout, Smoke grogna en levant les yeux vers la prof. Même si Nick ne pouvait pas voir son expression, ses épaules voûtées suggéraient un profond manque d'intérêt pour ce qui se passait.

– Duane ?

– Ouais, je l'ai lu, j'crois bien.

– Vous croyez bien ?

Mrs. Starch faisait tournoyer son crayon jaune qui devint

1. *Smoke* veut dire « fumée » en anglais *(N. d. T.)*.

flou, telle une hélice d'avion miniature. En des circonstances moins stressantes, ça aurait été divertissant.

– Je lis tellement, fit Smoke, que j'oublie quoi est quoi.

Plusieurs élèves s'efforcèrent de s'empêcher de pouffer.

Marta, tendant la main par-dessus l'allée, poussa Nick du coude en articulant silencieusement le mot « Merci ».

Nick se sentit rougir.

– D'avoir levé la main, lui souffla Marta tout bas.

– Pas de quoi, lui murmura Nick en retour, avec un haussement d'épaules.

Mrs. Starch, traversant la salle de classe, alla se placer près du bureau de Smoke.

– Je vois que vous avez apporté votre manuel de biologie aujourd'hui, fit-elle. Vous êtes en progrès, Duane.

– J'crois bien.

– Mais vous découvrirez qu'il est plus facile de le lire s'il est à l'endroit.

Mrs. Starch fit effectuer une rotation au manuel du bout de la gomme de son crayon n° 2.

– Ouais, c'est mieux, approuva Duane.

Il tenta d'ouvrir le livre d'un coup sec mais, appuyant fermement dessus avec son crayon, le professeur maintint la couverture fermée.

– Pas de coup d'œil en douce, lui dit-elle. Dites-moi comment le cycle de Calvin produit du sucre à partir du gaz carbonique et pourquoi c'est si important pour la photosynthèse.

– Attendez une minute, fit Smoke qui se mit à tripoter une pustule pas belle à voir sur son cou grassouillet et couvert de duvet.

– Nous vous attendons tous, lui dit Mrs. Starch.

Ce qui était la stricte vérité.

Les autres élèves, Marta et Nick inclus, se tenaient à l'extrême bord de leur chaise. Ils étaient conscients qu'un événement capital, et peut-être même légendaire, était sur le point de se produire, sans pour autant se douter que, dans les quarante-huit heures, ils seraient interrogés l'un après l'autre par les adjoints du shérif qui leur demanderaient ce qu'ils avaient vu et entendu.

Smoke, aussi grand que Mrs. Starch, était bâti comme un bœuf. Sa taille et son attitude intimidaient tous ses camarades de classe et la plupart de ses professeurs, mais pas Mrs. Starch. Quand Smoke tenta de balayer d'une pichenette le crayon de son livre, celui-ci ne bougea pas.

Smoke s'adossa à son siège, fit craquer ses jointures et demanda :

– C'est quoi la question, déjà ?

Marta gémit entre ses dents. Nick se mordilla la lèvre. Plus Smoke essayerait de gagner du temps, pire ce serait quand le professeur lui secouerait les puces.

– Pour la dernière fois, dit-elle froidement, parlez-nous du cycle de Calvin.

– C'est un genre de Harley Davidson ? demanda Smoke.

Les élèves explosèrent de rire. Ils se calmèrent aussitôt en remarquant le sourire de Mrs. Starch : Mrs. Starch ne souriait *jamais*.

Marta se couvrit les yeux.

– Il a envie de mourir ou quoi ? fit-elle à Nick à qui toute cette scène ne disait rien qui vaille.

– Ma foi, Duane, vous nous révélez là votre nature de comique ! s'exclama-t-elle. Et dire que pendant tout ce temps, nous vous prenions pour un gros mollasson sans talent ni aucun avenir.

– J'crois bien, fit Smoke, qui avait cessé de sonder son bouton enflammé.

– Ça vous arrive de croire autrement que bien ?

– Et puis après ?

– Ma foi, je crois bien, *moi*, que vous n'avez même pas jeté un coup d'œil au chapitre 8, fit Mrs. Starch. Je me trompe ?

– Non.

– Et je crois aussi que faire joujou avec votre acné vous intéresse davantage qu'apprendre le processus de la photosynthèse.

Smoke lâcha son cou, sa main retomba.

Le toisant de haut, Mrs. Starch reprit :

– La tâche d'un enseignant consiste à identifier et à cultiver les points forts de chacun de ses élèves, puis à l'encourager à utiliser ces mêmes points forts dans sa quête de la connaissance.

Nulle trace de colère dans sa voix, ce que Nick trouva flippant.

– Par conséquent, Duane, poursuivit-elle, ce que j'aimerais que vous fassiez – puisque ce sujet vous fascine visiblement – c'est que vous me rédigiez un texte de cinq cents mots sur les boutons d'acné.

La classe éclata à nouveau de rire, Nick et Marta aussi, malgré eux. Cette fois, les élèves ne purent s'arrêter.

Mrs. Starch attendit avant de poursuivre :

– Vous devriez commencer par de la biologie humaine de base : quelle est la cause des éruptions cutanées d'origine glandulaire chez les adolescents ? Vous trouverez plein d'informations à ce sujet sur Internet, Duane, je compte au minimum sur trois citations provenant de cette source. La deuxième partie du devoir devrait, en résumé, faire l'historique de l'acné, à la fois sur le plan médical et celui de la culture populaire. Puis, un dernier développement devrait traiter le cas de votre comédon personnel, celui dont vous semblez si enchanté.

Smoke décocha à Mrs. Starch un regard noir.

– Mais j'ai gardé le meilleur pour la fin, Duane, fit-elle. Je veux que votre rédaction soit comique, car vous êtes un comique dans votre genre. Un garçon comique à l'extrême.

– Pas vrai du tout.

– Oh, ne soyez pas modeste. Vous venez de faire se tordre de rire toute la classe, il y a à peine un instant.

Elle tourna le dos à Smoke et agita gaiement son crayon en l'air.

– Eh bien, vous tous, qu'en dites-vous ? Ne serait-il pas amusant que Duane rédige un texte bourré d'humour sur les boutons d'acné et le lise à haute voix devant toute la classe ?

Plus personne ne pouffait, même Graham avait baissé sa main. Smoke avait beau ne pas avoir la cote, impossible de ne pas compatir. Mrs. Starch venait de se montrer d'une cruauté exceptionnelle, même pour elle.

Marta avait l'air d'avoir à nouveau la nausée et son mal de cœur gagnait Nick. Si Smoke était un solitaire carrément bizarre, il n'embêtait jamais personne tant qu'on ne lui marchait pas sur les pieds.

– Nick ? fit Mrs. Starch.

Nick s'affaissa sur son pupitre en songeant : « Non, mais j'y crois pas. »

– Vous êtes des nôtres aujourd'hui, Mr. Waters ?

– Oui, Mrs. Starch.

– Soyez sincère : n'est-il pas vrai que vous et vos camarades seriez ravis d'entendre Duane nous lire son essai sur l'acné ?

Nick piqua du nez. S'il répondait oui, il risquait de se faire un ennemi mortel de Smoke. S'il répondait non, il aurait son professeur sur le dos, pour le reste de l'année scolaire.

Il aurait aimé pouvoir s'évanouir sur commande ou bien avaler sa langue, peut-être. Un trajet en ambulance serait préférable à ça.

– Eh bien ? l'encouragea Mrs. Starch.

Nick essaya de trouver quelque chose à dire qui, en même temps, libérerait Smoke de la dissertation sans mettre Mrs. Starch en pétard.

– Franchement, j'aimerais mieux apprendre quelque chose sur le cycle de Calvin que sur les boutons de Duane, finit-il par dire.

Quelques élèves partirent d'un ricanement nerveux.

– Prends pas ça contre toi, ajouta Nick en adressant un piteux signe de tête à Smoke, qui restait dénué de la moindre expression.

Mrs. Starch se montra sans pitié. Elle pivota et tapota le haut du crâne de Smoke de son crayon.

– Cinq cents mots, répéta-t-elle. Pour la fin de la semaine.

Smoke se renfrogna.

– Je pense pas.

– Pardon ?

– C'est pas juste.

– Vraiment ? Et est-il juste de votre part de venir assister à mon cours sans avoir rien préparé et sans la moindre notion de la matière que l'on y étudie ? Me faire perdre mon temps et gaspiller celui de vos camarades… vous trouvez ça juste, Duane ?

Smoke balaya sa tignasse d'un noir de jais de devant ses yeux.

– J'm'escuse, d'acc ? Lâchez-moi, maintenant.

Mrs. Starch se pencha lentement, avec l'œil du héron qui s'apprête à transpercer un vairon.

– Eh bien, qu'est-il arrivé au comique de la classe ? lui demanda-t-elle. Il n'a plus de plaisanteries en réserve ?

– J'crois bien que non.

– C'est vraiment dommage, parce que j'attends de vous cinq cents mots hilarants… en double interligne.

– Impossible, fit Smoke.

Mrs. Starch plaça l'extrémité de son crayon tout près du bout du nez de Smoke.

– Possible, fit-elle.

Nick jeta un regard anxieux à Marta, qui avait fermé son manuel de biologie et posé la tête sur son pupitre.

Smoke tenta de flanquer une tape au crayon, mais Mrs. Starch l'évita.

– Tirez-vous de devant moi, lui dit-il. Sinon, vous allez le regretter.

– Est-ce une menace, Duane ?

À l'entendre, elle n'avait pas trop l'air de s'en faire.

– C'est pas une menace. C'est un fait, répondit Smoke.

– Non, ça, c'est un fait.

Une fois de plus, elle mit le nez de Smoke en joue avec son crayon.

– Vous rédigerez un texte de cinq cents mots sur les boutons et le lirez à haute voix devant nous, sinon vous serez recalé et devrez redoubler l'an prochain. Vous avez compris ?

Smoke loucha en baissant les yeux sur la tige jaune du Ticonderoga n° 2 de Mrs. Starch.

– J'crois bien, dit-il.

Alors, d'un coup de dents, il cassa le crayon en deux, en mâcha la mine et le bois, puis avala le tout, dans un hoquet.

Le professeur recula, fixant, alarmé, le tronçon de bois humide qui lui restait entre les doigts.

Personne dans la salle ne bougea d'un pouce, mis à part Smoke qui, laissant tomber son livre de biologie dans son sac à motif camouflage, se leva et sortit sans se presser.

DEUX

Pendant qu'ils rentraient chez eux à pied depuis l'arrêt de bus, Nick dit à Marta :

– C'est pas fini entre ces deux-là. Tu vas voir.

– Je suis tellement contente qu'on n'ait pas cours demain, dit-elle. Je peux pas supporter ce genre de truc : elle, c'est une sorcière et lui, un crétin fini.

Les classes de sciences devaient effectuer une sortie nature au Black Vine Swamp[1], situé non loin de la réserve naturelle de Big Cypress. Mrs. Starch en personne avait choisi l'endroit qu'elle avait décrit comme offrant « un véritable festival de photosynthèse ». Le marécage était connu pour ses orchidées exotiques et ses antiques cyprès. Nick, lui, espérait y apercevoir une panthère.

– Les moustiques vont sans doute nous filer la malaria, dit Marta. Mais ça peut pas être plus pénible que son cours de biologie débile.

Nick éclata de rire.

– Il n'a pas plu depuis quinze jours. Y aura pas des masses de moustiques.

– Des araignées, alors, et tout ça.

Marta le salua, puis s'engagea dans l'allée menant chez elle.

Nick vivait trois rues plus loin dans le même lotissement.

1. Lieu imaginaire de l'aveu de l'auteur, dont le nom signifie le « marais aux Lianes Noires » *(N. d. T.)*.

Sa maison était en fait plus près de l'arrêt de bus mais, depuis peu, il faisait un détour afin de pouvoir raccompagner Marta.

Depuis la première marche du perron, elle lui cria :

– Hé, tu crois qu'il se pointera à la sortie nature ?

– Smoke ?

– Qui d'autre ?

– J'espère bien que non, fit Nick.

– Moi aussi.

Marta le salua encore une fois, franchit le seuil et disparut.

À peine rentré chez lui, Nick se précipita sur l'ordinateur du bureau et vérifia sa boîte e-mail. Il attendait des nouvelles de son père, capitaine de la Garde nationale, qui était stationné en Irak, dans la province d'Anbar, depuis sept mois.

Le père de Nick envoyait un mail presque tous les matins, mais il n'avait plus donné signe de vie depuis trois jours. C'était déjà arrivé, quand il partait en mission sur le terrain avec son unité. Nick tenta de ne pas se laisser gagner par l'inquiétude.

Sa mère, gardienne à la prison de Collier County, quittait son travail à quatre heures et demie de l'après-midi et rentrait d'habitude à la maison à cinq heures et quart au plus tard. Nick resta devant l'ordinateur à faire des recherches pour un devoir d'anglais tout en revérifiant ses mails toutes les cinq minutes. Quand sa mère franchit la porte, il n'avait toujours pas eu de nouvelles de son père.

– Tu as passé une bonne journée ? lui demanda sa mère.

– Tu ne vas pas me croire, un élève a mangé le crayon de Mrs. Starch, fit Nick, il le lui a boulotté direct dans la main.

– Et il avait une bonne raison de faire ça ?

– Elle l'a rendu fou, je pense. Elle s'était moquée d'un bouton qu'il avait dans le cou.

La mère de Nick posa lourdement son sac sur le comptoir de la cuisine.

– Tu veux bien me redire pourquoi on dépense autant d'argent pour une école privée ?

– L'idée ne vient pas de moi, lui rappela Nick. Des classes moins chargées ?

– C'était l'une des raisons.

– Et de meilleurs profs, d'après vous.

– On nous l'avait dit.

– Moins de cinglés qu'ailleurs ? ajouta Nick.

– Oui, fit sa mère en fronçant les sourcils. Et maintenant, tu viens me raconter qu'un élève joue les termites en cours de biologie.

– Les castors, plutôt, rectifia Nick. Mais Mrs. Starch n'aurait pas dû se moquer de lui. C'est pas le genre de mec que t'as envie d'embêter.

La mère de Nick prit une bouteille de jus de légumes dans le réfrigérateur et la vida dans un petit verre.

– Et il s'appelle comment ce mangeur de crayon ? demanda-t-elle.

– Duane Scrod. Tu ne le connais pas.

– Ça s'écrit S-c-r-o-d ?

– Ouais, c'est ça, fit Nick.

– Alors, c'est Duane Scrod junior. Je connais son père, Duane senior.

– Tu l'as rencontré en prison ?

La mère de Nick acquiesça.

– Il a fait six mois pour avoir incendié une concession Chevrolet à Port Charlotte, simplement parce qu'un axe de transmission de son 4 × 4 Tahoe a cassé sur Alligator Alley.

« Pas étonnant que son fils soit devenu ce qu'il est, se dit Nick. Son père est cinglé. »

– On a quoi pour dîner ? demanda Nick à sa mère.

– Spaghettis, spaghettis ou spaghettis.

– J'crois que je vais me laisser tenter par des spaghettis.

– Excellent choix.

– Au fait, est-ce que papa t'a envoyé un mail au boulot aujourd'hui ?

– Non. Et de ton côté ?

– Rien encore, répondit Nick.

Sa mère se força à sourire.

– T'inquiète pas. Il est sans doute loin du camp de base.

– Je vais jeter encore un coup d'œil sur l'ordinateur…

– Dînons d'abord, Nicky. Tu sais quoi ? Je n'ai pas vraiment envie de manger des pâtes. Pourquoi on ne sortirait pas se payer une grillade ?

– Tu es sûre, maman ?

– Plus sûre, tu meurs, fit-elle en terminant le jus de légumes. Quelle heure est-il en Irak en ce moment ?

– Environ une heure et demie du matin.

– Oh. Alors, il doit dormir.

– Ouais, fit Nick. Je parie qu'il dort. On aura des nouvelles demain matin.

Le directeur de l'école, le Dr Dressler, était un homme soigné, prudent, à la voix douce. Il était heureux comme tout quand l'école Truman était calme et que l'harmonie régnait. Il était malheureux comme les pierres quand élèves et professeurs étaient en effervescence.

– Racontez-moi tout, fit-il à Mrs. Starch.

Elle brandit son crayon à demi mangé.

– Ce jeune homme a un grave problème de contrôle de son agressivité, lui dit-elle.

Le Dr Dressler examina l'objet du délit.
– Vous êtes certaine qu'il n'a pas recraché le reste ?
– Oh, non, il l'a avalé, rapporta Mrs. Starch. Aucun doute n'est permis.
– Pourquoi ne pas l'avoir envoyé à l'infirmerie ?
– Parce qu'il a quitté ma salle de cours, fit-elle, ajoutant avec désapprobation : Seize minutes *avant* la sonnerie. Seize minutes, pas une de moins.
– Les esquilles auraient pu causer des dégâts à ses organes internes…
– J'en suis bien consciente, monsieur le directeur.
– Il faut avertir les parents de ce garçon au plus tôt.
– Et les informer par la même occasion de son comportement inacceptable.
– Bien entendu, acquiesça le Dr Dressler, mal à l'aise.
Comme tout le monde à l'école Truman, il tâchait d'éviter Mrs. Starch le plus souvent possible. Depuis qu'il était entré en fonction, il avait entendu d'étranges histoires sur son compte. Elle vivait seule, pourtant personne ne savait si elle était divorcée ou veuve. On disait que sa maison était remplie d'animaux empaillés, genre mouffettes et ratons laveurs. À en croire un autre potin, elle avait cinquante-trois serpents comme animaux de compagnie, y compris un crotale diamantin.
Officiellement, la vie privée de Mrs. Starch ne regardait pas du tout le Dr Dressler. En tant que professeur, elle était ponctuelle, consciencieuse et travailleuse. Les élèves avaient peut-être peur d'elle, mais ils apprenaient aussi beaucoup. L'école Truman obtenait toujours des notes exceptionnelles aux questions de biologie des PSAT et des SAT[1].

1. Tests d'évaluation et d'admission à l'enseignement supérieur aux États-Unis *(N. d. T.)*.

Cependant, le Dr Dressler ne pouvait s'empêcher de se demander si les anecdotes bizarres que l'on colportait sur Mrs. Starch étaient vraies. S'il se sentait mal à l'aise en sa présence, c'était sans doute parce qu'elle était grande et imposante et qu'elle lui parlait comme à un neveu demeuré.

– Je me ferai un plaisir de téléphoner aux parents de Duane en personne, lui dit-elle.

– Très bien. Mais demain, il y a la sortie nature…

– Nous sommes fin prêts, Dr Dressler.

– Bien. Très bien, fit-il en souriant, impassible. Mais je contacterai les Scrod. C'est une responsabilité qui m'incombe.

– Oh, mais vraiment, cela ne me gêne pas, fit Mrs. Starch, un peu trop enjouée.

– Laissez-moi m'en charger, s'il vous plaît.

Elle se leva pour prendre congé. Le directeur scella soigneusement les restes mâchonnés du crayon dans le genre de sachet en plastique qu'on utilise pour emballer les sandwiches.

– J'avais le crayon en main quand il s'y est attaqué. Il aurait pu facilement me sectionner les doigts, ajouta Mrs. Starch. Je suppose que des sanctions disciplinaires seront prises.

L'école Truman était dotée d'un code de bonne conduite détaillé pour les élèves mais, pris à l'improviste, son directeur ne put se remémorer une règle s'appliquant au fait de manger le crayon d'un professeur. Il présuma que ça entrait dans la catégorie « comportement indiscipliné ».

– Qu'est-ce qui a pu pousser Duane à faire une chose pareille ? demanda-t-il à Mrs. Starch.

– Il est devenu furieux quand je lui ai demandé de me rédiger un devoir, lui expliqua-t-elle. Ceci parce qu'il avait négligé d'apprendre sa leçon. Résultat : il a été incapable de répondre quand je l'ai interrogé.

– Je vois.

Le Dr Dressler ouvrit un tiroir et y déposa le sachet contenant le reliquat du crayon.

– À propos, nous accompagnerez-vous au cours de notre sortie nature ? lui demanda Mrs. Starch. Je peux vous emmener dans ma voiture.

– J'ai bien peur de ne pas pouvoir, s'empressa de répondre le directeur. J'ai une… réunion, une réunion du conseil demain, dans la matinée. Du conseil d'administration.

« Et s'il n'y a pas de réunion, songea-t-il, j'en organiserai une. » Il n'était pas un adepte du plein air, son contact avec la nature se limitait aux visions fugitives de faune et de flore sauvages sur Animal Planet, pendant qu'il zappait entre deux émissions de cuisine. Le Dr Dressler était sûr et certain qu'un endroit du nom de Black Vine Swamp n'était pas fait pour lui.

– Vous ne savez pas ce que vous perdez, lui dit Mrs. Starch.

– Je vous crois aisément.

Une fois qu'elle eut quitté son bureau, le Dr Dressler téléphona au domicile des Scrod. Un homme répondit, grommela quelque chose que le directeur ne comprit pas et raccrocha.

Perplexe, il sortit le dossier de Duane Scrod junior. Il était noté que ce garçon avait redoublé deux fois en primaire avant d'être renvoyé plus tard du collège pour s'être battu avec son professeur d'éducation physique. Ledit professeur avait laissé trois dents dans la bagarre plus l'extrémité du petit doigt droit, que Duane lui avait bel et bien croquée.

« Il semble avoir un net penchant pour la chose », se dit le Dr Dressler.

Comment un individu tel que Duane Scrod avait pu être admis au sein de l'école Truman était une énigme qu'il résolut en tombant sur une lettre du directeur précédent : elle faisait référence à une grosse donation en espèces de la richissime grand-mère de Duane, qui réglait aussi ses frais de scolarité.

Le Dr Dressler en conclut qu'il serait mauvais pour l'établissement et ses futures dotations que le jeune Duane tombe gravement malade après avoir dévoré le crayon de Mrs. Starch. Il rangea le dossier puis se dirigea avec une lassitude certaine vers le parking. Il monta dans sa voiture et – s'aidant du tout nouveau GPS de son tableau de bord – se rendit à l'adresse de Mr. Duane Scrod senior.

La maison, un cube brut, était située le long d'une route en terre dans une pinède embroussaillée, à la périphérie de Naples. Le temps que Mr. Dressler y arrive, le soleil s'était couché et les bois bourdonnaient d'insectes nocturnes. Dans l'allée stationnaient de nombreux véhicules, dont aucun n'était en bon état. Il y avait là un pick-up cabossé, une moto au guidon tordu, un tout-terrain maculé de boue, posé sur des parpaings, un monospace bosselé auquel manquaient deux portes et un 4 × 4 sur lequel on avait peint en lettres d'un orange vif : BOYCOTTEZ SMITHERS CHEVROLET !

Même s'il n'y avait aucune lumière à l'intérieur de la maison, les fenêtres en façade étaient ouvertes et le Dr Dressler entendait de la musique classique, ce qu'il trouva encourageant. Il s'agissait d'un concerto de Bach.

Le directeur rectifia sa cravate et sonna. Comme personne ne répondit, il frappa.

Finalement, un homme maigre et mal rasé apparut derrière la porte à moustiquaire. Il portait une tenue de chasse, une casquette rouge de routier, il était pieds nus.

– Z'êtes fonctionnaire ? fit l'homme en braquant agressivement une pince rouillée sur le Dr Dressler. Si vous v'nez pour les impôts, soyez pas surpris que je vous arrache les lèvres et que je les donne à bouffer à mon oiseau. J'ai un ara qui parle trois langues.

Le directeur refréna son envie de s'enfuir en courant.

– Je suis de… de… de l'école Truman, bégaya-t-il. Êtes-vous le père de Duane ?

– Lui-même, fit l'homme. Z'avez des papiers ?

Le Dr Dressler sortit nerveusement l'une de ses cartes de la poche intérieure de sa veste. Duane Scrod senior s'empara de la carte et disparut pendant plusieurs minutes. À son retour, un gros oiseau au plumage bleu et jaune d'or brillant était perché sur son épaule gauche. De son bec recourbé et rugueux, l'ara déchiquetait la carte du Dr Dressler.

Duane Scrod senior ouvrit la porte à moustiquaire en la maintenant entrebâillée d'un genou.

– Qu'est-ce qu'il a fait cette fois, D. J. ? demanda-t-il.

– D. J. ?

– Duane junior. Je sais qu'il a dû faire du vilain parce que petit a, vous êtes là, et que petit b, lui y est pas. Voulez entrer ?

Le Dr Dressler secoua la tête en disant poliment « non, merci ».

– Votre fils a eu ce que j'appellerais un désaccord avec l'un de ses professeurs, aujourd'hui. Un problème de devoir à la maison, à ce que j'ai compris.

– Et ça fait la une des journaux ?

Quand Duane Scrod senior éclata de rire, son ara éclata de rire aussi. C'était si parfaitement imité que le Dr Dressler en eut la chair de poule.

Il comprit que sa visite était une erreur. Duane junior

n'avait pas parlé à son père, c'était évident, de ce qui s'était passé dans la classe de Mrs. Starch et n'avait, sans aucun doute, nulle intention de le faire, même s'il était malade comme un chien après avoir mangé ce crayon.

– J'vois pas pourquoi vous avez fait tout ce chemin jusqu'ici, marmonna Duane Scrod senior. Ma riche ex-belle-mère a appelé l'école ou quoi ? Elle vous a remonté les bretelles ?

– Non, Mr. Scrod. L'idée est venue de moi.

Ça démangeait le directeur de s'en aller.

– Je voulais juste vérifier quelque chose avec votre fils. Écouter sa version des faits. Clarifier avec lui notre politique des devoirs à la maison, vous voyez, pour lui éviter toute confusion à l'avenir sur ses responsabilités.

– Quelle confusion ? gloussa Duane Scrod senior, étrangement singé par son ara. D. J. n'a rien de confus. D. J., c'est D. J., un point c'est tout.

– Ma foi, son professeur et moi nous faisions du souci, affirma le Dr Dressler, ce qui n'était qu'à moitié vrai.

Mrs. Starch n'avait pas paru soucieuse du tout.

– Il faut que vous soyez bien conscient que D. J. a avalé un crayon à l'école, aujourd'hui. Il risque d'avoir besoin de voir un médecin.

Duane Scrod senior émit un grognement.

– Mon garçon, il a un estomac en béton. Quand il était qu'un bout de chou, il bouffait des cailloux, des coquilles d'huître, des écrous, des boulons, un jour, même, il a mangé une corde de piano. Un crayon lui fera pas de mal, ça c'est garanti.

– N'empêche, je me sentirais mieux si je pouvais lui parler, fit le directeur.

– Ben, comme je vous l'ai dit, il n'est pas là. Il n'est pas encore rentré de l'école.

Le Dr Dressler ne cachait plus sa préoccupation.

– Mais il y a des heures que les cours sont terminés. Il fait déjà nuit dehors, Mr. Scrod…

– Vous avez de bons yeux.

– D. J. vous a appelé pour vous prévenir qu'il reviendrait tard ?

– Relax, mon vieux.

– Il n'avait pas d'entraînement de foot, cet après-midi ? demanda le directeur. Peut-être qu'il est encore au stade.

Duane Scrod senior lui apprit que Duane ne faisait partie ni de l'équipe de foot ni de celle de football américain, de lacrosse ou de toute autre équipe sportive de l'école Truman.

– Il se mélange pas, expliqua Duane Scrod senior. Il fait cavalier solo, on pourrait dire. Sa mamie lui a acheté un portable, mais je crois qu'il a jamais répondu.

Le Dr Dressler éprouva une poussée nauséeuse d'appréhension. Il s'imagina Duane junior perdu dans les bois et se tordant de douleur, les entrailles pleines d'esquilles de crayon, pointues comme des aiguilles. Ce qui fut immédiatement suivi d'une vision, tout aussi déplaisante, de lui-même mis à la porte de l'école Truman par le conseil d'administration avant d'être traîné devant les tribunaux par la famille Scrod.

– Quelquefois, D. J. se pointe à pas d'heure, lui disait Duane senior. Je me fatigue pas à rester debout à l'attendre… c'est un garçon baraqué et y a pas grand monde d'assez débile pour aller lui chercher des crosses.

Le Dr Dressler sortit une autre carte et y inscrivit le numéro de téléphone de son domicile au dos.

– Cela vous dérangerait-il de m'appeler dès que vous ou Mrs. Scrod aurez des nouvelles de votre fils ?

– Y a pas de Mrs. Scrod dans le coin pour le moment, dit Duane senior.

– Oh. Excusez-moi.

– De quoi ? On s'en sort super bien, pas vrai, Nadine ?

L'ara émit un ronronnement et mordilla le col effrangé de la veste de chasse de Duane Scrod senior.

Le Dr Dressler lui tendit la carte portant son numéro. L'homme la donna immédiatement à l'oiseau.

– Vous en faites pas pour Junior, lui dit-il, en laissant la porte à moustiquaire se refermer bruyamment. Il rappliquera quand ça lui chantera. Bon'nuit.

Le directeur dévala l'allée jusqu'à sa voiture qu'il avait verrouillée par habitude. Tout en farfouillant pour retrouver ses clés, il entendit un animal détaler dans les broussailles et sentit son cœur battre plus vite.

L'odeur des aiguilles de pin le fit éternuer violemment. Une voix provenant de la maison plongée dans le noir le fit sursauter :

– À vos souhaits ! criait Nadine. *Bless you ! Gesundheit !*

TROIS

Les élèves, dans le coaltar, ébouriffés, se retrouvèrent au lever du jour sur le parking de l'école. Nick était assis à l'écart sur un rebord de trottoir quand Marta arriva.

– Ça va ? lui demanda-t-elle.

– Fatigué, c'est tout.

Il était resté devant son ordinateur depuis quatre heures du matin, mais n'avait reçu aucun mail de son père en Irak.

Marta s'installa près de lui.

– Où est Smoke ?

– Je l'ai pas vu, fit Nick.

– Bien. Peut-être qu'il a quitté l'école… s'il est assez grand pour conduire, il doit l'être assez pour laisser tomber, hein ?

– Ne l'espère pas trop.

– Je m'excuse, mais il me fiche vraiment la trouille, dit Marta.

– Plus qu'elle ? Impossible, affirma Nick.

Mrs. Starch était là, bien réveillée et d'excellente humeur. Elle portait des cuissardes, un pantalon de toile raide, une ample chemise à manches longues et un chapeau de paille effrangé, muni d'un filet antimoustiques relevé. Mrs. Starch se préparait toujours au pire.

– Enduisez-vous, tout le monde ! aboya-t-elle. D'écran solaire, de répulsif, de baume à lèvres… c'est la jungle, là-bas !

Nick et Marta rejoignirent la file pour monter dans le bus.

– Peut-être qu'un scorpion la piquera, murmura Marta.

– Ça serait affreux, chuchota Nick en retour. Pour le scorpion.

Mrs. Starch donna un coup de sifflet perçant.

– Est-ce que tous ceux qui suivent mes cours se sont souvenus d'apporter leur journal ?

Elle brandissait un carnet noir au-dessus de sa tête.

– Dressez la liste de tout ce que vous verrez : insectes, mammifères, oiseaux, arbres. Ça comptera comme note de TP.

Graham, habillé tel un modèle réduit de Crocodile Dundee, leva la main. Mrs. Starch l'ignora, comme d'habitude.

– Nous possédons trois trousses de premiers secours, poursuivit-elle. Chaque professeur aura la sienne sur lui. Si vous vous retrouvez en situation de détresse, appelez aussitôt. Rappelez-vous : restez avec votre groupe de randonnée, ne vous écartez pas et, plus important que tout le reste, montrez-vous respectueux de cet endroit très spécial que nous explorons. Éteignez vos téléphones portables… si moi ou l'un des autres professeurs en entendons un sonner, il vous sera confisqué.

Mrs. Starch reposa le carnet noir pour se saisir d'un appareil que Nick reconnut : c'était une corne de brume portative. Ça émettait des sortes de pets sonores et c'était le jouet préféré des imbéciles imbibés qui assistaient aux matches de foot des Buccaneers. Le père de Nick prenait des billets pour la saison.

– Voici ce qui nous servira de signal d'alarme, dit Mrs. Starch, en faisant une démonstration.

Un pouêt perçant retentit.

– Dès que vous entendrez ce son-là, rangez-vous immédiatement derrière votre professeur et revenez directement jusqu'au bus. Des questions ?

Graham sautillait sur place en agitant un bras. Mrs. Starch fixa un point au-dessus de sa tête.

– Très bien, tout le monde, dit-elle en tapant des mains. Profitons à fond de notre journée dans le Black Vine Swamp !

Le bus climatisé était propre et spacieux, contrairement à celui qui les emmenait à l'école. Nick et Marta s'assirent l'un à côté de l'autre à l'avant, leurs sacs à dos rangés sous leurs sièges.

Marta poussa Nick du coude en lui montrant l'extérieur par la vitre. Mrs. Starch montait dans sa voiture, l'un de ces modèles hybrides, en forme de larme, qui roulent en partie à l'essence en partie à l'électricité. Sa plaque d'immatriculation affichait : « Sauvez les lamantins ! »

– Elle a dû laisser son manche à balai chez elle, fit Marta.

Nick trouva bizarre que Mrs. Starch n'effectue pas le trajet jusqu'au marais avec tout le monde. Il se demanda si, après ce qui s'était passé la veille, elle pouvait ne pas avoir envie de se trouver dans le même bus que Smoke.

Mais, au grand soulagement de Nick et de Marta, on ne voyait ce dernier nulle part. Les autres profs de sciences, Mr. Neal et Miss Moffitt, allaient et venaient dans la travée centrale, récupérant des formulaires auprès de chaque élève. Ces formulaires, signés des parents, déclaraient que l'école n'était pas responsable si leur enfant était blessé au cours de la sortie nature.

– J'ai failli dire que j'étais malade. Je n'aime pas les marécages, confia Marta à Nick.

– J'espère qu'on verra une panthère, lui dit-il.

– T'es fou ?

– Non, sérieux… ça serait tellement cool.

Jamais dans les annales de la Floride aucune panthère n'avait fait de mal à un être humain. Il restait aujourd'hui moins d'une centaine de ces grands fauves dans tout l'État.

– J'ai pris ma caméra vidéo, au cas où, annonça Nick.

La mère de Marta voulait qu'elle lui rapporte une orchidée fantôme.

– Je lui ai dit : « Ouais, d'acc, m'man. Mais c'est interdit. » Alors, elle m'a fait comme ça : « Mais j'en prendrai bien soin ! » Et moi, genre : « Tu veux que j'aille en prison ou quoi ? Fiche-moi la paix ! »

Nick sentait que Marta était de meilleure humeur parce que Mrs. Starch n'était pas dans le bus. L'absence de Smoke était aussi un plus.

– Comment va ton père ? demanda Marta, prenant Nick par surprise.

– Il va bien.

– Il rentre quand ?

– Dans vingt-deux jours.

Nick n'avait pas dit au départ, ni à Marta ni à aucun autre de ses amis, que son père avait été envoyé en Irak, mais le journal de Naples avait publié les noms de ceux qui servaient en zone de guerre et la liste avait été collée sur le tableau d'affichage à l'extérieur du gymnase de l'école Truman.

– Et après ça, il restera à la maison pour de bon ? demanda Marta.

– J'espère bien.

Nick mit son iPod et Marta, le sien. Le trajet dura quasiment une heure parce qu'un camion chargé de tomates s'était renversé sur la State Road 29, bloquant la circulation. Une équipe de pompiers enlevait au jet la bouillie couleur ketchup qui salissait le revêtement. Nick, apercevant un daim mort au bord de la route, supposa que le camion avait dû le heurter dans le brouillard matinal. Il se demanda si le daim galopait pour échapper à une panthère.

Enfin, le bus s'engagea en tournant lentement sur une piste de terre pleine d'ornières et très étroite. Par deux fois, il dut s'arrêter pour permettre à des camionnettes à plateau de le croiser. Nick remarqua que les deux véhicules portaient un logo rouge en forme de diamant sur les portières et avaient l'air flambant neufs. Ils ralentirent à peine, soulevant des tourbillons de poussière en passant le long du bus, et en faisant ronfler leur moteur.

Les prairies humides qui, d'habitude, miroitaient au soleil étaient devenues brunâtres et craquelées en l'absence de pluie. Devant, Nick voyait grandir une ligne d'arbres qui marquait la limite du Black Vine Swamp.

Il plongea la main dans son sac pour y pêcher un tube d'écran total dont il s'enduisit les bras et le cou.

– N'oublie pas le nez, lui dit Marta. Donne, laisse-moi faire !

– Non, ça va…

– Chut.

Elle s'empara du tube, fit gicler une grosse noix de pâte blanche visqueuse dans le creux de sa paume, dont elle recouvrit soigneusement chaque centimètre carré du visage de Nick, comme si elle lui peignait un masque. Il était terrifié à l'idée que les autres remarquent ce qu'elle était en train de faire.

– Et maintenant, à mon tour, lui annonça Marta en retirant son iPod.

– Quoi ?

Elle lui tendit le tube et ferma très fort les paupières.

– Fais attention. Ce produit brûle s'il te coule dans les yeux.

Nick se sentit piégé. Et se fit tout petit sur son siège.

– Mon oncle a des carcinomes tout le temps, c'est une sorte de cancer de la peau. On les lui enlève chez le médecin, fit Marta.

Nick se hâta d'enduire de crème solaire les joues et le front de Marta.

– Voilà, t'es parée, lui dit-il à voix basse.

– Les oreilles aussi, lui commanda-t-elle.

– Oh, ça va.

– C'est quoi ton problème, Nick ? Désolée, mais les carcinomes, c'est de famille… tu peux demander à ma mère.

Sans qu'il puisse expliquer pourquoi, toucher sa peau lui faisait un effet bizarre. Pas désagréable, juste bizarre. Après ça, Marta vérifia dans le rétroviseur du chauffeur que Nick n'avait oublié aucun endroit exposé au soleil.

– Bon boulot, fit-elle. C'était pas si terrible, non ?

Pendant le reste du trajet, Nick fit mine d'être fasciné par le paysage. Le bus s'arrêta enfin dans un soubresaut et les élèves en descendirent pêle-mêle.

Mrs. Starch les attendait. Le filet antimoustiques n'était pas assez long pour protéger son menton en galoche, laissant sa marque en forme d'enclume à découvert. Sous le filet, elle arborait d'énormes lunettes de soleil violettes qui la faisaient ressembler à une libellule mutante.

– Allez, tout le monde, on s'organise, dit-elle, en tapant dans ses mains à nouveau, tout en faisant les cent pas.

Chaque professeur avait un groupe de quinze élèves. Ces derniers tournaient en rond anxieusement pendant qu'on les appelait par leur nom. Personne n'avait envie de se retrouver dans le groupe de Mrs. Starch, car ils savaient que cette dernière les ferait bosser plus dur que les autres profs.

Le seul intérêt de participer à une sortie nature, c'était de se la couler douce.

Marta se pencha vers Nick et lui dit :

– Si jamais elle me désigne, je te jure que je simule une crise cardiaque.

Mais, petit miracle, ce fut Mr. Neal qui appela le nom de Marta… puis celui de Nick. Ils l'avaient échappé belle.

Mrs. Starch prit la tête de l'ensemble des groupes, les conduisant le long d'un chemin de planches tortueux, à travers broussailles, pinèdes et hammocks, puis dans des bois plus touffus. Là, à l'ombre fraîche d'antiques cyprès chauves, se terminait le chemin de planches.

Les groupes se séparèrent et partirent dans différentes directions. Au-dessus de la cime des arbres, le ciel brillait d'un éclat vif, sans un nuage. Malgré la sécheresse, il y avait encore assez d'eau dans la futaie pour transformer l'excursion en défi spongieux. On avait conseillé aux élèves de porter des pantalons longs pour se protéger les jambes et de vieilles baskets qu'ils pourraient jeter après l'excursion. Seul Graham avait eu l'imprudence de se pointer en short et ses mollets eurent bientôt l'air d'avoir été griffés par un matou en colère.

La spécialité de Mr. Neal étant la botanique, il s'arrêtait de temps à autre pour leur désigner une plante ou un arbuste d'intérêt local. Respectant les instructions de Mrs. Starch, Nick et Marta tiraient automatiquement leur journal de leur sac à dos et prenaient des notes. Lors de leur première halte figuraient déjà sur leur liste d'espèces végétales : corossoliers des marais, figuiers étrangleurs, chênes lauriers, sumacs, palmiers sabals, caféiers sauvages et roses de Jéricho.

La faune se montrait plus insaisissable. Mr. Neal repéra une chouette rayée tout en haut d'une branche d'arbre et, plus tard, une jeune tortue à ventre rouge prenant le soleil sur un rondin moussu. Graham poussa un cri perçant à la vue d'un serpent ruban qu'il confondit avec un mocassin « bouche de coton » venimeux. Marta et deux autres filles s'empêtrèrent brièvement dans une toile d'araignée de la taille d'une toile de tente, pendant qu'un garçon du nom de Mickey Maris capturait un anole, lézard vert que Mr. Neal lui fit relâcher sur-le-champ.

Nick, à l'affût du moindre signe de panthère, tomba sur des traces fraîches de cochon sauvage, mais pas de grand-chose d'autre. Il entendait de temps en temps les autres groupes d'élèves se déplacer plus loin à travers le marécage. Une fois, il fut certain de distinguer la voix de Mrs. Starch en train de jodler : « Nous voici au paradis des broméliades ! »

À midi, le groupe de Mr. Neal s'installa pour déjeuner sous un cyprès rabougri que le professeur estima vieux de cinq cents ans. Les élèves avaient apporté leurs sandwiches… celui de Nick était à la dinde et au fromage, celui de Marta au beurre de cacahuète et au Nutella. Ils partagèrent une Gatorade au citron vert que la mère de Nick avait glissée dans un sac isotherme rembourré.

S'adressant à son groupe, Mr. Neal demanda :

– Quelqu'un peut-il me dire pourquoi les moustiques nous laissent tranquilles ?

Graham leva aussitôt la main. Il eut l'air de tomber complètement des nues quand le professeur lui donna la parole.

– Parce que…, commença-t-il. Parce que…

– Oui, Graham ?

– Parce que…

– Continuez.

– Parce que… que…

Graham s'avoua vaincu d'un haussement d'épaules.

– J’en ai pas la moindre idée.

Mr. Neal désigna une autre élève.

– Rachel ?

– Parce qu’il a fait trop sec pour les moustiques, répondit-elle.

– C’est une bonne supposition, répondit le professeur. Mais il y a plein d’eau pour que ces petits chenapans y déposent leurs œufs. Nick Waters, à votre avis ?

Nick n’était pas attentif ; il pensait à son père. Marta le poussa du coude, il leva la tête, troublé, et dit :

– Quoi ? J’ai pas entendu la question.

– Pourquoi ne sommes-nous pas dévorés par les moustiques ? demanda Mr. Neal avec un brin d’impatience.

Marta décida de rendre à Nick son service de la veille au cours de Mrs. Starch. Elle se mêla à la discussion en lançant :

– Parce que les gambusies mangent toutes les larves de moustique ?

– Excellent !

Mr. Neal parut soulagé que quelqu’un ait bien répondu à sa place.

– J’ai moi aussi une question, reprit Marta. Pourquoi appelle-t-on ce marécage le Black Vine Swamp alors que toutes les lianes qu’on a vues sont vertes ?

Graham leva la main, faisant une nouvelle tentative. Les autres élèves gémirent. Mr. Neal dit :

– Je ne suis pas sûr de connaître la réponse… quelqu’un a-t-il une théorie là-dessus ?

À cet instant, un cri perçant s’éleva d’entre les cyprès imposants. À l’entendre, ça ne ressemblait en rien à un son qu’aurait pu émettre une personne humaine.

Le professeur fut aussi saisi que les élèves, même s’il essaya de ne pas le montrer. Il posa un doigt sur ses lèvres pour leur signifier à tous de garder le silence. Un pivert, qui tambourinait sur une souche morte, s'arrêta brusquement et voleta plus loin.

Si certains élèves furent effrayés, Nick fut, lui, tout excité. Il croyait savoir quel genre d'animal ils venaient d'entendre. Il sortit sa caméra vidéo de son sac à dos et après avoir tâtonné pour trouver la touche « enregistrement », braqua l'objectif vers la partie boisée d'où ce cri sauvage était parti.

Distinguer les détails dans le viseur était difficile à cause des ombres de la forêt et aussi parce que les mains de Nick tremblaient légèrement. Marta, qui s'était rapprochée, jeta un coup d'œil par-dessus son épaule.

– Tu vois ça ? Tu le vois ? fit-elle en pointant du doigt l'écran du Caméscope.

Quelque chose courait entre les troncs des arbres : une grosse forme floue de couleur fauve.

– Où est-ce passé ? murmura Marta. C'était quoi ?

– Attends, fit Nick.

Mais plus rien ne bougea.

Quelques instants plus tard, les élèves entendirent des éclaboussures, suivies d'un fort bruissement, puis tout retomba dans le silence.

Personne ne pipa mot jusqu'à ce que Mr. Neal prenne la parole :

– C'était sans doute un renard ou un cochon sauvage... pas de quoi s'inquiéter, dit-il, d'un ton pas très rassuré.

Nick arrêta sa caméra.

– C'était trop gros pour être un renard. Je parie que c'était une panthère.

Les autres ne partageaient pas tous sa curiosité pour ces grands félins et certains d'entre eux exprimèrent leur consternation devant la possibilité d'en croiser un sur le chemin. Mickey Maris se leva et déclara qu'ils devaient aussitôt retourner au bus.

– Je doute fortement que c'était une panthère, dit Mr. Neal.

– Et si c'était un ours ? glapit Graham d'une voix flûtée. Il y a des ours noirs par ici… Mrs. Starch nous l'a dit !

Pendant que le professeur tentait de calmer les élèves, Nick faisait défilé le menu de contrôle de son Caméscope. Il voulait repasser la bande au ralenti afin de mieux voir la créature.

Marta lui pinça le bras.

– Dis, tu sens pas quelque chose ?

Nick leva la tête de sa caméra et renifla.

– C'est de la fumée, fit-il.

– Carrément.

Au même instant, retentirent deux longs appels de la corne de brume de Mrs. Starch. Tout le monde se mit à murmurer en serrant les rangs autour de Mr. Neal, qui leur ordonna de le suivre ; ils allaient retourner jusqu'au chemin de planches le plus vite possible… mais sans courir et sans parler, leur recommanda-t-il.

Il n'eut pas à le répéter deux fois. Les élèves s'empressèrent de zipper leurs sacoches et de se mettre en file derrière le professeur qui les entraîna sans encombre le long du même bourbier, plein de tourbe humide, par lequel ils étaient venus. L'odeur de fumée devint plus forte et, par endroits, une brume grise apparaissait entre les arbres.

Après s'être rejoints sur le chemin de planches, les trois groupes fusionnèrent pour former une seule et longue file. À son extrémité se trouvait Mrs. Starch qui donna un coup de corne pour réclamer l'attention des élèves.

– Écoutez-moi, tout le monde ! fit-elle. Un petit feu de forêt s'est déclaré de l'autre côté du marais… ce qui est assez courant en cette saison. Il s'éteindra probablement de lui-même en atteignant l'humus des cyprès, mais nous ne pouvons courir le moindre risque. C'est pourquoi nous abrégeons notre sortie nature et rentrons directement à l'école.

Marta gémit et s'appuya contre Nick.

– Et si elle nous oblige à assister à son cours ? Je vais être à nouveau malade, et encore vomir partout.

– Prie pour qu'on crève un pneu en rentrant, lui dit-il.

Il était déçu car il avait espéré avoir une nouvelle occasion de voir la panthère, ou quoi que ce fût d'autre, qui avait filé dans l'ombre des cyprès. Néanmoins, il ne fallait pas plaisanter avec un feu de forêt. Si un vent fort se levait, le brasier parcourrait le terrain plus vite qu'un être humain.

– S'il vous plaît, restez en ligne derrière Mr. Neal et Miss Moffitt, dit Mrs. Starch. Je vous rejoins dans un instant… Libby a laissé tomber son inhalateur, je retourne le chercher.

Elle frappa dans ses mains si fort qu'on aurait dit un sac en papier qui explosait.

– Et maintenant, on s'active ! En avant !

Sur le moment, personne ne critiqua la décision de Mrs. Starch de revenir sur ses pas. Libby Marshall avait de fréquentes crises d'asthme et transportait toujours un inhalateur sur elle. La fumée de l'incendie risquait de rendre sa respiration plus difficile.

– Vite et en silence, les pressa Miss Moffitt.

Ils se mirent en mouvement vers le bus. Nick marchait derrière Marta, elle-même derrière Graham, lui-même suivant Mickey Maris qui suivait Rachel qui suivait Hector, la star de l'équipe de foot. Les élèves se précipitaient tant qu'ils se marchaient sur les pieds. Nick perdit l'une de ses baskets quand il fut dépassé par le garçon qui le suivait dans la file, un champion d'algèbre du nom de Gene.

En se baissant pour chercher sa chaussure, Nick jeta un coup d'œil en arrière sur le chemin de planches sinueux, juste à temps pour apercevoir Mrs. Starch, avec son chapeau de paille et ses lunettes libellule, s'enfoncer seule dans le marécage enfumé.

Il n'imaginait pas qu'elle n'en ressortirait pas.

QUATRE

La batterie du Caméscope étant à plat, Nick et Marta ne purent visionner la bande dans le bus. Quand les élèves regagnèrent enfin l'école, il était si tard que Mr. Neal et Miss Moffitt les laissèrent terminer la journée en faisant leurs devoirs à la cafétéria.

Comme Marta avait rendez-vous chez son orthodontiste, Nick rentra chez lui, seul et à pied depuis l'arrêt du bus, pataugeant dans ses baskets. Il s'en débarrassa d'un coup de pied devant la porte d'entrée et courut jusqu'au bureau vérifier ses mails.

Rien.

Le père de Nick appartenait à la 53e brigade d'infanterie de la Garde nationale de Floride, qui s'était surnommée la brigade Alligator et avait son propre site Web. Chaque fois qu'un soldat était tué au combat, une page commémorative était postée. Nick retint son souffle et cliqua sur le lien.

La photo d'un réserviste, mort après l'explosion d'une bombe au bord de la route alors qu'il patrouillait à pied dans les environs de Bagdad, apparut. Ce n'était pas le père de Nick, mais ce dernier lut attentivement l'hommage qu'on lui rendait.

Ce soldat, originaire de Tampa, avait trente ans, une femme et deux enfants en bas âge. La photo le montrait dans son uniforme militaire parfaitement repassé, devant un drapeau américain. Il avait l'air si fort, si confiant, qu'il était presque impossible de croire à sa mort.

Nick lutta pour s'empêcher de pleurer. Puis il se rendit sur YouTube pour regarder des vidéos marrantes. Il considérait que son boulot n° 1 était de soutenir le moral de sa mère ; il n'avait pas envie qu'en passant la tête par la porte, elle le surprenne, les larmes aux yeux.

Quand elle rentra du travail, il se sentait mieux. Il avait rechargé la batterie du Caméscope et s'apprêtait à revoir la bande du Black Vine Swamp.

– C'était comment la sortie nature ? lui demanda sa mère.

Nick lui parla du feu de forêt.

– Dieu merci, personne n'a été blessé, fit-elle. Et il a démarré comment ?

Nick haussa les épaules.

– Qui sait ? C'est la saison sèche… des feux se déclenchent tout le temps.

– En tout cas, tu as eu une journée plus passionnante que la mienne.

Elle sortit des boîtes en plastique du réfrigérateur en lui annonçant qu'elle allait leur préparer une salade grecque pour dîner. Elle était trop fatiguée pour cuisiner.

– Il m'est arrivé un truc sympa : je crois que j'ai vu une panthère dans les bois, lui dit Nick. Je l'ai filmée… tu veux que je te montre ?

Sa mère s'assit sur le canapé. Nick brancha le Caméscope puis le connecta au poste de télévision.

– Faudra que tu regardes bien. C'est flou et très court, dit-il.

Quand il appuya sur la touche « play », la futaie de cyprès emplit l'écran. L'image, bien que vacillante et tout sauf nette, était plus facile à distinguer sur un écran de télévision que sur le viseur de la caméra.

– Là, elle est là ! s'exclama Nick quand la forme vaguement fauve traversa le champ entre les troncs des arbres.

Après quelques instants de silence, l'écran devint blanc.

– C'est tout ? demanda sa mère.

Nick effleura la touche « retour ».

– Regardons encore une fois.

La bande ne durait que quinze secondes. Nick mit sur « pause » à l'apparition de l'animal.

– Mon chéri, elle a une drôle d'allure, ta panthère, commenta sa mère.

L'animal se déplaçait selon un angle qui l'éloignait de la caméra, si bien qu'on ne voyait pas entièrement sa tête. Son corps ne paraissait pas long et profilé comme celui d'une panthère ; la créature, plus épaisse, se tenait plus droite.

– C'est peut-être un cochon sauvage, fit sa mère.

– Pas la bonne couleur. On a entendu un cri et on aurait dit celui d'un grand fauve, je t'assure.

Nick fit défiler la bande au ralenti, la rembobina et la passa à nouveau.

« Où est la queue ? songea-t-il sombrement. Les panthères ont une longue queue à bout noir. »

– Fais un arrêt sur image, juste là !

Sa mère bondit du canapé.

– OK. Et maintenant, zoome. Allez, *zoome* !

– Je peux pas zoomer en mode « lecture ». C'est pas comme avec Photoshop.

– Alors, ouvre grand les yeux !

Elle s'approcha de l'écran et désigna une bande noire qui ceignait l'animal.

– Tu vois ça ?

Nick voyait très bien.

– J'y crois pas, fit-il.

Sa mère sourit.

– Tu as rêvé, Nicky.

– Je me suis fait avoir, tu veux dire.

– Peu importe, fit-elle. Ta « panthère » porte une ceinture.

Le Dr Dressler resta plus longtemps que d'ordinaire à l'école, après la fin des cours. Miss Moffitt et Mr. Neal, dans son bureau, lui faisaient un récit de ce qui s'était passé durant la sortie nature. Le directeur fut secoué par ce qu'il entendait.

– Donc, la dernière fois que vous avez vu, l'un et l'autre, Mrs. Starch, elle retournait dans les marais, dit-il. Alors qu'un feu de forêt venait de se déclarer ?

– Elle allait rechercher l'inhalateur de Libby Marshall, expliqua Mr. Neal.

Le Dr Dressler tâchait de masquer sa panique : en douze ans de carrière administrative dans l'école privée, il n'avait jusque-là jamais perdu d'enseignant.

– Mais pourquoi ne pas avoir attendu son retour ? demanda-t-il.

– À cause du feu, répondit Mr. Neal, qui se tourna vers Miss Moffitt pour recevoir son soutien.

Cette dernière opina.

– Mrs. Starch nous a dit de ne pas l'attendre, expliqua Miss Moffitt. Et d'emmener les élèves loin de là, au plus vite. Elle nous a dit qu'elle nous retrouverait à l'école. Elle avait sa voiture.

– Oui, oui, vous m'avez déjà dit tout ça, fit le Dr Dressler en pianotant nerveusement sur son bureau.

L'explication tenait parfaitement debout ; la sécurité

des élèves passait toujours en premier. Bien entendu, Mrs. Starch aurait ordonné au bus de quitter le périmètre le plus rapidement possible.

Mr. Neal le mit en garde de ne pas tirer de conclusions trop hâtives.

– Elle est sûrement rentrée directement chez elle en voiture au lieu de venir ici. Ou peut-être s'est-elle arrêtée pour faire des courses. Vous avez essayé de la joindre sur son portable ?

– Une dizaine de fois, dit le Dr Dressler. En vain.

Il doutait que l'école Truman eût une procédure officielle pour signaler la disparition d'un professeur. Très vraisemblablement, il faudrait prévenir la police.

– Peut-être que quelqu'un devrait aller voir chez elle, rien que pour s'assurer qu'elle n'y est pas.

Pas plus Miss Moffitt que Mr. Neal ne parut désireux de se porter volontaire. Tous les membres du corps enseignant avaient entendu les histoires bizarres qui couraient sur le compte de Mrs. Starch : sa collection de serpents venimeux, les bestioles naturalisées, etc.

– Sauriez-vous par hasard si elle a de la famille qui habite par ici ? demanda le directeur. Quelqu'un qu'on pourrait contacter pour savoir si elle a donné de ses nouvelles ?

Pas plus Mr. Neal que Miss Moffitt ne put se rappeler Mrs. Starch mentionnant de quelconques liens familiaux.

– J'ai entendu dire que son mari est parti au Brésil il y a dix ans, dit Miss Moffitt.

– Et moi, qu'il avait disparu sans laisser de trace, renchérit Mr. Neal.

Le Dr Dressler lutta pour contenir son exaspération.

– Il doit bien y avoir *quelqu'un* : une sœur, un frère ou un cousin au second degré.

Il nota mentalement d'examiner le dossier d'engagement de Mrs. Starch pour y trouver le nom d'un proche parent.

Le téléphone interrompit la réunion. C'était un lieutenant des pompiers du comté qui répondait à un appel antérieur du Dr Dressler.

Mr. Neal et Miss Moffitt n'entendirent la conversation que du côté du directeur, ce qui se réduisit grosso modo à « je vois », « je comprends » et à un « vraiment ? ». Il faisait grise mine en raccrochant.

– Les soldats du feu n'ont pas retrouvé Mrs. Starch, dit-il. Mais sa voiture est toujours garée sur la piste de terre, près du chemin de planches, où elle l'a laissée.

– Une Prius bleue ? demanda Mr. Neal.

Le Dr Dressler acquiesça sèchement.

– Oh, mon Dieu, non, fit Miss Moffitt en s'affaissant sur elle-même.

– L'incendie était déjà éteint quand les pompiers sont arrivés sur place, ajouta le directeur. Ce qui est une bonne nouvelle.

– Ils sont toujours à sa recherche, n'est-ce pas ? demanda Mr. Neal.

Le Dr Dressler expliqua que le Black Vine Swamp était si dense, une vraie jungle, que les projecteurs des camions de pompiers ne servaient à rien.

– Les sauveteurs reviendront au lever du soleil, annonça-t-il.

Miss Moffitt regarda, l'air sombre, par la fenêtre.

– C'est épouvantable. On n'aurait jamais dû la laisser retourner là-dedans toute seule.

– Vous n'aviez pas le choix. Il était plus important de mettre les élèves en sécurité, lui dit le Dr Dressler. Rentrez chez vous, tous les deux, et prenez du repos. Je vous contacterai si j'ai du nouveau.

Une fois Mr. Neal et Miss Moffitt partis, le chef d'établissement téléphona au bureau du shérif du comté en précisant qu'il désirait signaler la disparition de l'un de ses professeurs. On l'informa au standard qu'un adjoint allait venir à l'école prendre tous les renseignements.

Pendant qu'il attendait, le Dr Dressler ouvrit un grand carnet et décapuchonna un stylo à plume en argent, cadeau de la classe 2003. Il savait qu'il devait rédiger quelques mots à propos du feu de forêt et de Mrs. Starch. Il les lirait lors de l'appel du lendemain matin.

Il n'arrivait pas à imaginer comment il pourrait répondre aux questions que tout un chacun se poserait et empêcher les rumeurs les plus folles de courir dans les couloirs.

Miss Moffitt avait bien raison. C'était épouvantable.

Libby Marshall était rentrée de la sortie nature tellement à cran que ses parents crurent qu'elle n'irait jamais se coucher. Elle n'arrêtait pas de parler de Mrs. Starch, se demandant pourquoi elle n'était pas retournée à l'école avec son inhalateur.

– J'espère qu'il ne lui est rien arrivé, dit Libby à son père. Et si elle a été surprise par l'incendie ? Et si elle est blessée ?

– Je suis sûre qu'elle va bien, ma chérie, dit sa mère. Je parie qu'elle te rendra ton inhalateur demain, en cours.

Son père n'en était pas aussi certain. Jason Marshall était inspecteur au bureau du shérif de Collier County. Il devint soucieux quand Libby lui parla du feu de forêt et de son professeur reparti tout seul chercher son inhalateur. Ça semblait étrange que Mrs. Starch n'ait même pas téléphoné.

Pendant que Libby se brossait les dents, Jason Marshall alla dans la cuisine et appela discrètement un ami pompier.

Celui-ci lui dit que le foyer près de Big Cypress était éteint tout en confirmant que les hommes avaient retrouvé une automobile appartenant à une dénommée Bunny Starch. Celle-ci avait disparu, on craignait qu'elle se soit perdue dans les marais.

Pour ne pas la bouleverser davantage, le père de Libby ne lui dit rien de ce qu'il venait d'apprendre. Elle le découvrirait bien assez tôt… sans doute, dès son arrivée à l'école, le lendemain.

Enfin, vers dix heures et demie, Libby s'assoupit. Dans la demi-heure qui suivit, sa mère en fit autant. Bonnie Marshall, propriétaire d'une sandwicherie très courue sur Marco Island, se levait chaque matin avant l'aube pour accomplir le long trajet.

C'était maintenant au tour de Jason Marshall de ne pas pouvoir s'endormir. Assis dans son lit avec un livre sur les genoux, il ne lisait pas. Il pensait au professeur de Libby.

Toute personne, même peu intelligente, pouvait survivre à une nuit passée dans la réserve de Big Cypress. Tout ce qu'il y avait à faire, c'était se tapir dans un endroit sec et y rester tranquille. À part les moustiques, rien ne viendrait vous déranger… en tout cas, aucune bête sauvage.

Le pire était de paniquer, le meilleur moyen de se faire mordre par un mocassin d'eau, saigner par un cochon sauvage ou pourchasser par un ours. Jason Marshall espérait que le professeur de biologie de Libby avait eu le bon sens de garder son calme en attendant l'arrivée des secours.

Ce fut bien après minuit que les paupières de l'inspecteur devinrent lourdes et qu'il éteignit la lumière. La première chose dont il se souvint ensuite, ce fut de Bonnie qui le secouait par les épaules parce que leur chien aboyait furieusement dans le salon. Le réveil sur la table de nuit marquait deux heures vingt du matin.

– Sam est comme fou, lui dit Bonnie. Tu ferais mieux d'aller voir ce qu'il a.

Sam était un labrador noir de cinq ans et une vraie crème : il aboyait rarement après qui ou quoi que ce soit, même un chat errant. Jason Marshall ouvrit le tiroir de la table de nuit et y prit son revolver de service, qui avait un cran de sûreté à combinaison.

Il enfila son jean et se hâta de gagner le salon où Sam se tenait, tout raide, devant la porte d'entrée. Le chien grognait, le poil hérissé.

– Du calme, mon garçon, lui dit Jason Marshall en ôtant le cran de sûreté de son revolver.

L'inspecteur sentit son cœur tambouriner dans sa poitrine ; il n'avait jamais vu Sam aussi tendu.

– Qui est là ? fit-il à travers le battant de la porte.

Pas de réponse. Le chien pencha sa grosse tête noire en gémissant.

– Qui est là ? redemanda Jason Marshall.

Il n'entendit rien de l'autre côté. Et déverrouilla silencieusement la porte. Sam le fixait, la tête levée, dans l'expectative.

– Couché, lui dit son maître.

Le chien lui obéit.

L'inspecteur, son arme dans la main droite, posa la gauche sur la porte et l'ouvrit à la volée. Levant son revolver, il sortit.

Il n'y avait personne. Sam suivit Jason Marshall : traversant la véranda, ils descendirent les marches du perron. Une fois là, le chien fit halte, leva sa truffe humide frémissante et flaira l'air nocturne.

Rien ne bougeait dans le jardin qu'illuminait un pâle croissant de lune. Les grillons chantaient, les geckos poussaient leur trille, tout paraissait parfaitement paisible.

– Qu’as-tu entendu, mon garçon ? demanda Jason Marshall à Sam, qui se mit à suivre une piste invisible le long de l’allée, en direction du portail.

« C’était peut-être un raton laveur ou un opossum », songea l’inspecteur. Quel qu’ait été l’intrus, Sam parut satisfait d’avoir fait son boulot, de l’avoir effrayé et éloigné. Remuant la queue, il alla, décontracté, se soulager dans le précieux jardin potager de Bonnie Marshall.

Jason Marshall fourra le revolver dans sa ceinture puis contourna la maison pour inspecter l’arrière-cour. Le chien le rattrapa et gambada devant lui, tout joyeux. En revenant sur le devant, Sam grimpa les marches d’un bond et se mit à renifler intensément la véranda.

Bonnie Marshall mit le nez à la porte. Libby, en robe de chambre et pantoufles duveteuses, se tenait derrière elle.

– Tout va bien. Le chien a dû entendre un raton laveur, dit Jason Marshall. Retourne au lit, terreur de mon cœur.

– Mais Sam n’aboie jamais, fit Libby d’une voix ensommeillée. Et je l’ai carrément entendu aboyer.

– Eh bien, c’était peut-être toute une colonie de ratons laveurs, reprit sa mère. Mais il est à nouveau tranquille comme Baptiste, alors, au lit. Maman doit se lever tôt demain.

– Comment ça se fait que tu aies sorti ton revolver, papa ?

Jason Marshall baissa les yeux vers la crosse de son arme qui dépassait de son jean.

– Au cas où ça aurait été un rôdeur, fit-il à Libby. Mais il n’y avait personne. Va te recoucher, ma puce…

– Eh, qui a donné un nouveau jouet à Sam ? demanda-t-elle.

Jason Marshall se retourna et aperçut le labrador assis fièrement sur le seuil, tenant un truc brillant dans sa gueule. Il remuait sa queue comme un essuie-glace à poils.

– Pose ça, Sam. Pose ! fit Bonnie Marshall.

Le chien l'ignora joyeusement.

– Jason, tu ferais mieux de lui retirer ce machin avant qu'il ne l'avale, dit-elle.

Sam était connu pour manger tout et n'importe quoi, en plus de sa nourriture. Son maître l'attrapa par son collier et le tira à l'intérieur de la maison. Puis il s'attaqua à la tâche gluante d'écarter les mâchoires du chien avec ses doigts, ce qui était tout sauf facile.

– Allons, sois un bon garçon, l'implorait Jason Marshall. Lâche ça, Sam.

Le chien, se trouvant d'humeur pour une course-poursuite, se mit à cavaler en cercle dans la pièce, comme un fou. Chaque fois que les Marshall l'acculaient, il jaillissait d'entre leurs jambes et se remettait à courir de plus belle.

– Je renonce, dit Bonnie Marshall pour finir. Bonne nuit à tous.

Libby se débarrassa de ses pantoufles d'un coup de pied.

– Moi aussi, fit-elle en soupirant avant de se diriger vers sa chambre.

Jason Marshall s'installa dans un fauteuil et patienta. Plus personne ne lui donnant la chasse, Sam se lassa vite de son petit jeu. Il se coucha, haletant, sur la moquette et laissa tomber son jouet mystère aux pieds de son maître.

Le père de Libby se redressa, fixant l'objet avec surprise. Il ramassa le petit tube de plastique, essuya la bave du chien et lut les initiales tracées au feutre vert sur le capuchon.

Il n'y avait pas d'erreur.

C'était bien l'inhalateur de sa fille, celui qu'elle avait perdu dans le Black Vine Swamp.

CINQ

L'école Truman s'était d'abord appelée l'académie Trapwick, du nom de celui qui l'avait fondée dix-huit ans plus tôt. Vincent Z. Trapwick était un riche banquier originaire de Rhode Island qui, s'étant installé en Floride du Sud-Ouest, y était devenu encore plus riche.

Vincent Trapwick ne tenait pas à ce que ses trois bêcheurs d'enfants hyper choyés aillent à l'école avec le tout-venant. Il créa donc son propre établissement privé et en écarta tous ceux qui n'avaient pas la même couleur de peau, la même religion ni les mêmes opinions politiques que lui, Vincent Trapwick.

Résultat, l'académie Trapwick avait des effectifs ridiculement bas et perdait de l'argent à la pelle, même si Vincent Trapwick ne paraissait pas s'en soucier. À sa mort, il laissa deux cent mille dollars à l'école, somme généreuse mais à peine suffisante pour assurer sa pérennité.

Par conséquent, le conseil d'administration assouplit peu à peu les critères d'admission et se mit à tendre la main à la communauté environnante, recrutant toutes sortes d'élèves. Pour la première fois, des bourses furent proposées à des éléments brillants ou à des athlètes prometteurs dont les familles ne pouvaient pas payer les frais de scolarité élevés. Les effectifs grossirent régulièrement en même temps que grandissait la réputation de l'académie Trapwick.

Les choses se déroulèrent ainsi en douceur jusqu'à ce que les propres enfants de Vincent Trapwick – à présent diplômés et devenus adultes – se mettent à avoir des ennuis. Vincent junior, l'aîné, fut surpris en train de détourner des millions de dollars de la banque paternelle afin de financer ses folles virées au casino de Monaco. Sandra Sue, la cadette, but trop de bière,à trois reprises, et bascula sa voiturette de golf du haut de la digue de Naples. Le petit dernier, Iggy, fut arrêté pour avoir volé les chèques de retraite de vieux pensionnaires de la chaîne de maisons de repos miteuses dont il était le propriétaire.

Le nom Trapwick ne cessait d'apparaître dans les journaux, et pas sous un jour flatteur pour l'académie du même nom. Ironie du sort, les enfants gâtés pour qui on avait créé l'école lui faisaient, devenus grands, la plus embarrassante des publicités.

Lors d'une réunion d'urgence – tenue tard dans la nuit après l'arrestation d'Iggy Trapwick à l'aéroport de Sarasota, son pantalon bourré de billets – le conseil d'administration vota à l'unanimité le changement de nom de l'académie. Le choix de ses membres se porta sur l'école Truman, car le président Harry S. Truman, mort depuis fort longtemps, était peu susceptible de causer des problèmes.

Par mesure d'économie, le conseil d'administration vota contre le remplacement de la statue en granit grandeur nature de Vincent Z. Trapwick, qui se dressait devant l'auditorium. À la place, on engagea un sculpteur local afin qu'il efface à coups de burin les traits de Vincent Trapwick et remodèle la pierre pour lui donner le visage studieux du trente-troisième président des États-Unis.

L'artiste fit de son mieux, travaillant dans des délais serrés et avec un petit budget. La nouvelle tête de la statue, bien que ne manquant pas de dignité, n'était pas plus grosse que celle d'un chaton.

Malheureusement, l'œuvre achevée n'offrait pas une ressemblance frappante avec Harry S. Truman. Le corps n'allait pas du tout et on ne pouvait rien y faire. Vincent Z. Trapwick avait pesé cent vingt-cinq kilos, le président Truman, quatre-vingt-huit à peine. Résultat, la plupart de ceux qui voyaient la statue à l'école pour la première fois n'avaient aucune idée de qui elle représentait.

Quand Marta et Nick descendirent du bus, trois adjoints du shérif, plantés devant cette bizarre figure de granit, cherchaient à deviner à haute voix son identité.

– Qu'est-ce qui se passe ? demanda Marta à Nick.

– Me demande pas. C'est peut-être la journée « Il suffit de dire non ».

Une fois par an, l'école Truman faisait venir policiers, médecins et autres psys pour parler avec les élèves de la consommation abusive de drogue ou d'alcool. Pourtant, les trois adjoints se comportaient comme s'ils étaient en mission. Ils portaient des écritoires et leurs radios portables étaient allumées.

– Ça cache quelque chose, dit Marta.

Nick était d'accord.

– Peut-être qu'il y a eu une nouvelle effraction.

Pendant les vacances de Noël, des cambrioleurs avaient volé plusieurs ordinateurs portables dans le labo d'informatique de l'école. Les coupables étaient deux frères, des ados de Fort Myers, qui furent arrêtés plus tard alors qu'ils brûlaient un feu rouge, avec les ordinateurs disparus empilés sur le plateau du pick-up de leur père. Les jeunes avaient avoué leur intention de mettre les ordinateurs au clou et d'utiliser l'argent pour s'acheter des jeux vidéo.

Marta poussa Nick du coude en lui soufflant de demander

aux policiers la raison de leur présence. Sans doute parce que son père était un officier de l'armée, Nick n'avait aucun problème avec les représentants de l'autorité (Mrs. Starch exceptée).

En s'approchant de l'un des adjoints, ou plutôt d'une adjointe, il l'entendit dire en plaisantant que la statue de Harry Truman ressemblait à « une quille de bowling, affublée d'un pardessus ».

– Excusez-moi, l'interrompit Nick poliment. Quelque chose s'est passé à l'école, ce matin ?

Prise au dépourvu, l'adjointe retrouva aussitôt son sérieux.

– On ne peut pas en parler. Votre principal va faire un communiqué.

– Le directeur, vous voulez dire, rectifia Nick.

– Du pareil au même.

La première sonnerie retentit. Les élèves se massèrent dans l'auditorium. Marta et Nick trouvèrent une rangée vide dans le fond, près de la porte. D'habitude, le rassemblement pour l'appel du matin, ennuyeux à mourir, fournissait une bonne occasion de terminer ses devoirs ou de répondre à ses textos.

Après la bénédiction du jour, qui parut s'éterniser, le Dr Dressler s'approcha de l'estrade en disant qu'il avait une brève déclaration à faire. Puis il déplia une feuille de papier et commença ainsi :

– Comme vous le savez, la sortie nature, hier au Black Vine Swamp, a été écourtée à la suite d'un feu de forêt qui s'est déclaré dans le périmètre.

Nick referma d'un coup sec son livre d'algèbre et se redressa sur son siège. Marta éteignit son portable.

– Tous les élèves, évacués promptement, sont rentrés sains et saufs à l'école, continua le directeur. Cependant, l'un de nos professeurs de biologie – Mrs. Starch – a rebroussé chemin pour aller chercher l'inhalateur d'une élève. Elle n'est pas revenue à l'école et on ne l'a plus revue depuis, nous avons donc des raisons de croire qu'elle a pu s'égarer et a dû passer la nuit dans les marais.

Un murmure fit tache d'huile dans l'auditorium. Marta pinça Nick en disant :

– Oh… mon… Dieu.

L'esprit de Nick s'emballa. Il n'avait pas encore parlé à Marta de ce que sa mère et lui avaient vu sur la bande vidéo : l'animal qu'il avait pris pour une panthère était en fait un être humain détalant entre les cyprès.

À présent, Nick ne pouvait s'empêcher de se demander si ce mystérieux individu, porteur d'une ceinture noire et qui avait sans doute poussé ce cri animal flippant, était impliqué dans la disparition de Mrs. Starch.

« Et si c'était Smoke ? se disait-il. Et s'il était devenu dingue et avait fait un truc horrible ? »

Nick détacha les doigts de Marta de son bras.

– Les autorités étaient sur place au point du jour pour continuer à rechercher Mrs. Starch, poursuivit le Dr Dressler du haut de l'estrade. Heureusement, comme l'incendie s'est éteint et que la température a été clémente la nuit dernière, il n'y a aucune raison de croire que Mrs. Starch coure le moindre danger. Les équipes de sauveteurs sont expérimentées et très minutieuses. Je reste confiant sur l'issue positive de cette affaire.

– Je ne vois Smoke nulle part, chuchota Nick.

Marta passa en revue les rangées de têtes de l'auditorium.

– Il est sans doute en retard, c'est tout, dit-elle. Il est toujours en retard à l'appel.

– Ouais.

– C’est tellement flippant, Nick.

Marta gonfla les joues puis laissa l’air sortir en sifflant.

– Tu comprends, je peux pas supporter cette bonne femme, mais quand même, l’imaginer perdue dans ce marécage…

Sur l’estrade, le directeur retourna la feuille et poursuivit sa lecture:

– Vous avez sans doute remarqué la présence de représentants de l’ordre dans l’établissement ce matin. Je vous prie de ne pas vous affoler ni d’en tirer des suppositions hâtives. C’est la routine dans ce genre d’affaire. Les élèves qui suivent les cours de Mrs. Starch et ceux qui ont participé à la sortie nature pourront être pris à part pour bavarder avec les adjoints aujourd’hui. Je vous encourage à vous montrer le plus coopératifs possible.

– Je ferais mieux d’appeler ma mère, dit Marta.

– Et pourquoi ? demanda Nick.

– Au cas où on en parlerait à la télé. Elle risque de paniquer.

Le Dr Dressler conclut sa déclaration préparée et passa à des annonces moins excitantes concernant un tournoi de foot à venir, un changement de menu au déjeuner (plus de chili con carne pendant une semaine, à cause d’une livraison de bœuf haché avarié) et un nouveau règlement de tenue vestimentaire qui interdisait le port de « tout type de nu-pieds » au sein de l’établissement.

Les élèves ne l’écoutaient plus, ils parlaient à voix basse de Mrs. Starch. Dans l’auditorium, l’ambiance était celle d’une curiosité insatiable, sans inquiétude. Grâce au discours rassurant du directeur, la plupart des élèves pensaient que les sauveteurs localiseraient bientôt le professeur disparu. Une fois retrouvé, l’épisode du Black Vine Swamp s’ajouterait à sa légende haute en couleur.

Après l'appel, Nick et Marta attendaient la sonnerie près de la statue de Harry Truman. Libby Marshall se précipita vers eux, au comble de l'agitation.

– Le Dr Dressler a tout faux : Mrs. Starch ne s'est pas perdue ! Elle a quitté les Everglades la nuit dernière, lâcha-t-elle. Il faut que je le prévienne pour qu'il communique la nouvelle par le haut-parleur.

– Tu l'as vue ? Où ça ? demanda Marta.

Libby secoua la tête.

– Je ne l'ai pas vue, mais elle a fait un saut chez moi pour laisser ça sur la véranda !

Libby brandit l'inhalateur comme un trophée.

– Sam l'a trouvé. C'est notre chien.

– Quelqu'un l'a vue de ses propres yeux ? demanda Nick.

– Non, mais Sam l'a entendue monter les marches du perron et s'est mis à aboyer comme un fou. Qui ça pourrait être d'autre ? C'est elle qui est repartie chercher mon inhalateur.

Même si Nick n'aimait pas plus Mrs. Starch que les autres élèves, il avait espéré qu'elle ne serait pas blessée ou pire. La nouvelle de Libby était réconfortante.

– Je me demande pourquoi elle n'a pas frappé, dit-il.

– Parce qu'il était tard, fit Libby avec impatience. Et parce qu'on avait éteint la lumière. Elle n'a sans doute voulu réveiller personne.

Nick et Marta trouvèrent que ça se tenait.

– Maintenant, il faut que j'aille trouver Droopy Dressler, leur dit Libby. Pour le mettre au courant.

Elle les quitta à toute vitesse.

La sonnerie retentit. Marta ramassa son sac.

– Je dois avouer que je suis contente que cette vieille sorcière s'en soit tirée sans égratignure.

– Moi aussi, dit Nick.

– Je vois pas pourquoi on devrait s'inquiéter de ce qui lui est arrivé.

– Parce qu'elle a fait un truc courageux en retournant chercher l'inhalateur de Libby avec ce feu de forêt qui menaçait.

Marta haussa les épaules.

– Ouais. Même les sorcières ont leurs bons jours.

Le Dr Dressler était plein d'espoir mais perplexe.

Après la séance d'appel, il avait reçu un coup de fil du lieutenant des pompiers qui lui signala que la Prius bleue de Bunny Starch avait disparu quand ses hommes étaient retournés à l'aube au Black Vine Swamp. Le lieutenant supposa qu'à un certain moment, dans la nuit, Mrs. Starch avait réussi à rejoindre sa voiture.

Cette hypothèse fut renforcée par la nouvelle de Libby Marshall qui, entrée en trombe dans son bureau, lui avait déballé l'histoire de son inhalateur, tellement essoufflée que le directeur avait craint qu'elle n'ait besoin de s'en servir plus vite que prévu.

Les faits suggéraient fortement que Mrs. Starch était vivante et avait quitté les marais saine et sauve. Qui d'autre sinon aurait déposé l'appareil de Libby sur sa véranda ?

Mais il y avait quelque chose qui tarabustait le Dr Dressler : personne n'avait revu le professeur de biologie ni ne lui avait parlé.

Elle ne s'était pas présentée en cours ce matin, ce qui, étant donné les circonstances, était excusable… pourtant, elle n'avait pas appelé pour prévenir de son absence. C'était une violation de la politique en vigueur chez les enseignants de l'école Truman et personne n'était plus à cheval sur le règlement que Mrs. Starch.

En dix-huit ans, elle n'avait manqué qu'une seule journée, celle où elle avait fait accidentellement un tonneau, en évitant un lapin alors qu'elle se rendait en voiture à l'école. Elle avait emprunté la radio du chauffeur de l'ambulance pour se faire porter malade, mais était revenue dès le lendemain, un bras dans le plâtre, un bandeau sur l'œil et deux broches métalliques dans la clavicule.

Après que Libby eut quitté son bureau, le Dr Dressler tenta aussitôt d'appeler Mrs. Starch sur son portable… maintes et maintes fois. Puis il téléphona chez elle… pas de réponse non plus là-bas. C'était déroutant.

Le Dr Dressler accepta à contrecœur que les adjoints du shérif aillent de l'avant et interrogent les élèves. À strictement parler, Bunny Starch était toujours une personne disparue.

Après avoir parlé à Libby, Nick et Marta espéraient que Mrs. Starch les attendrait, faisant tournoyer son crayon, en cours de biologie. Ils furent surpris de voir Miss Moffitt assise au bureau de Mrs. Starch et encore plus surpris quand un adjoint du shérif, passant la tête à la porte, réclama Duane Scrod junior.

– Duane est absent, aujourd'hui, répondit Miss Moffitt.

– Très bien.

L'adjoint examina son écritoire.

– Et Graham Carson ?

Graham s'empressa de lever la main et l'adjoint lui fit signe de le suivre. Radieux et tout gonflé de son importance, il sortit fièrement de la classe.

– Je comprends pas à quoi jouent les flics, murmura Marta à Nick. Ils savent pas que cette vieille chouette va bien ?

Nick était aussi perplexe qu'elle. Si Mrs. Starch était

indemne, pourquoi les adjoints traînaient-ils dans le coin en posant des questions ?

Un autre agent en uniforme pénétra dans la classe et appela le nom de Marta. Elle ouvrit de grands yeux et regarda Nick avec inquiétude.

– Te prends pas la tête. Dis-leur simplement ce que tu sais, lui conseilla-t-il.

Au bout de quelques minutes, Marta revint et, l'air mécontent, se laissa tomber à son pupitre.

– Je lui ai raconté que Mrs. Starch allait bien, mais il n'a pas arrêté de me demander plein d'autres choses.

– Genre ? fit Nick.

– Silence, s'il vous plaît !

C'était Miss Moffitt. Elle montrait avec sévérité le tableau noir où elle avait inscrit à la craie les mots « Relire le chapitre 8 ».

Libby Marshall fut la suivante à être appelée et Nick supposa qu'elle serait la dernière à être interrogée. Une fois que Libby leur aurait dit que Mrs. Starch avait déposé chez elle son inhalateur la veille au soir, les adjoints comprendraient qu'il n'y avait plus de raison d'enquêter.

Mais Libby revint furieuse en classe, le visage tout rouge. Nick se demanda ce qui pouvait bien se passer.

Les autres élèves de biologie de Mrs. Starch furent convoqués, un par un. Certains interrogatoires étaient brefs, d'autres duraient un petit moment. Il y avait tellement d'interruptions avec toutes ces allées et venues qu'il était difficile de se concentrer sur le cycle de Calvin ou tout autre sujet du manuel.

Nick fut appelé en dernier. L'adjointe à qui il s'était adressé près de la statue de Truman le conduisit dans une salle de classe vide. Elle lui dit de s'asseoir (ce qu'il fit) et de se détendre (ce qui était impossible).

– Revoyons ensemble ce qui s'est passé hier pendant la sortie nature, lui dit-elle.

En équilibre sur ses genoux, il y avait une écritoire où était fixé un formulaire vierge sur lequel elle avait inscrit en capitales le nom et le prénom de Nick.

– Quand Mrs. Starch a fait demi-tour pour aller chercher l'inhalateur de votre camarade, vous êtes certain qu'elle était seule ?

– Oui, je l'ai vue s'éloigner sur le chemin de planches, toute seule, affirma Nick.

L'adjointe griffonna sur la feuille.

– Mais elle doit aller bien puisqu'elle a rapporté l'inhalateur de Libby hier soir. Vous êtes au courant ?

L'adjointe acquiesça en continuant d'écrire.

– Alors, je vois pas trop à quoi ça rime, tout ça, fit Nick.

– Revenons à la veille de la sortie nature, lui dit l'adjointe. Je veux vous questionner sur quelque chose qui s'est passé en cours entre Mrs. Starch et un élève du nom de Duane Scrod.

Nick sentit sa nuque se raidir.

– Elle a pointé son crayon sur lui et il l'a cassé en deux d'un coup de dents.

– Il ne l'a pas menacée aussi ?

– Qu'est-ce que vous voulez dire ?

– Certains de vos camarades, fit l'adjointe, se rappellent que Duane aurait dit quelque chose comme « z'allez le regretter ». Et puis de Mrs. Starch disant : « Est-ce une menace ? » Vous souvenez-vous d'un échange de ce genre ?

Nick s'en souvenait très clairement. Il se rappelait aussi s'être demandé avec inquiétude si Smoke parlait sérieusement. Nick se sentait mal à l'aise de rapporter ça à l'adjointe, car il n'était pas sûr de ce que Duane Scrod avait voulu dire par là.

Mais son père lui avait appris à dire toujours la vérité, même si c'était difficile.

– Mrs. Starch a demandé à Duane d'écrire un texte de cinq cents mots sur les boutons d'acné, commença Nick. Et je ne plaisante pas.

L'adjointe avait sûrement entendu parler de la punition par les autres élèves, car elle n'eut aucune réaction.

– Alors, Duane lui a dit un truc du genre « vous le regretterez ». Il était en pétard… les élèves disent plein de bêtises quand ils sont en pétard.

L'adjointe nota encore quelque chose.

– Est-ce que Duane a un surnom ? lui demanda-t-elle, comme si elle ne le savait pas déjà.

– Smoke, fit Nick.

– Pourquoi l'appelle-t-on comme ça ?

– Parce qu'il veut qu'on l'appelle comme ça.

L'adjointe leva la tête.

– Certains élèves disent que c'est parce qu'il est pyromane… parce qu'il aime jouer avec le feu, fit-elle.

– J'en sais rien. On n'est pas copains, répondit Nick.

– Mais vous connaissez cette rumeur, non ?

Il sentait que l'adjointe voulait lui faire dire que Duane était dingue.

– Je croyais que vous vouliez que je m'en tienne à ce que j'ai vu et à ce que je sais, lui dit-il. Je ne pensais pas que les rumeurs vous intéressaient.

L'adjointe haussa les sourcils.

– Parfois les rumeurs se révèlent vraies, Nick.

– Je peux retourner en classe, maintenant ?

– Ce feu de forêt dans le Black Vine Swamp n'en était pas un, en réalité. C'était un incendie criminel.

– Quoi ?

– Les enquêteurs l'ont défini comme un « brûlis sous

contrôle ». Celui qui a mis le feu a aussi creusé une tranchée de l'autre côté afin qu'il s'éteigne de lui-même. Il savait ce qu'il faisait, dit l'adjointe.

Nick était abasourdi.

Elle tapota l'écritoire de son stylo.

– Pensez-vous que Duane s'amuserait à ça pour se venger de Mrs. Starch après ce qui s'est passé en classe ? À allumer un feu de broussailles pour la faire paniquer et gâcher la sortie nature ?

– J'en ai pas la moindre idée, répondit-il en toute franchise.

Il se repassa dans sa tête le film de cette forme fauve floue, entrevue entre les cyprès, la panthère qui s'était révélée être un homme. Peut-être que c'était Smoke.

Nick garda ça pour lui. Il fallait d'abord qu'il rentre à la maison et revoie la bande vidéo du rôdeur des marais.

L'adjointe continua :

– Duane était plutôt furieux à cause de ce devoir imposé, pas vrai ?

– Bien sûr, fit Nick, qui songea : « Qui ne l'aurait pas été ? » Mrs. Starch l'avait totalement humilié.

– Saviez-vous que Duane avait déjà eu des ennuis pour avoir fait brûler une caravane de chantier, tout près d'Immokalee ? Il n'avait que dix ans à l'époque, dit l'adjointe. Une autre fois, on l'a surpris en train de mettre le feu à un panneau publicitaire sur l'interstate à l'aide de serpillières imbibées d'essence. À trois heures du matin. Il s'est fait pincer par un policier d'État.

– Sérieux ? demanda Nick, stupéfait.

Il ne s'agissait plus là de blagues typiques d'un gamin débile, mais de délits majeurs.

– Vous avez peur de Duane ? demanda l'adjointe.

– Pas vraiment. Il n'embête personne.

– Mrs. Starch avait-elle peur de lui ?

Nick ne put s'empêcher de pouffer en entendant ça. L'adjointe lui demanda ce qu'il y avait là de si drôle.

– Si vous rencontriez Mrs. Starch, fit-il, vous trouveriez ça plutôt marrant, vous aussi.

L'adjointe gribouilla quelques lignes de plus, puis recapuchonna son stylo.

– Nick, avez-vous une idée de l'endroit où nous pourrions trouver Duane ?

Nick secoua la tête, fermement.

– Non. Et c'est la vérité.

L'adjointe se leva.

– Merci de votre aide.

– Je le connais pas du tout, ce mec, insista-t-il.

– C'est bien le hic. Personne ne semble le connaître, n'est-ce pas ?

Et ouvrant la porte, elle fit signe à Nick de sortir.

SIX

À la sortie des classes, les adjoints s'arrêtèrent au bureau du directeur pour lui annoncer qu'ils en avaient fini avec les interrogatoires, à l'exception de ceux des deux principaux intéressés.

– Eh bien, je n'ai toujours aucune nouvelle de Mrs. Starch, leur apprit le Dr Dressler. Quant à Duane Scrod, il était absent aujourd'hui.

L'adjointe déclara qu'un inspecteur assurerait le suivi de l'affaire, si nécessaire.

– Il sera difficile de prouver que ce jeune homme a allumé le feu, dit-elle. Mais, parfois, les pyromanes avouent tout quand on leur pose la question. Ce sont de drôles de types dans leur genre.

Le Dr Dressler se redressa sur son siège.

– Wouah… attendez une seconde. Vous pensez que *Duane* a allumé ce feu de forêt ?

– Personne ne vous a raconté ? s'étonna l'adjointe.

Le directeur fit non de la tête, l'air hébété.

– Ce garçon a des antécédents dans ce domaine, ajouta l'autre adjoint.

Quand la première parla au Dr Dressler des autres incendies volontaires, il ne put dissimuler qu'il était choqué.

– Je n'en avais pas la moindre idée, fit-il avec gravité. Je vais vous donner son adresse.

– Nous l'avons déjà, merci. Elle figure dans son casier de mineur délinquant.

Le Dr Dressler n'avait eu aucune nouvelle de Duane Scrod senior, concernant le lieu où se trouvait son fils, ce qui n'était guère surprenant. Peut-être les adjoints auraient-ils plus de chance d'obtenir ce renseignement de l'homme au perroquet braillard ou autre espèce d'oiseau.

Le directeur se demanda pourquoi les archives de l'établissement ne contenaient aucune trace des incendies criminels passés de Duane junior. Il supposa que sa riche grand-mère avait usé de son influence pour dissimuler ces incidents au bureau des admissions de l'école.

Le Dr Dressler était perturbé à l'idée qu'un de ses élèves puisse être capable d'allumer un incendie criminel pour se venger d'une enseignante qu'il n'aimait pas.

Mais, comme le lui avait dit l'adjointe, prouver sa culpabilité serait difficile, sinon impossible. Les experts du corps des sapeurs-pompiers n'avaient rien découvert de compromettant sur place, pas même une allumette consumée. L'incendiaire avait fait du bon boulot en effaçant ses traces.

À peine les agents partis, le Dr Dressler essaya d'appeler Mrs. Starch et n'obtint à nouveau aucune réponse chez elle ou sur son portable.

Sa secrétaire passa la tête à la porte.

– Les Carson sont ici, lui dit-elle.

Le directeur poussa un grognement abattu. Au moins une fois par semaine, George et Gilda Carson venaient lui parler de leur fils Graham, convaincus qu'ils étaient de son génie. Ils lui demandaient de lui faire sauter au minimum une et, si possible, deux classes.

Le Dr Dressler savait parfaitement que Graham Carson était un élève plutôt moyen auquel des cours particuliers d'algèbre et, si possible, un petit coup de main en français, auraient été bénéfiques. C'était un élève assez gentil, juste un peu trop désireux de bien faire… mais beaucoup plus supportable que ses parents arrivistes et suffisants.

– Je ne peux pas recevoir les Carson. Pas aujourd'hui, décréta le Dr Dressler à sa secrétaire.

– Mais ils attendent dans le couloir.

– Dites-leur que j'ai une amygdalite aiguë. Ou que mon chat se fait opérer des dents. Inventez *n'importe quoi* ! s'exclama le directeur excédé, en s'éclipsant de son bureau par la porte de derrière.

Même muni de son géolocalisateur, il eut du mal à dénicher la maison de Mrs. Starch. L'adresse répertoriée dans le dossier du personnel enseignant, 777, Buzzard Boulevard Ouest, n'apparaissait pas sur le disque de données du GPS.

Le directeur localisa donc le Buzzard Boulevard Est puis se dirigea vers l'ouest jusqu'à la fin du revêtement, la chaussée devenant un chemin de terre. Il roula encore trois kilomètres jusqu'à ce qu'il atteigne une impasse où une boîte aux lettres en tôle, solitaire, pointait entre les palmiers-scies.

Si le numéro était bien le 777, il n'y avait aucun nom sur la boîte.

Le Dr Dressler, descendu de voiture, scruta bois et broussailles alentour, cherchant les signes d'un bâtiment. Il découvrit un sentier étroit et mal entretenu, ressemblant davantage à une piste qu'à une allée, et en suivit prudemment les méandres qui l'amenèrent dans une clairière.

Là, claquemurée et croulante, se tenait une maison de bois de deux étages. Des mauvaises herbes grimpaient sur les murs et toutes les fenêtres avaient les stores baissés.

Le courage n'étouffait pas le directeur, qui était le premier à le reconnaître. Cet endroit si touffu et sauvage, si éloigné du fracas tapageur réconfortant de la civilisation, le mettait mal à l'aise.

Tout en fixant anxieusement la vieille maison, il ne pouvait chasser de son esprit les sombres rumeurs qu'il avait entendu rapporter sur le compte de Bunny Starch. La même envie de s'enfuir que celle qu'il avait combattue lors de sa visite à la résidence des Scrod le tiraillait à présent d'une façon encore plus pressante.

Mais il affronta à nouveau ses peurs… Mrs. Starch avait beau être revêche et bizarre, elle n'en était pas moins un membre loyal très prisé de la famille de l'école Truman. « Il est de mon devoir, se dit le Dr Dressler, de m'assurer qu'il ne lui est rien arrivé. »

Sa mission lui aurait moins – *beaucoup moins* – pesé, si la Prius bleue de Mrs. Starch avait été garée près de la maison. Mais ce n'était pas le cas.

Il appela, mais pas de réponse. Le cœur palpitant, il s'approcha du perron.

– Mrs. Starch ? Vous êtes là ?

Rien.

– Mrs. Starch ? C'est moi, le Dr Dressler.

Il posa le pied sur la véranda, puis s'immobilisa.

Un rat était perché sur un rocking-chair. Et le fixait.

Pas petit ni blanc, mais brun et grassouillet. La gueule ouverte en un léger rictus, le rat révélait de longues incisives jaunâtres.

Le directeur ne raffolait pas des rongeurs, petits ou gros. Ils se nourrissaient d'ordures, étaient porteurs de terribles maladies, nichaient dans les greniers et engendraient des hordes de bébés rongeurs dégoûtants…

– Ouste ! fit-il en tapant dans ses mains. Va-t'en de là !

Le rat ne bougea pas, ce qui l'affligea.

« Peut-être qu'il a la rage, se dit-il avec anxiété. Peut-être qu'il va me sauter à la gorge ! »

– Bouh ! Tire-toi ! lui cria-t-il.

Le rat ne cilla pas, n'eut même pas un frémissement. Le Dr Dressler trouva ça très suspect.

Une idée lui vint. Il prit ses clés de voiture dans sa poche et les jeta sur le rat. Les clés frappèrent la tête de cette bestiole nuisible qui tomba sur le plancher de la véranda, où elle demeura immobile.

Immobile et raide comme un morceau de bois.

– C'est quoi, cette plaisanterie, marmonna-t-il.

Le rat n'était pas vivant. On l'avait naturalisé comme un daim ou une truite sur un mur de trophées de chasse ou de pêche.

En le saisissant par la queue, le directeur remarqua quelque chose attaché autour de son cou : un minuscule collier en cuir muni d'une plaque en cuivre.

Le Dr Dressler déchiffra le nom gravé sur le collier du rat empaillé : CHELSEA EVERED.

Il frissonna légèrement. Chelsea Evered avait été l'une des vedettes de l'école Truman, quelques années plus tôt : brillante élève, équipe de natation, de tennis, admission anticipée à Rollins College[1].

Mais le Dr Dressler se souvenait d'autre chose concernant cette fille : elle avait une fois demandé – et obtenu – son transfert de la classe avancée de biologie de Mrs. Starch.

À en juger par le nom du rat, cette dernière ne le lui avait jamais pardonné.

Le directeur replaça avec soin le rongeur naturalisé sur le rocking-chair puis, ayant retrouvé son calme, frappa à

1. La plus ancienne université de Floride *(N. d. T.)*.

la porte. À son immense soulagement, il n'obtint pas de réponse.

Après avoir dévalé les marches du perron, il jeta un dernier coup d'œil sur la maison inhabitée et lugubre, en se demandant si les directeurs d'autres établissements privés avaient déjà dû se coltiner des professeurs aussi bizarres que Bunny Starch.

Un long serpent zébré de rayures coupa le chemin du Dr Dressler, qui se mit à courir comme un dératé. C'est en nage et hors d'haleine qu'il gagna sa voiture. Il bondit à l'intérieur et verrouilla les portières.

Quelque chose sur la boîte aux lettres de Mrs. Starch attira alors son regard, quelque chose qu'il n'avait pas remarqué à son arrivée.

Le petit drapeau rouge était levé.

Ce qui voulait dire qu'elle expédiait du courrier, ce qui voulait dire qu'elle avait *vraiment* retrouvé son chemin depuis le Black Vine Swamp… et qu'elle était \ vante et en bonne santé.

Ce qui était une excellente nouvelle… la meilleure possible, en fait !

Cependant, pourquoi, se demanda le Dr Dressler, n'avait-elle pas répondu à ses nombreux messages vocaux ? Pourquoi n'avait-elle pas décroché ?

Le directeur déverrouilla sa portière et sortit furtivement. Après avoir regardé autour de lui pour s'assurer qu'il était bien seul – et, se trouvant à la lisière de ces bois-là, il était *très* seul – il ouvrit la boîte de Mrs. Starch.

Il n'y avait qu'une lettre à l'intérieur. Il tressaillit en lisant son nom et l'adresse de l'école Truman sur l'enveloppe.

Le directeur savait qu'il aurait dû attendre que le service postal lui délivre dans les formes la lettre de Mrs. Starch, mais sa curiosité fut la plus forte. Il fit main basse sur l'enveloppe.

Redoutant de tomber sur le postier et de devoir lui expliquer pourquoi il avait pris la lettre, il revint directement à l'école.

Une fois dans l'intimité de son bureau, il l'ouvrit et lut ce qui suit :

Cher Dr Dressler,

À mon très grand regret, je me vois dans l'obligation de solliciter un congé indéfini de mon poste à l'école Truman, à la suite de problèmes familiaux aussi urgents que soudains.

Je m'excuse des inconvénients que cela pourra causer à mes élèves et à mes collègues. Soyez assuré que je retournerai à mes devoirs d'enseignante dès que ma situation personnelle sera éclaircie.

Merci de votre patience et de votre compréhension. Merci de respecter ma vie privée en cette affaire.

Très sincèrement vôtre,

B. Starch

La missive avait été tapée sur le papier à lettres personnalisé de Mrs. Starch. Le directeur la relut deux fois avant de la remettre dans l'enveloppe.

Son dossier était déjà ouvert sur son bureau. Le Dr Dressler en feuilleta chaque page : sa demande d'emploi, ses papiers de caisse de retraite, ses formulaires d'assurance maladie.

Chaque fois qu'on avait demandé à Mrs. Starch d'indiquer sa proche famille, elle avait noté en capitales « SANS ».

Il se massa le front avec lassitude, songeant : « Comment peut-elle avoir des problèmes familiaux urgents si elle n'a pas de famille ? »

Nick invita Marta chez lui pour lui montrer sa vidéo du marais. C'était la première fois qu'elle entrait dans sa maison.
– C'est ton père ? demanda-t-elle en désignant une photo encadrée sur la table basse.
– Ouais, c'est lui, répondit Nick.
– C'est un espadon voilier qu'il a pris ? Il est énorme.
– Cinquante-cinq kilos.
Parler de son père donna envie à Nick d'aller en ligne vérifier s'il avait un mail. Mais il décida d'attendre d'être seul.
– Viens, regardons cette vidéo, dit-il.
Quand il mit sur « pause » au moment où apparaissait la tache fauve floue, Marta bondit du canapé.
– Je la vois ! Je la vois, la ceinture !
– Le même genre qu'avaient les cow-boys pour transporter leurs balles, fit Nick.
– Mais est-ce que c'est *lui* ? Je peux pas dire.
Elle plissait les yeux en scrutant l'image sur l'écran de télé.
Nick ne se rappelait pas si Smoke portait une cartouchière en guise de ceinture. Marta lui dit que le code vestimentaire de l'école ne devait sans doute pas l'y autoriser.
– Quand vas-tu parler à la police de cette vidéo ? lui demanda-t-elle. Ou bien, plutôt, est-ce que tu vas leur en parler ?
Toute la journée, les élèves de Mrs. Starch avaient évoqué leurs interrogatoires par les adjoints du shérif et la rumeur selon laquelle Smoke serait lié à l'incendie du Black Vine Swamp.
Nick avoua à Marta qu'il ne savait pas quoi faire à propos de l'enregistrement.

– On ne voit pas le visage de ce type… impossible de savoir avec certitude qui c'est.

– Je te parie cinq dollars que c'est lui, fit-elle. Qu'il s'est faufilé là-bas et qu'il a mis le feu pour se venger de Mrs. Starch.

Nick dut admettre que Smoke faisait un suspect vraisemblable, étant donné ses antécédents criminels.

– Et où habite-t-il ? demanda Nick à Marta.

– Chais pas… et j'veux pas le savoir, répondit-elle. Sans doute quelque part dans une grotte.

À peine Marta partie, Nick gagna en vitesse le bureau et vérifia ses mails. Rien de son père, pas un mot.

Nick ne pouvait plus faire semblant de croire que cette interruption de communication était normale. Jamais, depuis son arrivée en Irak, le capitaine Gregory Waters n'était resté aussi longtemps sans donner de nouvelles. Nick fut pris de nausée sous le coup de l'anxiété ; quelque chose avait dû lui arriver. Il ne pouvait y avoir aucune autre explication.

Il n'avait vraiment pas envie de rester seul avec des pensées aussi horribles en tête, alors il sortit en courant jusqu'à ce qu'il rattrape Marta.

Au bruit de ses pas, elle se retourna, surprise.

– Eh, qu'est-ce qui se passe ? demanda-t-elle en souriant.

Nick ralentit le pas et se mit à marcher près d'elle… les mains dans les poches, tâchant de se montrer décontracté.

– Faut que j'aille au *Circle K*[1] chercher du lait et d'autres trucs.

– Mais c'est à trois kilomètres d'ici, facile.

– Sans problème. J'ai promis à ma mère.

1. Chaîne de grandes surfaces *(N. d. T.)*.

Même si ça n'était pas particulièrement malin comme histoire, Nick n'avait pas pu trouver mieux.

– Tu veux que je t'accompagne ? lui demanda Marta.

– D'acc.

Nick fut secrètement ravi qu'elle lui ait proposé. Il espérait qu'elle se mettrait à bavarder, comme elle le faisait souvent quand elle était de bonne humeur. Il avait désespérément besoin que quelque chose le distraie de ses inquiétudes au sujet de son père.

Comme prévu, Marta se lança dans un discours sur sa dissert d'anglais, qui avait Jane Austen comme sujet. Même si rien n'aurait pu moins intéresser Nick, il se laissa entraîner dans la conversation. Son imagination se sentait plus à l'aise dans la campagne anglaise que dans la province irakienne d'Anbar.

Pour atteindre le supermarché, Nick et Marta devaient traverser Green Heron Parkway, une rue à quatre voies qui rejoignait l'interstate. Ouverte depuis quelques mois seulement, c'était déjà l'une des plus fréquentées du comté.

Le feu passa enfin au rouge, interrompant le flot de la circulation. Nick était à mi-chemin du carrefour quand il aperçut une Prius bleue, semblable à celle que conduisait Mrs. Starch. Elle était trois ou quatre voitures plus loin dans la file et il mit sa main en visière pour se protéger du soleil afin de pouvoir distinguer le conducteur. La lumière était aveuglante.

– T'es dingue ? lui cria Marta en se retournant. Tu vas te faire aplatir comme une crêpe.

Nick s'empressa de traverser la route. Le feu passa au vert et la circulation se remit en branle.

Au moment où la Prius s'éloignait, Nick entrevit le conducteur… qui n'était visiblement pas une conductrice. Nick ne distingua pas les traits de l'homme, mais il avait de larges épaules et un bonnet de laine noire, enfoncé sur les oreilles.

« Mauvaise pioche », songea-t-il.

Il s'aperçut alors que Marta, debout sur le trottoir, observait la Prius bleue qui disparaissait sur la voie express.

– Bizarre, fit-elle. Il avait le même genre de plaque d'immatriculation que qui-tu-sais.

– Sérieux ?

Nick n'avait rien remarqué.

– Tout le monde veut sauver ces pauvres vieux lamantins, nota Marta.

– Je suppose, fit Nick, évaluant la coïncidence.

En arrivant au magasin, il prit conscience qu'il n'avait que cinquante-cinq cents en poche, ce qui grillait pas mal sa prétendue histoire de venir faire les courses pour sa mère.

Si Marta comprit tout, elle n'en laissa rien voir. Elle lui prêta quelques dollars pour acheter deux litres de lait.

Nick la raccompagna jusqu'à son bloc avant de revenir chez lui. En tournant à l'angle de sa rue, il fut surpris en apercevant la voiture de sa mère dans l'allée. Elle ne quittait jamais de bonne heure son travail, sauf une fois où elle était tombée malade après avoir mangé un *burrito* avarié à la cafétéria de la prison.

Ouvrant la porte d'entrée, Nick lança :

– Hé, maman ?

Elle n'était ni au salon ni dans la cuisine. Il mit le lait au réfrigérateur et longea le couloir jusqu'à la chambre de ses parents. La porte était fermée.

– Maman ? fit-il en frappant doucement. Maman, c'est moi.

– Entre.

Elle était assise au bord du lit, près d'un tas de mouchoirs en papier froissés. Les yeux injectés de sang, elle reniflait.

Nick sentit ses jambes devenir en coton.
– Oh non ! fit-il.
– Il n'est pas mort, mon chéri. Mais il est blessé.
– C'est grave ? dit-il d'une voix rauque.
Sa mère tendit la main et l'attira près d'elle.
– Il revient à la maison.
– C'est grave ? demanda Nick encore une fois, en tremblant.
Sa mère l'embrassa sur le front en essuyant les larmes qui coulaient sur ses joues.
– Il revient à la maison. Il n'y a que ça qui compte.

SEPT

Millicent Winship, soixante-dix-sept ans, quarante-six kilos, était ridiculement riche et aussi coriace qu'un vieux cuir. Whitney, sa fille unique, avait couvert de honte la famille en abandonnant fils et mari pour partir à Paris, où elle avait ouvert une fromagerie. Si Mrs. Winship faisait peu de cas de l'individu que Whitney avait épousé, elle regrettait amèrement que sa fille l'ait laissé élever seul son unique petit-fils : un garçon costaud et rebelle prénommé Duane, comme son père.

Mrs. Winship avait donc décidé que le moins qu'elle puisse faire, c'était de procurer à son petit-fils la meilleure éducation possible. À cause de ses mauvaises notes et de ses problèmes de comportement occasionnels, l'école Truman n'était pas exactement désireuse de garder Duane junior comme élève. Mrs. Winship résolut le problème en envoyant un chèque d'un montant exhorbitant à l'établissement.

Elle ne voyait pas souvent Duane junior car elle partageait son temps entre cinq domiciles différents dans cinq États différents : Californie, New York, Arizona, Caroline du Sud et Floride. Toutes les maisons de Mrs. Winship étaient situées sur des parcours de golf de championnat ; sans pratiquer elle-même ce sport, elle adorait regarder les joueurs évoluer dans leurs tenues colorées le long des pentes vert émeraude, faisant halte tous les deux ou trois pas pour cingler fiévreusement une petite sphère blanche. Mrs. Winship trouvait que le golf était le spectacle le plus amusant auquel elle ait jamais assisté. Elle restait des heures derrière ses très puissantes jumelles qu'elle conservait sur le rebord de fenêtre de chacune de ses résidences donnant sur les fairways.

Mrs. Winship ne passait que quinze jours par an à Naples mais, pendant ces séjours, elle invitait toujours Duane junior et son père à dîner au restaurant. S'ils négligeaient de répondre promptement, elle ordonnait à son chauffeur de la conduire au foyer des Scrod afin de voir en personne ce qui s'y passait.

Telle était bien son intention, ce jour-là, quand elle frappa sèchement à la porte à moustiquaire en aboyant le nom de son petit-fils pour couvrir les accords d'une symphonie de Mozart, qui beuglait dans les baffles d'une chaîne stéréo à l'intérieur.

Bien vite, on coupa la musique et Duane Scrod senior se présenta à la porte en traînant les pieds. Il eut l'air irrité en reconnaissant Mrs. Winship et fit mine de lisser sans enthousiasme ses cheveux gras, emmêlés sous sa casquette de routier.

– B'jour, Millie, fit-il avec une gaieté feinte. Qu'est-ce qui vous amène ici ?

– Mon petit-fils. Quoi d'autre, à votre avis ? fit-elle d'un ton sec. Où est-il ?

– Voulez entrer ?

– Certainement pas. Pourquoi ne répondez-vous pas au téléphone ? demanda Mrs. Winship. Je vous ai laissé un message pour vous inviter à dîner… il y a deux soirs de ça et je n'ai pas reçu de réponse.

Duane senior soupira tristement, imité par le grand ara perché sur son épaule.

– Vous possédez toujours cet oiseau idiot, je vois, remarqua-t-elle.

– Elle n'est pas idiote. Elle parle trois langues.

– Vraiment ? Choisissez-en une et dites-lui de me dire où se trouve D. J.

– Elle ne le sait pas, marmonna Duane Scrod senior. Et moi non plus.

C'était une réponse tout sauf satisfaisante, du point de vue de Mrs. Winship.

– Nous parlons de votre seul et unique enfant, fit-elle, en le fusillant du regard. Et vous ne savez pas où il est ?

Duane Scrod senior ouvrit la porte et sortit sur la véranda.

– Il m'a dit qu'il partait camper quelque part dans la cambrousse. C'était il y a deux ou trois jours, je l'ai pas revu depuis.

– Et l'école, qu'est-ce qu'il en fait ? demanda Mrs. Winship.

– Il m'a dit qu'il avait besoin de faire une pause dans ses études.

– Ah, c'est un peu fort de café.

Duane Scrod senior, en levant les bras au ciel, manqua faire tomber l'ara de son perchoir, autrement dit de son épaule.

– Qu'est-ce que vous attendez de moi, Millie ? geignit-il. Ce garçon n'en fait qu'à sa tête. Je ne peux pas l'obliger à faire ce qu'il ne veut pas faire.

– Ah ça, bien sûr que non. Vous n'êtes que son père, après tout, rétorqua Mrs. Winship, sarcastique. Il a de nouveau des ennuis ? Et dites-moi la vérité pour une fois.

Duane Scrod senior se posa dans un fauteuil d'osier pourrissant puis gratta avec vigueur une piqûre d'insecte sur l'un de ses pieds nus.

– Un flic est venu ici, il y a une heure environ, avoua-t-il. Quelqu'un a allumé un feu, pas loin de Big Cypress et on pense que c'est Junior.

Millicent Winship ferma les yeux en se disant : « Pas encore. »

– Ils ont pas assez de preuves contre lui pour le coffrer. Ils vont juste à la pêche, c'est tout, affirma-t-il.

– Et c'est supposé me remonter le moral ?

Duane Scrod senior, mettant la main dans l'une de ses poches, en sortit une graine de tournesol, dont il nourrit l'ara.

– Quand D. J. reviendra à la maison, dit-il, je m'arrangerai pour qu'il vous appelle, sûr et certain. Peut-être qu'on pourrait retourner tous ensemble à ce steak house, celui qui est près de Bonita Beach.

– Sauf s'il est en prison, dit Mrs. Winship. Auquel cas, on pourra lui apporter un ravissant panier de fruits.

– Arrh, soyez pas comme ça.

– Vous n'avez toujours pas de travail, Duane ?

– Qu'est-ce que vous croyez ? J'ai pas de bagnole ! s'exclama-t-il en pointant du doigt le 4 × 4 Tahoe, sur lequel il avait peint BOYCOTTEZ SMITHERS CHEVROLET ! Ils veulent toujours pas me filer un nouvel axe de transmission.

– Peut-être bien parce que vous avez incendié leurs locaux… vous ne pensez pas que ça peut avoir un rapport ?

– Rien à voir ! fulmina Duane Scrod senior. J'ai payé ma dette à la société. J'ai accompli ma peine.

Mrs. Winship était plus triste qu'en colère. Malgré sa peu séduisante personnalité, Duane Scrod senior avait toujours été un gros bosseur, pourvoyant aux besoins de sa famille, jusqu'à ce que Whitney s'enfuie en France. À partir de là, il avait plus ou moins baissé les bras et perdu tout intérêt dans le magasin de pianos anciens qu'il possédait à Naples. En l'espace d'une année, l'endroit avait fait faillite et, depuis lors, Duane Scrod senior avait été incapable de garder un emploi stable. Il avait touché le fond en incendiant la concession Chevrolet.

– Je ne comprends toujours pas, dit Mrs. Winship, pourquoi vous n'avez pas dit à Duane junior de m'appeler pendant que vous étiez sous les verrous. À quoi pensiez-vous en laissant ce garçon livré à lui-même ?

Duane Scrod senior releva la tête de son pied dévoré par les insectes.

– J'avais peut-être honte que vous appreniez ce qui s'était passé, fit-il d'une voix gutturale. Et D. J. s'est très bien occupé de lui-même. Il a jamais eu faim, Millie… j'avais de l'argent de côté.

« Argent que je vous avais envoyé, songea Mrs. Winship, afin que la banque ne vous reprenne pas votre maison. »

– Il y avait plus qu'assez pour le ravitaillement, poursuivit-il. Il s'en est très bien sorti, je vous l'ai dit des centaines de fois.

Mrs. Winship le menaça du doigt.

– Personne ne s'en sort bien ici. Ni vous ni votre fils ni… *personne*. Il est temps de reprendre votre vie en main, Duane. Et d'aller de l'avant.

Il se leva en faisant grincer le vieux fauteuil d'osier.

– Ouais, dit-il.

– *Yeah !* lança l'ara bleu et or. *Ja !*

Mrs. Winship leva les yeux au ciel.

– Auriez-vous l'amabilité de dire à votre perroquet de la boucler ?

– C'est pas un perroquet.

– Comment Duane Scrod junior est-il allé camper ?

– Il s'est véhiculé lui-même, fit Duane Scrod senior.

– Il sait conduire maintenant ?
– Il a son permis, Millie. Il a eu seize ans, il y a deux mois.
Mrs. Winship plissa les yeux.
– J'en suis tout à fait consciente. Je lui ai envoyé une carte d'anniversaire, vous vous rappelez ?
Duane Scrod senior eut l'air embarrassé.
– Je lui avais dit de vous rappeler et de vous remercier pour le chèque. Je suppose qu'il aura oublié.
– Alors vous lui avez acheté une voiture ?
– Non. Je lui ai réparé une moto qu'on a trouvée dans les petites annonces classées, précisa Duane senior. D. J. a un penchant pour les motos.
– Ah, génial. À Noël prochain, je lui offrirai un casque, rétorqua Mrs. Winship. Et une assurance funérailles.
Duane Scrod senior tiqua.
– Enfin, pourquoi faut-il que vous preniez toujours ce ton pète-sec ?
– Pourquoi ? *Why ? Warum ?* criailla l'ara.
– Écoutez-moi, Duane, dit-elle énergiquement. Si je n'ai pas bientôt des nouvelles de mon petit-fils, votre existence va devenir extrêmement désagréable. Je ne paie pas ses frais de scolarité pour qu'il sèche les cours et aille faire griller des saucisses dans les bois. Je me sens insultée et ça ne me plaît pas du tout.
Duane Scrod senior recula comme un chiot qu'on vient de taper sur le derrière avec un journal.
– Je vais faire de mon mieux pour retrouver Junior, dit-il.
– Bonne idée, car je ne quitterai pas la ville sans l'avoir vu, déclara Mrs. Winship. Maintenant, répondez-moi sans détour : pensez-vous que c'est lui qui a mis le feu dans ces marais ?
– Franchement ? Je saurais pas dire.

– Pourquoi, grand Dieu, ferait-il une chose pareille ? s'exclama-t-elle. Comme vous êtes le seul autre incendiaire que je connaisse, je croyais que vous pourriez avoir un avis autorisé sur la question.

Les yeux de Duane senior étincelèrent de colère.

– J'ai jamais appris à mon garçon à mettre le feu. Il est plus malin que ça.

– Alors, espérons que la police se trompe.

Elle avait descendu le perron à moitié quand il la rappela :

– Hey, Millie, attendez ! Vous avez des nouvelles de Whitney ?

La question serra le cœur de Millicent Winship.

Elle releva la tête vers Duane senior et répondit calmement :

– Elle ne va pas quitter Paris.

– Alors son business dans le fromage, ça marche ?

– Je regrette. Vraiment, dit-elle. Au fait, votre oiseau si précieux vient de salir votre chemise.

Duane Scrod senior baissa les yeux et acquiesça d'un air maussade devant les dégâts.

– Rien de nouveau sous le soleil, fit-il.

Dans la matinée de ce même mardi, où Nick avait regardé Smoke manger le crayon de Mrs. Starch, on évacuait le capitaine Gregory Waters d'Irak vers une base américaine en Allemagne. De là, on le mit dans un avion à destination du centre médical de l'armée Walter Reed à Washington DC, un hôpital militaire.

Nick et sa mère prirent l'avion le jeudi matin et attendirent une heure à l'accueil. Un médecin se présenta enfin à eux. Ils le suivirent dans un labyrinthe de couloirs glauques, fourmillant d'infirmières, d'aides-soignants et de patients. Nick n'avait jamais vu autant de jeunes hommes et de jeunes femmes en fauteuil roulant.

Le médecin fit entrer Nick et sa mère dans une pièce privée. À l'aide d'un schéma du corps humain en coupe transversale, il leur expliqua que le capitaine Waters avait perdu le bras droit et une grande partie de l'épaule quand une grenade propulsée par fusée, appelée aussi roquette, avait frappé le Hummer qu'il conduisait.

– On est au courant, dit la mère de Nick d'un ton ferme. On m'a téléphoné de la base de Ramadi. On peut le voir, maintenant ?

– Vous a-t-on dit aussi que son épaule est gravement endommagée et qu'on ne sera peut-être pas en mesure d'équiper votre mari d'une prothèse articulée ?

– Genre crochet mécanique, vous voulez dire ?

– Ça risque d'être difficile, dit le médecin. Mais on ne perd pas espoir.

– On peut le voir, s'il vous plaît ?

Le médecin les conduisit en haut d'une volée de marches, puis le long d'un autre couloir. Il manquait à chaque patient qu'ils croisaient un bras ou une jambe – parfois les deux jambes. Nick tâchait de ne pas les fixer. Avant d'entrer dans la chambre d'hôpital de son père, il s'immobilisa sur le seuil pour se préparer mentalement.

Le capitaine Gregory Waters était assis dans son lit adossé aux oreillers, même s'il avait les yeux fermés. Sa poitrine, enveloppée de gaze et de bandages épais, se soulevait et s'abaissait légèrement, au gré de sa respiration. Nick remarqua qu'on lui avait rasé les cheveux et qu'un côté de son visage était rose vif, marbré de traces. Un tuyau transparent véhiculait un liquide ambré dans le bras qu'il lui restait depuis une poche en plastique attachée à une potence en alu.

Les yeux gonflés de larmes, la mère de Nick resta sans mot dire au pied du lit. Elle semblait sur le point de chanceler, si bien que Nick la prit par la taille et l'amena jusqu'à la seule chaise de la pièce.

– On lui a donné des tonnes d'antidouleurs, expliqua le médecin. Il sera un peu groggy à son réveil.

– Pourriez-vous apporter un verre d'eau à ma mère, s'il vous plaît ? lui demanda Nick.

Une fois le médecin parti, une nouvelle heure s'étira en longueur avant que son père ne reprenne conscience. Il eut un sourire endormi en les apercevant. La mère de Nick le prit dans ses bras et lui caressa le visage. Nick lui serra la main gauche, et son père lui rendit fermement sa pression.

Jetant un coup d'œil au moignon bandé qui remplaçait son bras droit, il dit en plaisantant :

– Il va falloir que je coupe la manche en trop de toutes mes chemises.

– Très drôle, Greg, dit sa femme.

– Va falloir aussi que j'apprenne à lancer une balle de la main gauche. Pas une affaire.

Bon athlète depuis toujours, le père de Nick était lanceur dans la ligue junior des Orioles de Baltimore quand il avait rencontré la mère de Nick. Selon les coupures de journaux collées dans l'album de famille, on avait chronométré la balle rapide de Greg Waters à cent cinquante kilomètres à l'heure.

Ne réussissant pas à intégrer une ligue majeure, il retourna donc à l'université où il obtint un diplôme de management, puis occupa un emploi de bureau dans une société de matériel d'arrosage à Fort Myers. Après trois ans d'ennui mortel, il reprit le base-ball en tant qu'entraîneur pour un club de ligue mineure. Il était heureux mais ne gagnait pas beaucoup. Ce fut l'une des raisons qui le firent entrer dans la Garde nationale : la prime d'engagement avait réglé la première année de Nick à l'école Truman.

Un week-end par mois, Greg Waters allait à Tampa se former au métier de soldat. Le pays était en paix et personne n'imaginait qu'il serait envoyé à l'étranger pour affronter de vrais combats. Tout changea après l'invasion de l'Irak.

– On vous a dit quand je pourrai rentrer à la maison ? demanda-t-il.

– Tout dépend. Dès demain, tu démarres ta rééducation, répondit la mère de Nick.

– Super, fit Greg Waters, qui battit lourdement des paupières. Je suis tellement crevé.

Le regard de Nick tomba sur la masse blanche arrondie de pansement qui remplaçait le bras droit musclé de son père. Les bandages étaient si brillants qu'ils avaient l'air faux, comme s'ils faisaient partie d'un déguisement de momie pour Halloween.

– Repose-toi, Greg, fit sa mère. On reviendra à l'heure du dîner.

– Tu ne vas pas essayer de me nourrir comme un bébé, hein ?

– Non, m'sieur. Tu mangeras tout seul.

– Je te reconnais bien là, dit-il avec un grand sourire. Nicky, tu tiens le coup ?

– Ça va, papa.

– C'est dur à encaisser, je sais, mais ça pourrait être pire. J'ai eu de la chance de m'en sortir vivant. Le gars assis à côté de moi dans ce Hummer, lui, il y est resté.

Nick sentit sa tête se mettre à tourner.

– C'était ton ami ?

– Comme un frère.

Nick baissa les yeux. C'était presque insupportable de penser que son père avait frôlé la mort.

Quand il releva la tête, le capitaine Greg Waters dormait profondément.

Après sa visite à Duane Scrod senior, qui ne lui fut pas d'une grande utilité, l'inspecteur Jason Marshall passa prendre le Dr Dressler à l'école Truman, et ils se rendirent ensemble au domicile de Bunny Starch. Le directeur avait demandé à venir, ce qui ne dérangeait pas l'inspecteur.

En gravissant les marches grinçantes du perron de la vieille maison, le Dr Dressler s'exclama :

– Le rat n'est plus là !

– Le *quoi* ? fit l'inspecteur.

– Elle avait posé un rat empaillé sur ce rocking-chair, expliqua-t-il. Et il portait le nom d'une de ses anciennes élèves.

Jason Marshall eut l'air d'en douter.

– Je ne plaisante pas.

L'inspecteur frappa à la porte de Mrs. Starch. Personne ne répondit. Il appuya sur la sonnette, mais elle ne fonctionnait pas. Ils contournèrent la maison et frappèrent à la porte de service. Toujours pas de réponse.

– Je crois que je reviendrai demain, fit Jason Marshall.

Le Dr Dressler était déçu.

– Vous ne pouvez pas forcer la porte, tout simplement ? Et si elle est malade, si elle a eu un accident… ou si quelque chose d'autre lui est arrivé ?

– Je ne peux pas pénétrer dans une maison sans mandat de perquisition, expliqua l'inspecteur. Et aucun juge ne m'en délivrera un s'il n'a pas une bonne raison de croire qu'un délit majeur a été commis. Et rien ne le prouve, Dr Dressler.

Le directeur, frustré, suivit Jason Marshall jusqu'à sa voiture banalisée.

– Cette lettre que j'ai reçue, et qui mentionne des problèmes familiaux urgents, je n'y crois pas du tout, insista-t-il. Cette femme n'a de famille localisable nulle part.

L'inspecteur s'appuya contre l'aile de son véhicule et sortit un paquet de chewing-gums. Il en offrit un au Dr Dressler qui refusa poliment.

– Libby m'a raconté toutes ces histoires dingues sur Mrs. Starch, dit Jason Marshall. Les gamins adorent parler et, en temps normal, je n'y prête pas beaucoup d'attention. Mais, maintenant, vous me dites qu'elle a un rat naturalisé sur sa véranda… ça n'en fait pas la personne la plus normale du monde, vous êtes bien d'accord ?

Le Dr Dressler acquiesça.

– Elle est un petit peu « décalée », c'est certain.

– Peut-être qu'elle a juste paniqué après l'incendie, le jour de l'excursion, spécula l'inspecteur. Ça a dû être une expérience effrayante… elle a fini par retrouver son chemin et sortir des bois, puis s'est précipitée chez nous avec l'inhalateur de Libby. Elle est rentrée ensuite chez elle en voiture, s'est regardée dans la glace et s'est dit : « Bon Dieu, j'aurais pu y passer là-bas ! J'ai vraiment besoin d'un congé. »

Le Dr Dressler se montra sceptique.

– Pas Bunny Starch, fit-il.

– Imaginez-vous passer toute une nuit, seul, dans la réserve de Big Cypress en flammes, fit Jason Marshall. Que vous soyez solide ou pas, ça vous secouerait un bon coup.

– Tout est possible, je suppose.

– Ce n'est qu'une hypothèse.

L'inspecteur sortit son portable.

– C'est quoi le numéro de cette maison ?

À présent, le directeur le connaissait par cœur :

– 555-2346, fit-il.

Jason Marshall le composa et attendit. Le téléphone de Mrs. Starch ne sonna que deux fois avant qu'un répondeur ne se déclenche.

– Il y a un message, chuchota l'inspecteur au Dr Dressler.

– Il dit quoi ?

Jason Marshall effleura la touche « bis » et lui passa le portable. Le directeur tendit l'oreille et écouta le message enregistré à l'autre bout du fil : « Bonjour, tout le monde. Je m'absente de l'école pour une durée indéterminée, à la suite de problèmes familiaux imprévus. Vous pouvez laisser un message après le bip, même s'il risque de se passer un certain temps avant que je puisse vous rappeler. Acceptez, je vous prie, toutes mes excuses d'avance. Attention au bip ! »

– C'est sa voix ? demanda l'inspecteur.

– On dirait bien.

– D'abord, la lettre, maintenant, le message vocal sur son répondeur. Je dois être franc : le bureau du shérif ne peut pas faire grand-chose de plus. Cette femme est vivante et en bonne santé, c'est évident, dit-il.

– Alors pourquoi ne téléphone-t-elle pas ?

– Peut-être qu'elle n'a pas envie de répondre à des questions portant sur ses « problèmes familiaux imprévus », inexistants en réalité. Comme je vous l'ai déjà dit, elle a sans doute eu juste besoin de faire un break, alors elle a inventé une excuse pour ne pas se rendre à l'école.

– Mais ça ne lui ressemble pas, affirma encore une fois le Dr Dressler.

– Certaines personnes quittent parfois leur travail du jour au lendemain. J'ai déjà vu ça arriver.

L'inspecteur ouvrit la portière et se glissa derrière le volant.

– Un instant, dit le Dr Dressler.

Il s'approcha rapidement de la boîte aux lettres de Mrs. Starch et jeta un coup d'œil à l'intérieur. Elle était vide.

Pendant le trajet de retour à l'école Truman, le directeur demanda à Jason Marshall comment progressait l'enquête sur l'incendie criminel. L'inspecteur lui répondit qu'il avait communiqué les renseignements concernant Duane Scrod junior au corps des sapeurs-pompiers.

– Jusqu'ici, ils ont été incapables d'établir un lien avec le délit, dit Jason Marshall.

– On a relevé des indices ?

– Rien de probant. Près du lieu de l'incendie, on a trouvé un stylo-bille avec un nom dessus : Red Diamond Energy. C'est une compagnie pétrolière de Tampa qui a une petite concession, là-bas, près du marais, dit-il. Inutile de préciser que le jeune Mr. Scrod ne fait pas partie de leur personnel. Il est peu probable que ce stylo soit à lui.

– Alors que devient votre affaire d'incendie volontaire ?

– Pas grand-chose, à moins d'un coup de chance.

Secrètement, le Dr Dressler fut soulagé que l'arrestation de Duane junior ne soit pas pour tout de suite, si elle avait jamais lieu. La mauvaise publicité qui en aurait résulté aurait écorné la réputation de l'école. Des années plus tôt, on avait arrêté un élève de Truman au volant d'un camion de glaces volé et la nouvelle était remontée *via* les informations télévisées jusqu'à Miami.

– Voulez-vous que je vous appelle quand Duane retournera en cours ? demanda le directeur à Jason Marshall. Aurez-vous encore besoin de lui parler ?

– Ça serait aussi bien… rien que pour lui faire savoir qu'on le tient à l'œil.

– Bonne idée, conclut-il, même s'il soupçonnait que Duane Scrod junior n'en serait pas le moins du monde intimidé.

HUIT

L'hélicoptère décolla de l'aéroport de Naples et prit la direction de l'est. Un homme musclé occupait le siège passager à l'avant. Trente-cinq ans environ, il s'appelait Drake McBride. C'était le PDG de la compagnie Red Diamond Energy. Assis derrière lui se trouvait Jimmy Lee Bayliss, son chef de projet. Les deux hommes étaient coiffés de casques munis de micros afin de pouvoir discuter malgré le vacarme des moteurs.

Drake McBride, coiffé d'un chapeau de cow-boy, chaussé de bottes en peau de serpent, portait une chemise en soie claire à boutons-pression. Il sirotait du café chaud dans un gobelet en plastique. Jimmy Lee Bayliss portait, lui, une chemise de travail brun clair à manches longues et un pantalon couvert de taches. Il avait une carte déployée sur les genoux.

Au bout de quelques minutes, l'hélicoptère décrivit des cercles autour du Black Vine Swamp. Jimmy Lee Bayliss pointa du doigt une zone calcinée, qui balafrait en forme de croissant la prairie de broussailles, voisine de l'antique plantation de cyprès.

– C'est le feu qu'a fait ça, dit-il à son patron.

– Aucun de nos équipements n'a été endommagé, hein ?

– Bien sûr que non.

Jimmy Lee Bayliss songea : « Il me prend pour un crétin ou quoi ? »

Sa main en visière, Drake McBride se protégeait les yeux de l'éclat du soleil.

– La section 22 est juste en dessous de nous ?

– Oui, m'sieur.

– Et la section 21, là-bas ?

– C'est exact, dit Jimmy Lee Bayliss.

– Faites voir cette carte de mes deux.

Drake McBride n'était pas texan, même s'il faisait en sorte de s'habiller et de parler comme s'il l'était, ce qui agaçait Jimmy Lee Bayliss, natif de Houston et qui travaillait dans le pétrole depuis plus de vingt-six ans. Cependant, en individu plutôt intelligent, il se gardait bien de manquer de respect à celui qui signait ses chèques de salaire.

– Descendez-nous à deux cents pieds, ordonna Drake McBride au pilote.

L'hélicoptère effraya une poignée d'aigrettes neigeuses, perchées au sommet des arbres, et fit filer un daim à travers la prairie sèche.

– Aucun signe de cette panthère de mes deux ? demanda-t-il à Jimmy Lee Bayliss.

– Non, m'sieur. Les coups de fusil l'ont effrayée et chassée pour de bon, j'en suis sûr.

Jimmy Lee Bayliss plongea la main dans son pantalon pour y pêcher un tube de Tums[1]. Depuis son engagement sur le projet de Big Cypress, il avait des brûlures d'estomac comme s'il avait avalé un boulet de charbon incandescent.

– Ça ne m'aurait pas brisé le cœur si vous aviez réduit cette boule de poils en miettes, fit Drake McBride.

– La loi ne vous rate pas quand il s'agit de tuer des panthères. Les fédés n'ont pas le goût du sport, m'sieur.

1. Marque de pastilles antiacide aux fruits *(N. d. T.)*.

– Les panthères… ah bah ! grogna-t-il. Là-bas, dans l'Ouest, c'est juste de vulgaires couguars et on peut les abattre comme des coyotes.

Il prononçait « coyote » en traînant sur le *e* final, ce qui hérissait le poil de Jimmy Lee Bayliss. Il ne raffolait pas des types bidon.

– Si ce fauve revient par ici et que quelqu'un le repère, on aura un problème, fit Drake McBride. La dernière chose qu'il nous faut, c'est que des fouineurs de gardes-chasses viennent traîner leurs guêtres sur le site de notre projet… vous me suivez ?

– La panthère est loin depuis longtemps, m'sieur. Je lui ai tiré deux fois au-dessus de la tête avec un fusil pour la chasse au daim et vous n'avez jamais rien vu détaler aussi vite de toute votre vie. Ça ne me surprendrait pas qu'elle coure encore.

– J'espère que vous avez raison, mon vieux.

« Moi aussi », songea Jimmy Lee Bayliss. Les panthères étaient l'espèce animale menacée la plus célèbre de Floride et leurs « apparitions publiques » attiraient énormément l'attention. Si un agent de protection de la faune hypermotivé décidait que les activités de forage de la Red Diamond dérangeaient l'habitat d'une panthère, l'ensemble du projet risquait d'être retardé ou même arrêté.

Le pilote de l'hélicoptère passa une fois de plus au-dessus de la zone incendiée. Tout en fixant en contrebas l'herbe et les arbres brûlés, Drake McBride sirotait son café.

– Bah, c'est la saison sèche, fit-il.

Jimmy Lee Bayliss n'était pas sûr que son patron fasse preuve d'humour.

– Continuez à faire comme d'habitude, lui intima son patron. Et préparons-nous à ce que ça déménage.

– Oui, m'sieur.

– Et n'oubliez pas…
– Je sais, fit Jimmy Lee Bayliss. De garder profil bas.
– Aussi bas que le ventre d'un serpent à sonnette.

Nick et sa mère rentrèrent de Washington DC le dimanche soir. Il se leva tôt le lendemain matin pour se mettre le bras en écharpe.

Quand il demanda à sa mère de l'aider, elle regarda d'un air dubitatif la bande Velpeau puis lui dit :

– Que vont dire tes camarades ?

– Je m'en moque un peu, fit-il. Je veux éprouver la même chose que papa.

– Il ne sera pas à la maison avant un petit moment.

– Il faut que je prenne de l'avance.

– Nicky, je t'en prie.

– Bande-moi le bras, m'man, c'est tout.

Comme d'habitude, Marta s'installa près de lui dans le bus scolaire. Elle lui demanda ce qui lui était arrivé au bras droit, qui était attaché serré derrière son dos, sous sa chemise. La manche droite du blazer bleu de l'école pendait mollement.

– À partir de maintenant, répondit Nick, je ferai tout de la main gauche.

– Même écrire ? Et jouer au base-ball ou à lacrosse ?

– Tout.

Marta haussa les sourcils.

– Mais ton bras droit n'a rien qui cloche ?

– Non.

– C'est vraiment bizarre, Nick. On va croire que tu te moques des handicapés.

Les joues de ce dernier s'empourprèrent.

– Non, c'est juste le contraire, fit-il sèchement. Mon père

a été gravement blessé par une roquette en Irak. Il a perdu son bras droit et une partie de l'épaule.

Marta en eut le souffle coupé.

– Mon Dieu, pardonne-moi. Et il va s'en sortir ?

Nick acquiesça fermement.

– Mais il restera gaucher toute sa vie.

– Alors, c'est pour *ça* que tu te passes de ton bras ? fit Marta en souriant et en pinçant la manche vide de la veste. Plutôt cool.

– Bof.

– Sérieux, fit-elle. Quand est-ce qu'il revient à la maison ?

– Très bientôt, j'espère.

Nick lui raconta le voyage que sa mère et lui avaient fait jusqu'à l'hôpital militaire Walter Reed.

– C'est pour ça que j'ai manqué l'école, jeudi et vendredi.

– Personne ne nous a rien dit, fit Marta. J'ai cru que tu avais la grippe.

– J'aurais mieux aimé, dit-il d'un air sombre, puis il demeura silencieux pendant le reste du trajet jusqu'à l'école Truman.

Son premier cours de la journée était anglais. Mr. Grunwald, le prof, leur expliquait *Le Bateau ouvert*, la célèbre nouvelle de Stephen Crane. Nick avait fini de la lire pendant le vol de retour depuis Washington.

Quand il essaya de sortir son classeur de la poche latérale de sa sacoche, la fermeture Éclair se coinça. Ça n'aurait pas été si compliqué si Nick n'avait pas eu le bras droit attaché dans le dos, or sa main gauche, plus faible, n'arrivait pas à libérer le zip à elle seule. À chaque secousse, le sac se soulevait du sol et Nick perdait tout point d'appui.

Mickey Maris, qui était assis derrière lui, tendit la main

pour l'aider, en voyant ce qui se passait. Nick refusa d'un geste. Avec une détermination farouche, il planta ses deux pieds sur le sac pour le maintenir en place. Puis il tira de toutes ses forces sur la languette qui lui resta entre les doigts.

Nick grommela. Hissant la sacoche sur ses genoux, avec la pointe d'un stylo-bille, il sépara les dents de la fermeture Éclair cassée pour ouvrir la poche latérale récalcitrante. Il en retira le classeur d'anglais, l'ouvrit d'un coup sec sur son pupitre, plaça avec soin le stylo dans sa main gauche et s'apprêta à prendre des notes.

– Cette nouvelle célèbre racontant l'histoire d'un équipage naufragé, commença Mr. Grunwald, est basée sur un épisode authentique de la jeunesse de l'écrivain.

Écrire de la main gauche était bizarre, un peu comme si on avait une pince de crabe au bout du bras. Nick faisait de gros efforts pour guider le stylo sans à-coups. Mais il eut beau essayer de noter les mots « basée sur une histoire vraie » sur le papier, la ligne donnait l'impression d'une trace d'escargot bleue… et celle d'un escargot pompette, en plus.

Mickey Maris, qui regardait par-dessus l'épaule de Nick, lui murmura :

– Ça va aller, mec. Tu peux m'emprunter mes notes et les photocopier après l'école.

Nick refusa fermement de la tête.

– Merci quand même.

Il n'allait pas renoncer aussi facilement.

À la fin du cours, les lettres qu'il alignait avec tant de difficulté se mirent à ressembler à de l'anglais. Le cours suivant était celui d'algèbre, ses formules insolites présentaient une sorte de défi différent. Heureusement, il trouva les chiffres et les symboles plus faciles à maîtriser d'une main sans entraînement que les lettres de l'alphabet.

Quand il arriva en biologie, son bras gauche l'élançait et il avait une crampe dans les doigts. Un prof remplaçant écrivait au tableau, tournant le dos aux élèves.

– Toujours pas de Mrs. Starch ? chuchota Nick à Marta.

– Elle a pris des congés… tu le crois, ça ? Le Dr Dressler nous l'a annoncé vendredi.

« Étrange », songea Nick.

– Il a dit pourquoi ?

– Pour « problèmes familiaux urgents », si *ça* veut dire quelque chose.

Le portable de Marta se mit à vibrer et elle l'éteignit.

– Mais il nous a dit aussi que cette vieille sorcière reviendrait, malheureusement.

Nick batailla avec le manuel de biologie pour l'extirper de son sac.

– Et Smoke ? demanda-t-il.

– Personne ne l'a vu. Il doit avoir quitté l'école ou alors Dressler l'a fichu dehors. Dans un cas comme dans l'autre, c'est pas une grande perte.

– Peut-être qu'on l'a arrêté pour avoir mis le feu.

– Libby dit que non. Son père est chargé de l'affaire, alors elle en aurait entendu parler, dit Marta. Au fait, comment se porte ton bras, le Gaucher ?

– Merveilleusement, mentit Nick.

Le remplaçant inscrivait son nom en grosses lettres majuscules : DR WENDELL WAXMO.

Marta retint son souffle. « Ah non, je rêve ! »

– Pas *lui*, murmura Nick.

Wendell Waxmo était un givré de légende. Nick et Marta ne l'avaient jamais eu comme prof mais en avaient entendu parler. Tout le monde en avait entendu parler.

À cause de son comportement spécial, il avait été exclu depuis longtemps de l'enseignement public. Cependant, certains établissements privés, comme l'école Truman, étant souvent en manque de remplaçants, faisaient encore appel à l'occasion à Wendell Waxmo.

Les élèves partirent d'un fou rire quand il se retourna vers eux. Le professeur portait un smoking noir délavé et un nœud papillon jaune vif.

– Bon, très bien, jeunes microbes, qu'est-ce qui vous fait vous bidonner autant ? demanda-t-il d'une voix couinante de fausset, impossible à prendre au sérieux.

Il paraissait moitié moins grand et deux fois plus large que Mrs. Starch ; les mèches de ses cheveux roux clairsemés étaient coiffées, vaine tentative, de façon à couvrir une calvitie de la taille d'un plateau-télé.

– Maintenant, debout, je vous prie, et chantez-moi le « serment d'allégeance[1] », leur dit-il.

Les élèves se regardèrent sans trop savoir. Personne ne se mit debout. Quand Graham leva la main, Wendell Waxmo lui donna la parole d'un claquement de doigts impatient.

– Le « serment d'allégeance », c'est le matin, à l'appel, lui expliqua Graham. Et on le récite, on ne le chante pas, Mr. Waxmo.

– Pour moi, vous le chanterez.

Alors, ils se levèrent tous et entonnèrent le « serment d'allégeance » sur l'air d'*America the Beautiful*[2]. Ce qui, à entendre, était d'un ridicule achevé.

La classe se rassit en ricanant.

Wendell Waxmo leur apprit qu'il remplacerait Mrs. Starch jusqu'à son retour. Il ajouta aussi qu'il aimerait qu'on l'appelle *Dr* Waxmo, étant donné qu'il était diplômé du troisième cycle de l'université d'État Biddleburg. Nick n'avait

1. Adressé au drapeau américain *(N. d. T.)*.
2. Air patriotique très connu *(N. d. T.)*.

jamais entendu parler de cet établissement, même si le Dr Waxmo le décrivait comme « le Harvard du Dakota ».

Graham agita à nouveau la main en l'air.

– Quoi encore ? aboya le professeur avec irritation.

– Le Dakota du Nord ou le Dakota du Sud ?

– Les deux. Et du Minnesota Ouest, tant qu'à faire, répondit-il. Ouvrez maintenant votre manuel à la page 117. Aujourd'hui, nous allons conjuguer le verbe *amar*, qui signifie bien sûr « aimer ».

Libby Marshall ne put se retenir.

– On n'est pas en cours d'espagnol, mais de biologie ! lâcha-t-elle.

Wendell Waxmo plissa le front tout en inclinant la tête.

– Vous me croyez né de la dernière pluie ? Vous pensez que je viens de tomber du nid ? Quel est votre nom, mademoiselle ?

Marta glissa un petit mot à Nick : « Ça, c'est fabuleux ! Il est fou à lier ! » Nick sourit et fourra le mot dans sa poche.

Libby Marshall tremblait comme une feuille sous l'œil noir de Wendell Waxmo.

– Je vous ai demandé de vous nommer ! insista-t-il.

Nick leva sa main gauche et, sans attendre qu'on lui donne la parole, lança :

– Elle a raison, Dr Waxmo. On est en cours de biologie. Regardez, c'est notre manuel.

Le professeur se dirigea à grands pas vers Nick, lui arracha le livre, le feuilleta d'un air bougon puis le laissa tomber sur son bureau.

– Il y en a un pour vous sur le bureau de Mrs. Starch, dit-il.

Wendell Waxmo se tourna pour vérifier.

– En effet, marmonna-t-il.

Puis il pivota pour refaire face à Nick.

– Et quel est votre nom, jeune homme ?

– Nick Waters.

– Vous avez un problème avec votre bras droit, Mr. Waters ?

– Non. C'est juste une expérience.

– Je me suis cassé le bras droit, une fois. Une vache laitière s'était assise dessus, lâcha le professeur avec gravité. Vous essayez d'être drôle ou quoi ?

– Non, monsieur. C'est une expérience des plus sérieuses.

Marta s'apprêtait à lever la main, mais Nick l'arrêta du regard. Il n'avait pas envie que toute la classe parle de ce qui était arrivé à son père.

– Eh bien, vous feriez mieux de souhaiter qu'une bête à cornes de deux cent cinquante kilos ne s'assoie jamais sur *vous*, Mr. Waters, car ça n'a rien d'une plaisanterie.

Wendell Waxmo regagna le bureau et brandit le manuel de Mrs. Starch.

– Très bien, allez tous à la page 117.

Les élèves restèrent immobiles. Ils croyaient qu'il plaisantait, mais non.

– Qu'attendez-vous donc ? leur dit-il d'un ton sec.

– Ce n'est pas le livre d'espagnol, Dr Waxmo, fit Libby Marshall d'une petite voix, mais avec courage.

– On a dépassé la page 117 depuis longtemps, fit Rachel en élevant la voix.

– Ah, bon ?

Un semblant de sourire éclaira le visage du professeur.

– Il est évident qu'aucun d'entre vous n'a jamais fait l'expérience d'assister à mes cours. Autrement, vous sauriez que le lundi, j'enseigne toujours la page 117 – et *uniquement* la page 117 – quelle que soit la matière.

Nick dut se mordre la lèvre pour ne pas éclater de rire.

– Un peu plus tôt dans la matinée, par exemple, à l'externat Egmont, j'ai remplacé Miss MacKay pour son cours supérieur d'histoire mondiale, fit Wendell Waxmo. Quand la sonnerie a retenti, chaque élève avait pratiquement mémorisé la page 117 de son livre d'histoire. Et c'était une carte de l'Empire romain !

Les remplaçants étaient souvent siphonnés, mais celui-ci entrait dans une catégorie spéciale.

– Chaque professeur suit la méthode qui lui convient le mieux, poursuivit-il en jacassant. Mrs. Starch a la sienne, et moi, la mienne, qui est de choisir une page et de l'étudier, encore l'étudier, toujours l'étudier.

Il ouvrit d'un coup sec le manuel de biologie à la page 117, parcourut quelques paragraphes, releva la tête, rayonnant, puis demanda :

– Bon, qui peut m'expliquer le fonctionnement des protéines dans la membrane du plasma ?

Pour une fois, Graham fut trop troublé pour lever la main. Libby Marshall répondit à la question d'un ton morne :

– Les protéines libèrent des substances chimiques qui permettent à certaines cellules de communiquer entre elles, elles aident aussi à faire passer l'eau et le sucre à travers la membrane.

Le Dr Wendell Waxmo fut au comble du ravissement.

– *Et voilà !* Qu'est-ce que je vous disais, les amis ? Cette petite rousse va plus vite que la lumière ! J'espère que tout le monde a pris des notes.

Marta gloussa en douce.

– À quoi bon ? Mrs. Starch nous a filé une interro écrite là-dessus, il y a trois semaines.

– Va surtout pas le lui dire, lui souffla Nick.

Chaque fois que Wendell Waxmo parlait, sa pomme d'Adam proéminente montait et descendait, ce qui faisait tressauter son nœud papillon jaune.

– Allez, vite maintenant : qu'est-ce qu'une molécule phospholipidique ? Vous, là-bas ! dit-il en désignant Graham du doigt. La définition, s'il vous plaît.

Graham parut désemparé et perdu.

– J'ai oublié.

Wendell Waxmo fronça les sourcils.

– Debout, jeune homme.

Graham se leva, tout chancelant.

– Oui, m'sieur ?

– Chantez-moi une berceuse, s'il vous plaît.

– Mais je ne connais pas de berceuse, dit Graham, au bord des larmes.

Le professeur soupira.

– Une journée sans musique est une journée sans soleil. Chantez après moi, s'il vous plaît.

Chut, mon bébé, ne dis pas un mot
Maman t'achètera un mainate, un oiseau.
Et si ce mainate ne dit pas un mot,
Maman t'achètera une pendule à coucou…

Marta se pencha près de Nick et lui dit :

– C'est pas les bonnes paroles[1].

– Sans blague.

Wendell Waxmo n'était pas exactement un chanteur-né. Une fois qu'il eut terminé de gazouiller, les élèves restèrent sidérés de soulagement, ce qu'il prit à tort pour une manifestation d'appréciation.

– À votre tour, mon jeune ami, dit-il à Graham.

– Non, j'peux pas.

– Pardon ?

– J'peux pas, c'est tout, répéta Graham.

1. Et pour cause, *cf.* l'original *Hush, little baby (N. d. T.)*.

Wendell Waxmo croisa les bras.

– C'est moi qui commande le navire.

– Oui m'sieur.

– Alors, vous allez faire ce que je vous dis ou en subir les conséquences.

Graham fut visiblement effrayé par cette menace, même si les professeurs remplaçants avaient très peu d'autorité.

– Je crois que je me souviens de la définition d'une molécule phospholipidique, proposa-t-il courageusement.

– Qui ça intéresse ? Chantez, maintenant ! ordonna Wendell Waxmo.

– *Chut, mon bébé*, entonna Graham en grimaçant de douleur, *ne pleure pas*…

La porte s'ouvrit soudain à la volée et un garçon entra dans la salle de classe. Nick ne le reconnut pas tout de suite.

Le blazer de l'élève, impeccable, sortait du pressing, son pantalon kaki lavé et repassé n'avait aucun faux pli, son nœud de cravate était parfaitement noué. Ses joues luisaient, comme récurées de frais, ses cheveux, partagés par une raie, étaient soigneusement coupés. Pas une tache de graisse ou de crasse n'était visible sur ses mains.

– Et vous, vous êtes *qui* ? l'apostropha le Dr Wendell Waxmo.

– Moi, c'est Duane Scrod junior, répliqua le garçon.

NEUF

Marta gribouilla un autre mot à Nick : « Il est plus effrayant comme ça qu'avant. »

Comme Marta et le reste de la classe, Nick ne pouvait cesser de fixer Smoke. Sa métamorphose était incroyable.

– Vous êtes en retard, Mr. Scrod, lui dit Wendell Waxmo.

– Désolé. Ma moto a coulé une bielle.

Smoke posa son sac et en sortit un mince classeur en plastique qu'il présenta au remplaçant.

– Voilà ma rédaction, lui dit-il. Cinq cents mots, tout comme Mrs. Starch me l'a demandé. En fait, il y en a cinq cent huit.

Une forte vague d'amusement parcourut la salle.

Wendell Waxmo ouvrit le classeur à la première page, où s'étalait, bien centré, le titre du devoir :

LA MALÉDICTION DU BOUTON D'ACNÉ OBSTINÉ
PAR DUANE SCROD JUNIOR

Wendell Waxmo commit bêtement l'erreur de lire le titre à haute voix, ce qui déclencha une avalanche de fous rires.

– Elle m'a dit de traiter le sujet de façon amusante, dit Smoke, sur la défensive.

Il semblait mal à l'aise d'être si bien habillé et au centre de l'attention.

– C'est quoi, cette absurdité ? demanda le professeur en

roulant le classeur et en l'agitant dans les airs. Son smoking lui donnait l'air d'un chef d'orchestre.

– Êtes-vous bien en train de me dire que Mrs. Starch vous a donné un devoir d'argumentation sur les boutons d'acné ? Un peu de sérieux, voyons.

Malgré l'attitude hostile du professeur, Smoke demeura d'un calme surprenant.

– Vous voulez que je le lise ou pas ?

– À haute voix, vous voulez dire ? demanda Wendell Waxmo en se renfrognant. Je ne pense pas, Mr. Scrod. Allez vous asseoir.

Avec un reniflement de dégoût, il rangea la rédaction sur les boutons d'acné dans sa serviette en cuir éraflée.

Smoke prit place et, au grand étonnement de ses camarades, sortit un carnet et un stylo. Depuis le temps que Nick le connaissait, il ne se souvenait pas de l'avoir jamais vu prendre des notes.

– Ce n'est pas vraiment lui, murmura Marta. Ça doit être un imposteur.

– Ou son frère jumeau caché, lui dit Nick.

Le Dr Wendell Waxmo paraissait vexé de s'être fait voler la vedette. Il se précipita vers Duane Scrod junior et lui tint ce langage :

– Jeune homme, j'ai l'intention de découvrir si vous dites la vérité à propos de ce devoir grotesque sur l'acné ou si ce n'est qu'une plaisanterie pour faire rire à mes dépens.

Smoke parut troublé.

– Pourquoi je ferais un truc aussi débile ?

– Parce que vous autres, les jeunes, essayez toujours de tirer parti de nous autres, profs remplaçants, voilà pourquoi. Pour ainsi dire de s'en prendre à eux. Vous croyez que nous sommes là simplement pour vous divertir.

Wendell Waxmo s'approcha plus près.

– Je connais ceux de votre espèce, mon petit, lui dit-il. Mais j'insiste pour qu'on me respecte. Sinon pourquoi me donnerais-je autant de mal pour m'habiller ?

Smoke haussa les épaules.

– Parce que vous êtes total barjo !

La classe explosa de rire et le professeur vira au cramoisi. Il fit alors quelque chose qui fit ravaler aux élèves leur hilarité. Il pointa d'un doigt, qu'il avait pâlichon et noueux, le nez de Smoke.

– Vous me devez des excuses ! fit-il, bouillonnant de colère.

Nick et les autres élèves s'attendaient carrément à ce que Smoke tranche en deux, d'un coup de dents, le doigt insultant du remplaçant, comme il l'avait fait avec le crayon jaune de Mrs. Starch.

Mais Duane Scrod junior les choqua tous tant qu'ils étaient. Il ne mordit ni ne mordilla, ni même ne cracha sur Wendell Waxmo. Au lieu de ça, il serra les mâchoires, inspira lentement et fortement, puis lui dit :

– D'accord, mec. Je m'excuse.

Ce qui poussa Marta, affolée, à gribouiller un autre mot à Nick : « C'est un extraterrestre ! »

S'il faut dire la vérité, le Dr Dressler possédait les noms de remplaçants qui étaient complètement normaux et sains d'esprit. En choisissant Wendell Waxmo, il savait parfaitement que l'individu était plus ou moins à côté de la plaque.

Il espérait que Bunny Starch mettrait immédiatement un terme à son congé quand elle apprendrait qui donnait ses cours et se précipiterait à la rescousse de ses élèves.

Entre-temps, le directeur se prépara aux appels des parents d'élèves furieux se plaignant de Wendell Waxmo, de sa garde-robe dérangeante, de ses méthodes d'enseignement bizarres et de sa pulsion zinzin à se mettre à chanter pour un oui ou pour un non.

Pour l'heure, cependant, le Dr Dressler avait un problème bien plus urgent à résoudre.

– Aimeriez-vous un café ? demanda-t-il à Jason Marshall.

L'inspecteur lui répondit « non merci » et prit un siège.

– Lui avez-vous déjà parlé ?

– Je ne lui ai pas dit un seul mot. Il s'est présenté ce matin en cours, comme ça, tout à trac, fit le directeur.

– Avez-vous remarqué quelque chose de différent chez lui ?

Le Dr Dressler, mal à l'aise, pouffa.

– *Tout* est différent chez lui. Comme s'il était devenu un individu entièrement nouveau.

– Que voulez-vous dire ? demanda l'inspecteur.

– Il a l'air d'un véritable élève, voilà ce que je veux dire. Il a l'air d'avoir vraiment envie d'être ici.

– C'est plutôt une bonne chose, non ?

– Tout à fait, en convint-il, même si, dans son for intérieur, il était à la fois alarmé et soupçonneux.

Quand la sonnerie retentit, il se versa nerveusement une autre tasse de café.

– Vous jugerez par vous-même, dit-il à Jason Marshall.

Quelques instants plus tard, Duane Scrod junior entrait dans le bureau. Il n'avait rien d'un incendiaire et tout du prochain président du conseil de classe. Il paraissait aussi en pleine forme et en bonne santé, même après avoir digéré le crayon de Mrs. Starch.

Le Dr Dressler lui présenta l'inspecteur Marshall.

– Il aimerait vous poser quelques questions, Duane.

– Pas de problème, fit le garçon en s'installant confortablement sur le canapé en cuir du directeur.

Jason Marshall sortit un grand carnet.

– J'ai entendu parler de cet incident avec Mrs. Starch, commença-t-il.

Duane Scrod junior ne nia pas la chose.

– C'est interdit par la loi de mordre un crayon ?

– Certains élèves déclarent aussi que vous l'avez menacée, dit l'inspecteur.

– Elle se moquait de moi. Je suppose que ça m'a mis en rage, reconnut le garçon. Je lui ai dit qu'elle allait le regretter si elle me lâchait pas. J'ai eu tort de lui dire ça. Carrément.

– Alors, vous ne le pensiez pas ?

– Bien sûr que non.

Jason Marshall nota par écrit les réponses de Duane junior. Le Dr Dressler n'en revenait toujours pas de la normalité *extrême* du garçon ; il n'arrivait pas à s'imaginer ce qui avait causé un changement aussi radical dans sa tenue vestimentaire et son attitude.

– Pourtant, le lendemain, vous n'êtes pas venu à l'école, reprit l'inspecteur.

– Ouais, j'ai séché les cours. Là aussi, j'ai eu tort, reconnut Duane Scrod junior.

– Êtes-vous déjà allé au Black Vine Swamp ?

– Bien sûr. Pour attraper des serpents.

– Êtes-vous allé là-bas le jour de la sortie nature de la classe ?

Le garçon semblait s'attendre à la question.

– Non, je suis allé pêcher la perche à Marco Island. Il y avait un afflux de mulets et une grande marée. Vous pouvez demander à Benjie Osceola… il était à l'autre bout du pont.

L'histoire de Duane Scrod junior parut convaincante aux oreilles du Dr Dressler. Mais l'inspecteur n'en avait pas terminé.

– Duane, je vais vous poser une question mais vous devez me promettre de ne pas vous énerver. Je ne fais que mon boulot, vu ?

– Tranquille.

– Vous êtes-vous faufilé dans le Black Vine Swamp et y avez-vous allumé un feu pour faire peur à Mrs. Starch pendant la sortie nature ?

Le garçon tint parole : il resta calme. Il fixa Jason Marshall droit dans les yeux et lui dit :

– Je fais plus ce genre de truc.

– Donc, la réponse est non ?

– Trois fois non.

– Avez-vous fait *n'importe quoi* pendant ces tout derniers jours qui aurait pu effrayer Mrs. Starch et lui faire croire que votre menace était réelle ? Elle n'est pas revenue à l'école depuis la sortie nature.

Duane Scrod junior éclata de rire.

– Cette prof n'a peur de rien, surtout pas d'un élève. Et comme j'avais pas envie qu'elle me cause d'autres ennuis… j'ai écrit cette dissert débile qu'elle m'avait demandée. Je m'excuse, mais c'était débile.

– Quel genre de dissertation ? se sentit obligé de demander le Dr Dressler.

Duane Scrod junior leva les yeux au ciel.

– Elle m'a forcé à écrire un texte de cinq cents mots sur les boutons d'acné.

Le directeur fit la grimace.

– Sérieux, dit le garçon.

Le Dr Dressler nota mentalement d'avoir un entretien diplomatique avec Mrs. Starch quand elle reviendrait à l'école. Punir un élève était une chose, l'humilier en était une autre.

L'inspecteur en avait assez entendu sur la dissertation acnéique.

– J'en ai presque fini, dit-il. Merci d'être passé, Duane.

Le garçon se leva du canapé.

– Encore un instant… j'ai, moi aussi, une question, fit le directeur.

Le garçon se retourna, une lueur d'impatience dans les yeux.

– Simple curiosité, Duane. S'est-il passé quelque chose de particulier qui ait provoqué un si grand changement en vous ?

– Kesk' vous voulez dire ?

Le Dr Dressler lui sourit d'une façon qui passerait, l'espéra-t-il, pour amicale et sincère.

– Votre tenue vestimentaire, votre attitude… vous êtes sûrement conscient de la différence.

Duane Scrod junior jeta un coup d'œil à ses vêtements en grattant pensivement un bouton couleur radis dans son cou.

– J'suis parti camper deux ou trois soirs. J'ai eu le temps de réfléchir à plein de trucs.

– Quels trucs ? demanda Jason Marshall.

– Où tout ça me menait. Aux erreurs que j'arrêtais pas de faire, à tous ces mauvais tournants que je prenais.

Même l'inspecteur parut ému.

– Ça fait juste partie de ce qu'on appelle grandir, lui dit-il.

– Ouais, ben, ça commence à bien faire de se ficher de tout et de faire n'importe quoi, observa le garçon. Alors, j'ai décidé d'essayer de changer.

Le Dr Dressler opina avec sympathie.

– Ma foi, on aime bien le nouveau Duane.

– C'est une décision judicieuse, approuva Jason Marshall.

– J'crois bien, fit Duane Scrod junior, qui s'excusa, puis sortit.

Le dîner fut un défi pour Nick.

– J'aurais dû te préparer du poulet frit, lui dit sa mère. Quelque chose qu'on puisse manger avec les doigts.

– Ça va. Faut que j'y arrive.

Il examinait la côte de porc devant lui, tâchant d'imaginer comment la couper. S'il se débrouillait assez bien avec le couteau de la main gauche, il ne pouvait empêcher la viande de glisser sur l'assiette, sans pouvoir la clouer de l'autre main avec sa fourchette.

– Laisse-moi te débander le bras droit, implora sa mère. Rien que pour ce soir.

– Pas question. C'est comme ça que papa va devoir faire, pas vrai ?

– Je lui couperais sa viande s'il était là, dit-elle. Tu peux compter là-dessus.

Un coup de téléphone, l'après-midi même, avait apporté une nouvelle décevante : le capitaine Gregory Waters luttait contre une infection, due à son épaule blessée. Le médecin avait dit qu'il réagissait lentement aux antibiotiques.

Pour finir sur une note plus positive, le médecin signala que les résultats des premières séances de rééducation du capitaine Waters étaient remarquables. Nick en fut ravi, mais pas surpris : son père s'était toujours maintenu au top de sa forme physique.

– Comment se fait-il qu'on ne nous ait pas laissés lui parler ? demanda Nick.

– Parce qu'il dormait. On m'a dit qu'il a fait deux heures de machine de muscu avec son bras gauche, cet après-midi.

– À t'entendre, il a tout de Captain Marvel.
– Tu l'as dit.
La mère de Nick regardait la côte de porc faire du skate sur son assiette tandis qu'il essayait de tailler dedans au couteau.
– Tu vas mourir de faim, Nicky. Laisse-moi faire, lui dit-elle.
– Non ! Je pigerai le truc.
Frustré, il posa le couteau et attrapa un petit pain, qu'il engloutit en trois bouchées.
– Ça n'est que mon premier jour de gaucher, marmonna-t-il, la bouche pleine de miettes.
– De manchot, tu veux dire, le corrigea sa mère. Qu'en ont dit les autres, à l'école ?
– Pas grand-chose. Marta a trouvé ça cool.
– Et en gym, comment ça s'est passé ?
– Bien, fit Nick, ce qui n'était pas vrai, même de loin.
Jouer à lacrosse était extrêmement difficile avec son meilleur bras attaché derrière le dos. Il avait été pratiquement inutile pour son équipe.
Plus tard, pendant qu'il prenait sa douche, deux grands lui avaient piqué sa bande sur le porte-serviettes et s'en étaient servis pour en saucissonner un nouveau, en surpoids et empoté, du nom de Pudge Powell IV. Deux des entraîneurs avaient mis dix minutes à détacher le gamin.
Donc, le cours d'éducation physique avait été au bas mot une catastrophe.
– Tu vas avoir mal demain, lui dit sa mère. Tu devrais prendre un bain chaud.
Nick ne discuta pas, même si ça le gênait de reconnaître à quel point il avait mal… et rien à voir avec couper du bois toute une journée. Les simples tâches routinières : prendre des notes, porter son sac sur le dos, ouvrir des portes et

manier une crosse l'avaient épuisé. Jamais plus il ne jugerait le fait d'avoir deux bras valides comme un luxe allant de soi.

Après avoir fait trempette pendant une demi-heure et s'être rebandé lui-même, Nick affronta ses devoirs, qui comprenaient dix-huit problèmes d'algèbre. À un moment, sa mère entra dans sa chambre et jeta un œil par-dessus son épaule gauche.

– Tu m'impressionnes. Je peux vraiment déchiffrer tes réponses, lui dit-elle. Je ne sais absolument pas si elles sont justes ou fausses, mais je peux les lire, c'est sûr.

– Et ce n'est qu'un début.

– Je peux te demander quelque chose, Nicky ? Combien de temps tu comptes te soumettre à ce numéro de gaucher ?

– Jusqu'à ce que je sois au point.

– Et ensuite ?

– J'sais pas, maman. J'y ai pas encore pensé.

En fait, il y avait beaucoup réfléchi. Les médecins avaient dit que son père aurait devant lui des mois de rééducation en externe, une fois rentré à la maison. Nick prévoyait d'être à ses côtés et de pratiquer les mêmes exercices de la main gauche que lui.

Une fois ses devoirs de maths terminés, il lut une nouvelle de l'humoriste O. Henry pour le cours d'anglais, ce qui lui regonfla le moral. Puis il s'attela à la corvée du brossage des dents, ne provoquant que de légers saignements de ses gencives.

Il avait prévu de se coucher avec son bras droit bandé, mais n'arrivait pas à trouver de position confortable. Sa main ne cessait de s'ankyloser et Nick eut peur que le bandage élastique ne lui cause des dégâts permanents s'il s'assoupissait dans une mauvaise position.

Avec quelques efforts, il libéra. Il avait une sensation de faiblesse et d'engourdissement. Fermant le poing, il fit travailler les muscles plusieurs fois pour réactiver la circulation sanguine.

Nick avait déjà éteint la lumière et écoutait son iPod quand sa mère entrebâilla la porte.

– Wouah, fit-elle. Il n'est que huit heures et demie.

– Je suis crevé.

Elle s'assit et, lui posant une main sur le front, vérifia s'il avait de la température. Il lui dit qu'il allait bien.

– Tu t'inquiètes pour ton père ? demanda-t-elle.

Nick opina.

– Ouais, c'est dur.

– On l'appellera demain. Promis.

– Cette infection doit être assez grave.

Sa mère lui répondit de ne pas s'en faire.

– D'après le médecin, ça arrive parfois après une amputation.

Ce dernier mot choqua Nick. Il devait encore assimiler la vérité : son père était un amputé.

« Mais au moins, il est vivant, se dit-il. Et c'est tout ce qui compte vraiment. »

– Je vais regarder la télé un moment avant de me coucher, au cas où tu ne réussirais pas à dormir, lui dit sa mère.

– Merci, maman, mais je suis prêt à roupiller.

Une heure plus tard, il était encore bien éveillé. Son corps était épuisé mais son cerveau crépitait comme une ligne à haute tension. Il ne pouvait s'empêcher de penser à ce qui était arrivé à son père, imaginant l'éclair de la roquette qui explosait, le Hummer qui se désintégrait en mille morceaux, les flammes, la fumée et les cris…

Effrayé par les rêves qu'il pourrait faire s'il fermait les yeux, Nick attrapa son téléphone portable sur la table de nuit et composa le numéro de Marta. Elle répondit à la seconde sonnerie.

– Tu ne dors pas ? fit-il à voix basse.

– Je traîne sur Facebook. Nul, hein ?

– Super nul, renchérit Nick.

– Tu as parlé à ton père ?

– Pas aujourd'hui. Il était en rééduc.

– J'peux pas dormir, moi non plus, fit Marta. J'ai repensé à tout ce qui s'est passé à l'école et voilà ma conclusion : Mrs. Starch est une sorcière.

– Recommence pas avec ça.

– Non, je veux dire une *vraie* sorcière. Réfléchis : elle et Smoke, on les a perdus de vue, à peu près en même temps. Puis le voilà qui retourne soudain à l'école et on dirait qu'il a subi une greffe totale de personnalité. Je parie que Mrs. Starch lui a jeté un sort !

– On n'est pas à Poudlard, Marta, fit Nick en éclatant de rire. Ici, c'est l'école Truman.

– Je t'ai pas dit que c'était une magicienne, mais une sorcière.

– Joue pas sur les mots…

– OK, gros malin, j'écoute ta brillante hypothèse.

– J'en ai pas, reconnut-il. Mais il se passe quelque chose de bizarre, ça c'est sûr.

– Merci, fit Marta.

Nick lui accorda que l'excuse donnée par Mrs. Starch pour prendre un congé – ses prétendus problèmes familiaux urgents – avait tout l'air d'être bidon. Cette prof n'avait pas manqué un seul jour de cours depuis l'âge de pierre.

Cependant, le fait encore plus sidérant et suspect avait été la réapparition en classe du nouveau Duane Scrod junior modèle : alerte, bien peigné et bien vêtu, responsable scolairement parlant. Un complet étranger, en gros.

Nick avait la sensation désagréable d'être dans l'un de ces contes qui vous baladent dans une direction pour mieux finir ailleurs, en vous surprenant complètement.

Et toutes ces bizarreries avaient commencé le jour où Smoke avait croqué le crayon de Mrs. Starch.

– Tu es assis ? fit Marta.

– Non, *couché*. Et au lit.

– Bien. Devine ce que j'ai vu cet après-midi après l'école ? Tu te rappelles la Prius bleue avec la plaque d'immatriculation « Sauvez les lamantins »... celle qui ressemblait à la voiture de Mrs. Starch ? Eh bien, devine un peu : c'était celle de Mrs. Starch. C'est obligé.

– Comment tu le sais ? demanda Nick, sceptique.

– Parce que je l'ai vue sortir à toute allure du parking d'Ace Hardware roulant à, disons, quatre-vingts kilomètres à l'heure. Et devine qui se vidait une cannette de Mountain Dew sur le siège passager : Smoke !

– Arrête, fit-il.

– Juré craché. Dans son blazer Truman !

– Mais qui conduisait ?

– Ça m'avait l'air d'un mec avec un bonnet de ski noir vissé sur le crâne, mais je parie que c'était Mrs. Starch. Tu sais, les sorcières peuvent se transformer en n'importe quoi, dit Marta avec assurance.

– Ouais, bon, et toi, on t'a transformée en quoi ? Les sorcières, ça n'existe pas, alors lâche-moi avec ça.

Il y eut un silence à l'autre bout de la ligne. Nick craignit d'avoir froissé son amie.

– Tu me crois pas, fit Marta.

– Je crois simplement pas à tous ces trucs à la Harry Potter, d'acc ? Mais je crois que tu as bien vu Smoke dans cette voiture bleue, aujourd'hui. Et je crois aussi que la voiture appartenait bien à Mrs. Starch. C'est juste trop bizarre pour être une coïncidence.

Marta fut soulagée que Nick n'ait pas pensé qu'elle avait tout inventé.

– Alors, on fait quoi, maintenant ?

– Maintenant ? dit-il. Maintenant, faut qu'on découvre qui balade Smoke en ville dans la voiture de Mrs. Starch et ce qu'on a fait d'elle.

– Géant !

Même si Nick demeura éveillé encore un petit moment, son imagination n'était du moins plus rongée par l'attaque à la roquette qui avait estropié son père à Bagdad.

Au lieu de ça, il réfléchissait au Black Vine Swamp et aux possibles secrets qu'il renfermait.

DIX

Personne ne vit l'hélicoptère atterrir, car aucun car de touristes ni aucun bus scolaire n'était en visite dans le Black Vine Swamp, ce matin-là. Drake McBride en descendit et se dirigea rapidement vers un camion avec le logo de la Red Diamond peint sur les portières. Jimmy Lee Bayliss émergea du côté chauffeur et salua son patron d'un signe de tête sinistre.

– Nom d'un chien, qu'est-ce qui s'est passé par ici ? l'apostropha Drake McBride.

– À peu de chose près ce que je vous ai dit au téléphone.

– C'est lui ? fit-il en désignant du menton une forme blottie dans la cabine du camion.

– Oui, m'sieur, répondit Jimmy Lee Bayliss.

Il ouvrit la portière côté passager et un jeune homme à l'air malheureux sortit. Il était impossible de ne pas remarquer qu'il était nu comme un ver sous son peignoir de fortune, à savoir une feuille de papier bulle transparent, identique à celles dont on empaquette les marchandises de valeur pour le transport.

– C'est quoi ce bazar ? s'exclama Drake McBride.

– J'avais rien d'autre sous la main dans le camion, lui dit Jimmy Lee Bayliss. C'est pour ça que je vous ai demandé d'apporter des vêtements de rechange.

Drake McBride haussa les épaules.

– Ma foi, j'ai oublié.

Puis s'adressant à l'homme enveloppé de plastique bulle, il lui dit :

– C'est quoi ton nom, fiston ?

– Melton.

– Depuis quand t'es chez nous ?

– Trois semaines tout rond, répondit ledit Melton.

– Donc, t'es pas encore totalement assuré, fit Drake McBride. Mais t'inquiète pas, on va s'arranger pour que toutes tes notes de médecin soient couvertes au minimum à soixante pour cent. Ils t'ont blessé ?

– Pas vraiment. Mais des fourmis béliers m'ont bouffé les fesses comme des sauvages.

– Allez, vas-y, raconte à Mr. McBride ce qui t'est arrivé. C'est un homme occupé, lui dit Jimmy Lee Bayliss.

Melton ne semblait pas particulièrement impressionné de s'adresser au PDG de la compagnie. Il avait l'air de souhaiter n'avoir jamais entendu parler de la Red Diamond Energy Corporation.

– J'étais là-bas à empiler des tuyaux, dit-il, quand on m'a attaqué par-derrière. Avant que j'aie pu dire ouf, j'étais collé au tronc d'un cyprès sans pouvoir me libérer.

– Et en tenue d'Adam, commenta Drake McBride.

– Ouais, on m'a volé mes vêtements.

– Ainsi que les tuyaux, ajouta Jimmy Lee Bayliss, qui avait déjà croqué un tube entier de Tums depuis le petit déjeuner. Il mourait d'envie de rentrer au Texas, et d'y jouir en paix d'une vie retirée.

En comptant sur ses doigts, Drake McBride se mit à énumérer les délits commis à l'encontre du pauvre Melton :

– On a donc agression, vol qualifié, attentat à la pudeur… ils étaient combien, fiston ?

– Sais pas.

– Bon, combien t'en as vu ?
– Un seul, fit Melton. Mais ils devaient être plus. Impossible qu'un seul mec ait pu venir à bout de moi.
Même si Jimmy Lee Bayliss ne le dit pas, il pensa qu'un seul homme en bonne forme physique pouvait bien maîtriser le maigrichon Melton, qui fumait cigarette sur cigarette.
Drake McBride prit son homme de main à part.
– C'est évident qu'on ne peut pas raconter à la police que ça s'est passé dans la section 22, faut donc leur dire qu'il s'agit de la section 21, où on est en toute légalité. Je veux que vous vous assuriez que ce jeunot retienne bien sa leçon.
– Mentir aux flics, c'est trop risqué, répliqua Jimmy Lee Bayliss. Surtout si l'on doit se fier à ce Melton. Ce gamin a le QI d'une patate bouillie. Il est capable de dire n'importe quoi.
Drake McBride poussa un soupir d'exaspération.
– On n'est pas censés mettre les pieds dans la section 22, encore moins y creuser un puits et y poser des tuyaux. On n'a pas d'autre choix, Jimmy, non ?
– Si. On n'a qu'à rien dire aux flics.
L'homme tâchait de dissimuler son mécontentement. Depuis le début, cette magouille l'avait rendu nerveux, même si Drake McBride lui avait promis qu'elle les rendrait riches, au-delà de leurs rêves les plus fous.
– Laissez-moi m'occuper de ça, dit-il à son patron.
– Mais on a des bandits lâchés dans la nature, fit Drake McBride. Des hors-la-loi, des pirates ou quoi ou qu'est-ce.
– Vous croyez sérieusement que les flics vont venir pourchasser des voleurs de tuyaux par ici, au beau milieu de nulle part ? Ils ont d'autres chats à fouetter.
– C'est sans doute rien que des drogués, marmonna

Drake McBride. Des tarés. Où est-ce qu'ils vont écouler deux tonnes de tuyaux ?

Ils revinrent vers le camion, où Melton tirait sur un mégot éteint.

– Je transpire à mort dans ce truc, se plaignit-il.

Et il commença à ôter le papier à bulles.

– Holà, toi ! s'écria le patron en lui faisant signe de ne pas aller plus loin. Sans vouloir te vexer, fiston, je suis pas d'humeur à regarder un type à poil. Garde ton truc en plastique sur toi.

Jimmy Lee Bayliss dit à Melton qu'il allait l'emmener au centre commercial en revenant en ville.

– Je t'paierai de nouvelles fringues et un repas chaud, aussi.

– Merci, mec. Et les heures sup ?

Jimmy Lee Bayliss échangea un regard avec Drake McBride, dont la mine s'allongea.

– Eh, j'ai passé toute la nuit dehors, argumenta Melton. Des fourmis rouges m'ont arraché des lambeaux de peau. Venez pas me dire que c'est pas comptabilisé ?

Il leva les bras afin que le PDG de la Red Diamond Energy puisse voir les écorchures rouges et collantes laissées par la colle durcie, après que Jimmy Lee Bayliss l'eut détachée au tournevis de l'écorce de l'arbre.

– Je crois que tu survivras, commenta Drake McBride.

– Parle-nous de celui qui t'a agressé, lui dit Jimmy Lee Bayliss.

Melton reconnut qu'il n'avait pas eu une vision claire du type.

– Il avait un bonnet de ski enfoncé jusqu'aux yeux, alors j'ai pas pu voir sa figure si bien que ça.

– Il était jeune ou vieux ?

– J'saurais pas dire, répliqua Melton. Mais c'était un vrai costaud… et un vrai dingue.

Drake McBride tiqua.

– Un toxico. Qu'est-ce que j'vous avais dit ?

– Non, il planait pas ni rien. Juste un malade, dit Melton. Pendant qu'il m'collait à cette saleté d'arbre, il m'a dit que j'étais un appât pour les ours. C'est de ça qu'il m'a traité. Super sympa, hein ?

– Il était armé ? demanda Jimmy Lee Bayliss.

– Chais pas. Sans doute.

« Ce qui veut dire que la réponse est non », songea-t-il. Melton était trop embarrassé pour reconnaître qu'il avait été capturé – et s'était fait délester d'un chargement de tuyaux coûteux – par un individu non armé.

– Écoute-moi, fiston, fit Drake McBride. On va rien dire aux flics, d'acc ? La Red Diamond va régler le problème, promis. On va attraper ce salaud et s'assurer qu'il ne refasse pas le coup à quelqu'un d'autre.

– Le plus tôt sera le mieux, fit Melton.

– En attendant, faut que tu nous promettes de rien dire, d'acc ? Faut raconter à personne ce qui s'est passé ici, poursuivit Drake McBride. Pas même à ta femme ou à tes gosses.

– J'ai rien qu'une copine.

– Pas même à elle, non plus, intervint Jimmy avec fermeté. Tu ne fais pas allusion à ça devant âme qui vive. Compris ?

– Vu.

Par désœuvrement, Melton crevait les bulles de son costume en plastique transparent.

– Eh, en passant au centre commercial, vous pourrez m'acheter des cigarettes ? Ce dingue m'a piqué mon dernier paquet en me fauchant mon fute.

– Bien sûr, fit Jimmy Lee Bayliss.
– Encore un truc… chuis jamais monté en hélico jusqu'à maintenant…
L'expression de Drake McBride devint de marbre.
– Désolé, mon pote.
– Rien qu'un petit tour, rapide ? Allez, quoi…
– Tu peux pas monter en hélico si t'as pas de vêtements. La réglementation aérienne de la FAA est très stricte là-dessus.
– Quoi ? Vous me charriez, fit Melton.
– Ouais, pas de pot.
Là-dessus, le PDG de la Red Diamond Energy Corporation tourna ses talons bottés et fit signe au pilote d'allumer les moteurs.

Duane Scrod senior attaquait un bifteck saignant dans l'aloyau de trois cents grammes. Duane Scrod junior, lui, était plongé dans la contemplation d'une grande assiettée de *linguine* fumantes. Millicent Winship chipotait son cocktail de crevettes fraîches ; à son âge, elle n'avait plus la patience de papoter.
– D. J., quelles sont tes notes du semestre à l'école Truman ? demanda-t-elle à son petit-fils.
– Pas fameuses, répondit-il, mais j'ai l'intention de faire mieux.
– Tu as des devoirs à faire ce soir ?
– J'ai pas cours demain… c'est une journée de formation pour les profs.
– Ça me paraît une bonne occasion pour rattraper certaines matières, dit Mrs. Winship.
– Oui, m'dame. J'ai rapporté mes livres à la maison.
– Je dois avouer que tu m'as l'air très sérieux et très beau.

Embarrassé, Duane junior enfourna à pleine fourchette des pâtes dans ses joues rougissantes.

Mrs. Winship se tourna vers Duane senior.

– Ça fait une sacrée différence. Je suis impressionnée.

– Me regardez pas, Millie. J'y suis pour rien. Tout vient de D. J., dit-il en lampant une tasse de café. Il est rentré de sa virée de camping et, je vous jure, c'est comme s'il y avait un inconnu dans la maison. Il ramasse son linge sale, se brosse les dents deux fois par jour, veille tard pour faire ses devoirs. Comme s'il était devenu adulte d'un jour à l'autre.

– Peut-être que vous devriez en prendre de la graine, dit-elle avec un sourire réfrigérant.

– Ah, laissez tomber, dit le père du garçon.

Ils étaient installés à une table, à l'extérieur, dominant une marina peuplée de yachts et de voiliers. Le restaurant s'appelait le *Dauphin-d'Argent* et la nourriture y était excellente, bien que chère. Mrs. Winship payait l'addition, comme d'habitude, tout en étant ravie de le faire. Elle n'en revenait toujours pas du changement prometteur de son petit-fils.

Duane senior, c'était une autre affaire. Il ne manifestait pas le moindre intérêt pour améliorer son comportement ou son existence. Un peu plus tôt, elle l'avait surpris en train de se bourrer les poches de petits biscuits salés qu'il destinait à son odieux oiseau fétiche.

– Dis-moi, D. J., fit-elle, tu te vois aller à l'université, un jour prochain ?

– Oui, m'dame. C'est bien possible, répondit Duane junior.

– Je suis ravie d'entendre ça. As-tu déjà pensé à la matière que tu aimerais éventuellement étudier, afin d'y faire carrière ? lui demanda Mrs. Winship.

Mâchant bruyamment, Duane senior intervint :

– C'est trop tôt pour ça. Laissez-le un peu souffler, ce garçon, Millie…

– Les sciences de l'environnement, fit Duane Scrod junior.

– Vraiment ? s'exclama sa grand-mère aux anges, en lançant un regard acerbe à Duane senior, qui en resta bouche bée.

– J'aime vraiment la vie en plein air. C'est calme et c'est joli, continua Duane junior. En plus, j'adore les animaux, la pêche, ce genre de choses.

– Depuis que tu es tout petit, tu as été un explorateur. Et tu n'avais peur de rien, aussi, fit Mrs. Winship avec tendresse.

Duane senior se tritura les molaires avec un cure-dent, tâchant de libérer un filament de viande.

– Je m'excuse, mais je vois pas du tout Junior devenir un scientifique. Et puis zut, il redouble sa biologie pour la deuxième ou troisième fois.

– La deuxième, fit Duane junior avec mauvaise humeur.

Mrs. Winship foudroya Duane Scrod senior du regard.

– Vous allez m'écouter une bonne fois pour toutes. Ce garçon pourra faire ce qu'il souhaite, dès qu'il aura trouvé le bon modèle.

– Ouille, fit Duane senior, ne réagissant pas à l'insulte mais plutôt au petit trou qu'il venait de percer dans sa gencive.

Duane junior posa sa fourchette.

– Si jamais on raye les Everglades de la carte, les gens comme moi n'auront nulle part où aller, sauf dans les grandes villes. Et je déteste les grandes villes.

Mrs. Winship, pensive, approuva son petit-fils.

– Raconte-moi ce tu as fait en camping, fit-elle.

Il s'éclaircit la voix.

– J'ai pêché un bar. J'ai vu une loutre et ses deux petits, et je sais plus combien d'alligators, comme d'habitude.

Il se remit à manger.

– Tu étais tout seul ?

– À peu près.

Duane ne releva pas le nez de son assiette.

– Ton père m'a parlé de l'incendie. Le directeur m'a appelée aussi.

– Quel incendie ?

– Là-bas, dans le marécage, le coupa Duane senior. Va pas faire maintenant comme si t'en avais jamais entendu parler.

Le garçon enroula des *linguine* sur sa fourchette.

– Ah, ouais. Cet incendie-là.

Mrs. Winship se tapota la bouche de sa serviette, qu'elle replia ensuite avec soin sur ses genoux.

– D. J., j'ai soixante-dix-sept ans, lui dit-elle, ce qui ne fait pas de moi un dinosaure, mais je ne suis plus si jeune que ça, non plus. Je ne peux pas me payer le luxe de perdre mon temps, tu comprends ?

– Oui, m'dame.

– Donc, dis-moi simplement si tu as allumé cet incendie.

– Non, m'dame.

– Alors, pourquoi la police le pense ?

Duane senior prit à nouveau la parole :

– Elle peut prouver que dalle. Autrement, ce garçon serait bouclé dans un centre pour jeunes délinquants à l'heure qu'il est.

Mrs. Winship jeta à Duane senior un regard agacé. Puis elle demanda gentiment à son petit-fils :

– As-tu eu l'occasion de donner ta version aux autorités ?

– Oui, m'dame. Je leur ai dit direct que j'avais rien fait, affirma-t-il.

– Cette époque est révolue, pas vrai ?

– Oui, m'dame. Je mets plus le feu.

– Ce n'est pas correct pour un futur spécialiste de l'environnement de mettre le feu à un marécage.

– Non, m'dame.

– L'école Truman organisait là-bas une sortie nature, ce matin-là. Quelqu'un aurait pu être grièvement blessé, D. J., ou même tué, lui dit sa grand-mère.

Duane junior la regarda droit dans les yeux.

– C'était pas moi, mamie. Je te le jure.

– Très bien. Je te crois.

– Dieu merci, tout est réglé, fit Duane senior, parcourant le restaurant du regard. Où a disparu notre serveuse ? J'ai très envie de jeter un œil au chariot à desserts.

Seul son amour pour Duane junior empêcha Mrs. Winship de taper son père, d'une bêtise si crasse, sur le sommet du crâne.

– Ta mère m'a dit qu'elle t'avait écrit, lança-t-elle au garçon.

Il parut surpris.

– J'ai pas reçu de lettre.

– Rien ?

– Non.

– Moi non plus, fit Duane senior en élevant la voix.

Mrs. Winship eut honte de penser que sa fille puisse se montrer aussi égoïste et négligente.

– Je suis désolée, D. J. Je lui en parlerai.

– C'est pas ta faute, mamie.

– Tu veux un dessert ?

– Non, merci.

– Ben, chez *moi*, c'est pas la place qui manque, annonça Duane senior, en se tapotant l'estomac, plein d'entrain.

Millicent Winship le toisa comme un cafard sur un gâteau de mariage.

– On a tous assez mangé, fit-elle sèchement.

Et elle réclama l'addition.

Avant que la mère de Marta ne les dépose au centre commercial, elle leur demanda :

– C'est quoi le titre du film ?

Marta fit semblant de tousser et se tourna vers Nick qui comprit l'allusion.

– *Spiderman VII*, répondit-il à Mrs. Gonzalez. *La Revanche du hors-la-toile*.

Il ignorait complètement si un tel film existait… il avait perdu le compte de toutes les suites de *Spiderman*.

– C'est tous publics ?

– Oui, maman, fit Marta.

– Je reviens vous prendre ici à dix heures et demie pile. Ne soyez pas en retard.

– Au revoir, m'man, dit Marta avec impatience.

– Tu as assez d'argent ?

– Au revoir, maman !

Si Nick et Marta se sentaient honteux d'avoir menti à propos du film, il leur avait semblé qu'ils n'avaient pas d'autre choix : leurs parents ne leur auraient jamais permis d'aller surveiller de près la maison de Mrs. Starch, surtout à la nuit tombée.

– D'après le GPS, c'est à moins de quatre kilomètres, dit Nick, en étudiant la carte qu'il avait imprimée.

Il avait obtenu l'adresse de Mrs. Starch grâce à Libby,

car son père avait rapporté de sa visite chez le directeur un répertoire contenant les coordonnées des professeurs.

– Ah, j'y crois pas, j'ai oublié de prendre une torche électrique, dit Marta.

Nick en avait apporté une dans une poche de son blouson.

– Allons-y, dit-il.

Et ils traversèrent le vaste parking en direction de la rue.

Bien vite, les brillantes lumières du centre commercial furent derrière eux. Suivant de près les indications du GPS, ils parcoururent cinq blocs jusqu'à Mockingbird Court, puis sept autres jusqu'à Grackle Drive. En atteignant la rue de Mrs. Starch, Nick dit :

– On se dirige à l'ouest à partir d'ici, et on va jusqu'au bout de la route.

Marta éclata de rire.

– Pas possible ! Cette vieille buse habite pour de bon sur Buzzard Boulevard… qui dit mieux ?

– Au numéro 777, fit remarquer Nick. La toute dernière maison.

– Naturellement.

Les lampadaires s'arrêtaient en même temps que la chaussée. Alors que Nick et Marta s'engageaient sur le chemin de terre, la nuit devint plus épaisse. Il sortit sa torche.

– À part elle, personne ne vit par ici ? demanda Marta avec nervosité.

Ils passèrent devant plusieurs maisons en construction et une autre sans toit et à l'abandon, sans doute victime d'un cyclone. Les bois, qui bourdonnaient du chant des criquets et des cigales, bruissaient aussi de sons plus forts qu'auraient pu faire des lapins ou des ratons laveurs. Chaque fois que Nick entendait quelque chose, il braquait la lumière entre les arbres pour voir ce que c'était. Mais les bestioles s'arrêtaient toujours de bouger, demeurant invisibles parmi les pins et les broussailles.

Nick assura à Marta qu'il n'y avait rien à craindre, mais lui aussi était nerveux. S'il adorait d'habitude les randonnées en plein air, c'était une expérience radicalement différente dans la nuit noire.

– Fais-moi plaisir, lui dit Marta. Enlève ton bandage.

– Pourquoi ?

– Parce que tu n'auras pas trop de tes deux bras pour me ramener au centre commercial quand je me serai évanouie.

– Tu ne vas pas t'évanouir.

– Non, je vais sans doute tomber raide morte de peur, dit Marta, quand un ours enragé se lancera à nos trousses.

– Ou bien une panthère, plaisanta Nick, pour alléger l'atmosphère.

– Tais-toi.

De temps à autre, ils jetaient un coup d'œil derrière eux, pour voir si des phares approchaient, mais Buzzard Boulevard était aussi calme qu'un cimetière. Nick se demandait s'il pourrait courir aussi vite que d'habitude avec son bras attaché dans le dos.

– C'est encore loin ? demanda Marta.

Il n'en savait rien. Les distances paraissaient plus longues que sur la carte. Il pressa le pas, le faisceau blanc de la torche tressautant devant eux. Une couche de nuages pesait au-dessus de leurs têtes, masquant les étoiles et la lune.

Quand un petit animal décampa sur la route devant eux, Marta poussa un cri de souris et s'agrippa à Nick.

– C'était une très mauvaise idée. On ferait mieux de rentrer, dit-elle.

– Chhhh. On est arrivés.

Sa torche illuminait une banale boîte aux lettres métallique, portant trois sept sur le côté mais aucun nom.

– Où est la maison ? demanda Marta.

– Par là.

Nick l'entraîna le long d'une piste envahie par la végétation, de la largeur d'une voiture. Il faillit marcher sur une couleuvre fouet-de-cocher qui, heureusement, rampa dans l'ombre avant que Marta ne la remarque. Au bout de la piste, il s'accroupit. Marta se baissa près de lui.

La maison de Mrs. Starch se dressait, solitaire, au milieu d'une clairière. Nick compta deux étages, même si le vieux bâtiment en bois paraissait plus petit que ça, tassé sur lui-même et pas très solide. Une ampoule nue clignotait au plafond de la véranda, mais aucune lumière ne brillait aux fenêtres. Dans la cour, on ne voyait nulle part la Prius bleue de leur professeur.

– Il n'y a personne, dit Marta, en grinçant des dents de nervosité.

– On va voir.

– Qu'est-ce que tu fais ?

– J'espionne, lui dit Nick. C'était bien ça le plan, non ?

Marta le talonna. Ils contournèrent la maison en filant jusqu'à la véranda arrière, qui n'était pas éclairée. Après avoir monté les marches à pas de loup, ils cherchèrent vainement une fenêtre par laquelle jeter un coup d'œil. Tous les stores étaient baissés.

– Ah, bah. On aura essayé, dit Marta, faisant mine de s'en aller.

– Reviens ici.

– On s'en va, Nick. J'ai trop peur.

– Il y a quelque chose de pas normal.

– Merci du renseignement ! On peut y aller, maintenant ?

– Non, ce que je veux dire, c'est : regarde cet endroit. Ça fait longtemps qu'elle n'est pas venue ici.

Nick balaya la véranda de sa lampe torche.

– Vise ces araignées.

Marta eut un mouvement de recul, mais comprit. Mrs. Starch était une accro de la propreté, pourtant sa véranda semblait n'avoir connu ni coups de balai ni serpillière depuis un certain temps. Des toiles d'araignée scintillantes pendaient telles des tapisseries à chaque angle du toit. Le plancher, quant à lui, était jonché d'aiguilles de pin, de cocons de papillon de nuit et de chiures de lézard.

– Je suis prêt à parier vingt dollars qu'elle n'est pas revenue chez elle depuis la sortie nature, dit Nick.

– Alors qui relève son courrier ? Et qui conduit sa voiture ? demanda Marta.

– Le mystère est là.

– Smoke est au courant de tout.

– C'est le suivant sur notre liste. En attendant…

Marta se baissa vivement en se protégeant la tête.

– Une chauve-souris vient de m'effleurer, promis juré !

– Sois pas si froussarde.

Nick tourna le bouton de la porte de service. Elle était verrouillée.

– On devrait y aller. On a un long chemin de retour à faire, suggéra Marta, qui lorgnait le ciel avec appréhension.

Nick examina la véranda jusqu'à ce qu'il repère un grand pot en argile contenant un palmier flétri.

– Donne-moi un coup de main, dit-il en empochant la torche électrique. On va soulever ce machin.

– OK, plus de doute maintenant, tu es devenu complètement fou.

– Dépêche. Je compte jusqu'à trois…

Le pot ne bougea que de quelques centimètres, mais cela fut suffisant. Nick désigna un rond poussiéreux sur le plancher où se trouvait une clé. Il sourit.

– Bien joué, Sherlock, dit Marta.

La clé entra sans problème dans la serrure et le verrou tourna avec un déclic très net.

– Alors, tu me suis ? demanda-t-il. Ou bien tu préfères rester dehors avec les chauves-souris et les veuves noires ?

ONZE

Nick n'aurait su dire si se faufiler en douce dans la maison de Mrs. Starch était la chose la plus courageuse qu'il ait jamais faite ou bien la plus débile.

Mais il était certain que le professeur de biologie le plus teigneux du monde n'était pas vraiment absent de l'école à cause de problèmes familiaux. Quelque chose d'autre était arrivé, quelque chose de grave, et Duane Scrod junior avait sûrement trempé dedans.

– Et si elle a cassé sa pipe ? chuchota Marta en refermant la porte derrière eux. Et si on retrouve son corps ?

La même idée épouvantable était venue à Nick, même s'il ne l'avait pas exprimée tout haut.

– Alors les flics croiront qu'on a fait le coup ! Et on passera le reste de notre vie en prison ! s'écria Marta.

– Pas si fort, d'accord ?

– Je me suis jamais trouvée dans un endroit plus sombre. Donne-moi la main.

– J'en ai qu'une seule, lui rappela Nick. Alors, tu portes la torche.

Il n'avait pas tenu la main d'une fille depuis Jessie Kronenberg, en CM2. L'été suivant, sa famille avait déménagé à Atlanta et il n'avait plus jamais eu de ses nouvelles.

– Où tu crois que cette vieille sorcière garde tous ses serpents ? demanda Marta, en serrant les doigts de Nick.

– C'est rien qu'une autre rumeur débile.

– Peut-être que c'est pas une rumeur. Peut-être qu'elle a tué son mari, aussi. On dit qu'il a disparu, genre, il y a vingt ans.

Nick et Marta n'avaient pas fait trois pas depuis qu'ils avaient franchi la porte.

– Je panique totalement, dit-elle.

– Je sais… tu m'écrases les doigts.

Nick libéra sa main et lui reprit la torche. Mais dès qu'il l'alluma, il vit que l'une des nombreuses histoires de folie qu'on racontait sur Mrs. Starch était vraie. La maison était remplie d'animaux empaillés… et pas du genre gentils comme tout ni câlinables qu'on trouve dans les magasins de jouets.

– On… va… partir d'ici… tout de suite, dit Marta.

– Attends.

– C'est, genre, un zoo de la mort !

Nick n'aurait lui non plus jamais imaginé un pareil spectacle : une horde de bestioles naturalisées exposées dans le désordre le plus complet recouvrait les murs du plancher jusqu'au plafond. Il y avait des oiseaux, des mammifères, des reptiles et des batraciens de toutes tailles, immobilisés en plein mouvement : certains se lovaient, d'autres sautaient, se tapissaient, montraient les dents, s'envolaient ou bondissaient sur leur proie. Par-delà Nick et Marta, les animaux semblaient fixer l'infini de leurs yeux de verre dénués d'expression.

– Je t'avais dit qu'elle était psychopathe, murmura Marta.

Nick fit jouer le faisceau de sa torche sur cette ménagerie sans vie. Chaque animal était identifié par une étiquette écrite à la main.

– Je crois que je sais ce qu'elle a fait ici, dit-il.

– À part perdre la tête ?

Nick s'approcha d'un félin tacheté de couleur fauve de

la taille d'un golden retriever. Près de lui, un petit oiseau moucheté était perché gaillardement sur un morceau de bois flotté. Sur le mur au-dessus de leurs têtes, il y avait un poisson d'un brun banal, à l'arête dorsale cuirassée. Nick vérifia chaque étiquette.

– Ce sont tous des représentants d'espèces menacées, dit-il à Marta. Là, on voit le petit d'une panthère, ici, un bruant maritime du Cape Sable et ce laideron, là-haut sur le mur, c'est un esturgeon à museau court. Je sais qu'ils sont menacés parce qu'ils étaient sur la liste que Mrs. Starch nous a donnée avec le programme de son cours.

– Tu as vraiment lu son programme ? T'es quoi, le roi des fayots ?

– Elle a dit que ça ferait partie du contrôle final.

– Bof, passons, Nick. Faut qu'on revienne au centre commercial avant…

– Regarde par ici.

Il arrêta le faisceau sur un lapin marron à oreilles courtes.

– Un lapin des marais des Lower Keys. Et là, fit-il en désignant une bosse à pattes boudinées, de la taille d'un palet de hockey, c'est un bébé tortue luth. Et ce petit machin-là, c'est un…

– Rat, l'interrompit Marta avec irritation. Un sale rat puant.

– Faux.

Nick prononça le nom lentement en déchiffrant l'étiquette.

– C'est une gerbille de Choctawhatchee.

– Tu me l'as enlevé de la bouche, fit-elle pince-sans-rire.

– Eh, en voilà un avec un collier.

Nick sourit jusqu'aux oreilles en lisant à haute voix :

– Chelsea Evered. Il doit être particulier.

Marta regarda autour d'elle, mal à l'aise.
– Cet endroit me donne la chair de poule.
Nick s'approcha d'un vieux coffre de marin en bois patiné. Le couvercle était si massif et si gondolé qu'il fut incapable de le soulever d'une seule main.
– Aide-moi, dit-il à Marta.
– Pas question ! Et si, là-dedans, il y avait le corps empaillé de Mrs. Starch ?
– Arrête de pleurnicher.
Ils réussirent à ouvrir la malle ancienne qui, au grand soulagement de Marta, était vide.
Elle fronça le nez.
– Ça sent comme dans le grenier de mon grand-père.
Une portière claqua soudain à l'extérieur. Nick éteignit aussitôt la torche d'un clic.
– Baisse-toi ! fit-il, en tirant Marta vers le sol.
La lueur des phares d'une voiture éclairait la rainure des stores. Nick et Marta entendirent quelqu'un monter lourdement les marches, ne faisant aucun effort pour être discret. Le son suivant fut le cliquetis de la poignée de la porte.
– On est coincés de chez coincés, gémit Marta.
Nick lui désigna le coffre ouvert.
– Après toi.
– Non. Même pas en rêve.
– Entre !
Ils grimpèrent à l'intérieur et refermèrent le couvercle. Le seul bruit était celui, sourd, des pas sur le plancher de pin ; ces pas n'étaient pas ceux d'un poids plume. Ça aurait pu être ceux de Mrs. Starch qui était tout sauf un poids plume, ou bien ceux de Smoke.
Ou encore, peut-être, ceux d'une autre personne fortement charpentée.

– J'peux pas respirer, fit Marta complètement démoralisée.

– Si, tu peux.

– Allume la torche, Nick, sinon je vais hurler.

– Ne me dis pas que tu es claustrophobe.

– Super claustro.

– Alors ça, c'est géant, fit Nick.

Lui aussi craignait les endroits confinés. La lampe refusa de s'allumer tant qu'il ne remua pas les piles.

– C'est mieux comme ça ? demanda-t-il.

Marta était d'une pâleur de cire et trempée de sueur. Elle avait une mine épouvantable.

Le coffre de marin était juste assez grand pour que tous deux s'y tassent, côte à côte, les genoux contre le menton. Nick fut pris de crampes aussi douloureuses qu'énervantes. Son bras bandé était immobilisé selon un angle peu naturel contre l'omoplate… il avait l'impression d'être un faucon à l'aile cassée.

Il se faisait pourtant davantage de souci pour Marta.

– Tout ça est ma faute. Je regrette vraiment, murmura-t-il.

Elle ferma les yeux et respira profondément, avec peine.

– Tu le regretteras *encore plus* si je nous dégobille dessus.

La personne qui était entrée dans la maison se déplaçait, ouvrant buffets et placards. Peu à peu, le bruit de pas se rapprocha, faisant trembler le plancher sous la malle.

Nick regretta de n'avoir pas écouté Marta quand elle lui avait conseillé de retirer son bandage… avoir ses deux mains à sa disposition l'aurait aidé, en cas de besoin. Il était furieux d'avoir été si imprudent en pénétrant dans la maison de Mrs. Starch. La dernière chose dont sa mère avait besoin à présent, c'était d'un coup de fil de la police ou, pire, de l'hôpital. Et comment apprendrait-elle la mauvaise nouvelle à son père ?

Les pas se faisant plus lourds, Marta ouvrit soudain de grands yeux.

– Il peut apercevoir la lumière à l'intérieur de ce truc ?

– J'en doute, fit Nick.

Les flancs du vieux coffre paraissaient sans interstice.

– Vaudrait mieux éteindre, juste au cas où.

– Tu ne vas pas vomir ?

– Non.

Nick éteignit la torche. Il sentait Marta trembler à côté de lui. Dans l'obscurité étouffante, il tendit la main et trouva l'une des siennes. Elle la lui serra sauvagement à son tour. À présent, ils percevaient le rythme d'une respiration humaine, à l'extérieur de la malle… quel ou quelle que fût celui ou celle qui se trouvait dans la maison, homme ou femme, il ou elle se tenait seulement à quelques mètres d'eux.

Le temps parut s'arrêter net. Nick se sentait piégé dans son propre corps, sans défense et au bord de la panique. S'occuper de Marta fut la seule chose qui l'empêcha de craquer ; elle était dans un état pire que le sien.

Comme ils n'avaient pas beaucoup d'options, sa stratégie pour s'échapper était toute simple. Si on les découvrait dans le coffre, Nick prévoyait de se redresser d'un bond, en poussant des cris aigus comme un diable hors de sa boîte, devenu fou furieux. L'idée, c'était de ficher une trouille bleue à la personne qui se trouvait dans la pièce, dans l'espoir qu'il (ou elle) s'enfuie à toutes jambes ou ait une attaque. À ce moment-là, Nick et Marta pourraient filer comme l'éclair par la porte de service.

Nick s'imaginait que cette tactique de choc avait cinquante pour cent de chance de marcher avec Mrs. Starch, qui ne s'attendrait pas à des intrus nocturnes. Il n'en était pas aussi sûr s'agissant de Smoke : difficile de se le représenter ayant peur de quoi que ce soit, sauf d'un groupe commando, peut-être.

La main de Marta devint molle et moite. Nick la pinça légèrement, mais elle ne réagit pas. Dans l'obscurité du coffre de marin, il chercha fébrilement à tâtons son visage pour s'assurer qu'elle respirait toujours.

– Fais gaffe ! explosa-t-elle. Espèce d'idiot, tu m'as mis ton pouce dans le nez !

– Moins fort.

Mais c'était trop tard. Il y eut un coup sourd et puissant, et la malle bougea.

– Sortez de là ! ordonna une voix d'homme.

Nick et Marta étaient trop effrayés pour réagir. Ils sentirent une nouvelle et violente secousse… le type donnait des coups de pied dans les flancs du coffre en bois.

« Pour l'effet de surprise, on repassera », songea Nick. Marta lui bourra les côtes, comme pour lui dire : « Fais quelque chose ! »

Nick, portant son poids sur ses talons, se prépara à s'élancer contre le couvercle récalcitrant. Mais au même instant, le coffre, basculant en arrière, s'ouvrit à la volée, les déversant, Marta et lui, pêle-mêle et terrifiés sur le sol.

L'homme qui venait de renverser la malle les toisait de toute sa hauteur.

– Debout, leur fit-il d'un ton sec.

Nick se leva le premier et aida Marta à se remettre sur pied. Il remarqua qu'ils avaient atterri sur un tantale d'Amérique naturalisé, brisant ses longues pattes grêles, si bien qu'il avait à peu près maintenant la taille d'un canard.

L'inconnu était muni lui aussi d'une lampe électrique qu'il leur braqua cruellement dans les yeux.

– Ça doit être votre premier cambriolage, fit-il, parce que vous vous y êtes pris comme des manches.

– On n'est pas venus pour voler, je vous le promets, lâcha Nick.

Même s'il ne parvenait pas à distinguer les traits du visage derrière la torche, la voix ne ressemblait pas à celle de Duane Scrod junior.

– Allons faire un tour, leur dit l'homme.

– Non, attendez ! s'écria Marta. On cherche notre professeur, c'est tout.

– On se bouge.

Ils sortirent par la porte de service, l'inconnu les poussant par-derrière. Dehors, la clarté des étoiles était suffisante pour voir que l'homme était torse nu, portait un pantalon élimé et des chaussures de marche boueuses. Son bonnet de ski noir, enfoncé jusqu'aux oreilles, lui couvrait le front. Il avait à peu près la taille de Smoke, tout en étant plus mince et plus musclé.

Nick n'envisagea même pas de tenter de fuir car Marta, qui tenait à peine sur ses jambes, n'aurait pas pu distancer l'inconnu.

La Prius bleue de Mrs. Starch était garée près de la maison.

– Allez hop, tout le monde derrière, leur dit l'homme.

Marta se figea sur place.

– Pas question.

– Laissez-nous simplement partir, argumenta Nick. On ne dira rien à la police.

L'homme ricana sèchement.

– C'est moi qui devrais appeler les flics. Bon, vous deux, vous avez le choix : ou vous montez dans la voiture ou je vous *balance* à l'intérieur.

Nick et Marta s'exécutèrent à contrecœur. L'inconnu fit

un rapide demi-tour puis roula le long de la piste jusqu'à Buzzard Boulevard. Il ne se donna pas la peine d'allumer les phares.

– Qu'avez-vous fait de Mrs. Starch ? osa lui demander Nick.

L'inconnu le lorgna dans le rétroviseur.

– La question est plutôt : qu'est-ce que je vais faire de *vous* ?

Marta tendit la main et frappa violemment la jambe de Nick.

– Je m'appelle Twilly, dit l'homme, ce qui voulait dire – du moins selon Marta – qu'il comptait les assassiner et se débarrasser de leurs corps dans un canal de drainage. Autrement, pourquoi se serait-il nommé avec autant de décontraction, au risque qu'ils le dénoncent aux autorités ?

– Moi, c'est Nick Waters. Et mon amie s'appelle Marta.

– Qu'est-ce qui est arrivé à ton bras, petit ?

Nick était pratiquement sûr que le dénommé Twilly ne croirait pas la vérité – qu'il s'entraînait à être gaucher – et, de toute façon, il n'avait pas envie d'entrer dans une discussion détaillée à propos de la blessure de son père.

– Lacrosse, dit-il. Je me suis fait une entorse en m'entraînant à lacrosse.

– Mmmm, fit l'homme.

– Je vous assure, intervint Marta. J'étais là quand c'est arrivé.

– Si tu le dis.

– Où vous nous emmenez ? demanda Nick.

– On verra.

– On a rendez-vous avec ma mère au centre commercial, dit Marta. Si elle ne nous trouve pas là-bas, elle va devenir folle. Promis juré, elle appellera la Maison-Blanche !

Le dénommé Twilly dit :

– J'aurais bien aimé avoir une mère comme ça.

Comme c'était Nick qui les avait fourrés dans cette galère, il décida de les en tirer. Et puisqu'il pouvait difficilement maîtriser le type et lui faucher la voiture, la meilleure solution, c'était de tenter de le raisonner.

– M'sieur, vous avez pas envie d'aller en prison pour kidnapping.

– Non, et j'en ai pas l'intention, répondit l'homme d'un ton égal.

– Sérieux, si vous nous laissez partir, on ne vous causera pas de problème…

– Alors, comme ça, Mrs. Starch est votre professeur ?

– On suit son cours de biologie, dit Marta, à son tour.

– Et vous l'adorez au point de forcer la porte de sa maison rien que pour vous assurer qu'elle va bien ? C'est ça, votre version de l'histoire ?

Le dénommé Twilly souriait derrière le volant.

– Pas exactement, reprit Nick. On n'a pas commis d'effraction. Il y avait une clé sur la véranda.

– Ah.

– Et *vous*, que faisiez-vous là ? lui demanda-t-il, en ne s'attendant pas à recevoir de réponse claire.

– Je cherchais du cacao en poudre, répliqua le type en allumant les phares. Et un bouquin. Vous avez déjà entendu parler d'un écrivain du nom d'Edward Abbey ?

Nick et Marta lui avouèrent que non.

– M'étonne pas, fit l'inconnu. Je suis certain qu'on ne vous l'enseigne pas dans une école privée BCBG comme la vôtre. Ed était un genre de poseur de bombes, sauf que ses bombes étaient des idéaux et des principes. Il aimait plus la Terre que la plupart de ses habitants.

Une sonnerie Hannah Montana se déclencha et Marta éteignit son portable, toute penaude.

– Ça doit être ma mère. Elle doit passer nous prendre devant le cinéma.

– Réponds-lui, fit l'inconnu. Dis-lui que vous serez à l'heure… et si jamais tu lui dis autre chose, je fais demi-tour et direction Miami. Ou peut-être même Key Largo.

Marta fit comme on lui disait.

Après avoir raccroché, elle annonça :

– Dix heures et demie pile. Elle paniquera si elle ne nous trouve pas.

– Compris, fit le dénommé Twilly.

Nick fut soulagé en voyant que la voiture roulait en direction du centre commercial, ce qui supposait qu'on ne les kidnappait pas.

– Comment ça se fait que vous connaissiez Mrs. Starch ? demanda-t-il à l'inconnu.

– Pas du tout vos oignons, Nick Waters.

L'homme enfonça encore plus son bonnet de ski sur sa tête.

– On est inquiets pour elle, c'est tout. Plus personne ne l'a revue depuis, hum, une semaine, dit Marta.

– Ah, ouais ? Alors ressors ton mignon petit téléphone rose, princesse, et compose ce numéro : 555-2346.

Marta brancha le haut-parleur de son portable afin qu'elle et Nick puissent entendre le message enregistré : « Bonjour, tout le monde. Je m'absente de l'école pour une durée indéterminée, à la suite de problèmes familiaux imprévus. Vous pouvez laisser un message après le bip, même s'il risque de se passer un peu de temps avant que j'aie le temps de vous rappeler. Acceptez par avance, je vous prie, toutes mes excuses. Attention au bip ! »

– C'est bien elle, dit Nick.

– Carrément, confirma Marta.

– Est-ce qu'à l'entendre, elle vous semble morte le moins du monde ? leur demanda le dénommé Twilly. Gravement malade ? Blessée grièvement ?

– Pas vraiment.

– Alors, cessez de vous inquiéter, fit-il sèchement. Et n'allez plus fouiner dans des endroits où vous n'avez rien à faire.

Il s'arrêta un bloc avant le centre commercial devant une boutique de prêteur sur gages miteuse. Il sortit de la Prius en ordonnant à Nick et à Marta de l'imiter. À la lueur rougeâtre d'une enseigne au néon, l'homme paraissait friser la quarantaine ; sa carrure athlétique rappela à Nick celle de son père.

– Il vaudrait mieux que je ne vous revoie plus jamais ni l'un ni l'autre, dit l'inconnu.

– Oh, ne vous en faites pas, lui assura Marta.

Nick fixait la ceinture de Twilly : en cuir de vachette tanné, elle était cousue d'une rangée de petits manchons destinés à contenir des cartouches. Elle ressemblait vraiment beaucoup à celle portée par la mystérieuse silhouette sur la vidéo que Nick avait tournée pendant la sortie nature au Black Vine Swamp.

L'homme tapota le cadran de sa montre-bracelet.

– Il vous reste six minutes et trente secondes avant que maman se pointe. Faut y aller.

– Merci, lui dit Marta avec un soupir de gratitude. Merci, merci.

– De quoi ?

– De ne pas nous avoir tués ni d'avoir jeté nos corps dans un fossé.

– De rien, fit le dénommé Twilly. Je dirai à tante Bunny que vous avez demandé de ses nouvelles.

Nick se balançait sur ses talons.

– Mrs. Starch est votre tante ?

Du pouce, l'inconnu fit sauter deux balles brillantes de sa cartouchière. Il se mit à jongler avec elles comme avec des haricots.

– Je déteste me répéter, dit-il.

Nick et Marta détalèrent. Et n'arrêtèrent de courir qu'en atteignant le centre commercial.

DOUZE

Drake McBride avait atterri dans le business du pétrole après avoir échoué dans plein d'autres boulots et ruiné plein d'autres sociétés. Il aimait dépenser de l'argent davantage que travailler pour en gagner. Ceci était le secret de son manque de succès. Y contribuait aussi le fait d'être paresseux, facilement distrait et pas très bon en maths.

Chaque fois qu'il se fourrait dans le pétrin, son richard de père lui achetait simplement une nouvelle société pour qu'il fasse joujou avec. Mais aujourd'hui, après plusieurs années gaspillées et des millions de dollars partis en fumée, le père de Drake McBride avait fini par perdre patience avec le frimeur panier percé qu'il avait pour fils cadet. La Red Diamond Energy Corporation devait être la dernière chance de Drake.

– Si tu foires, ce coup-ci, l'avait averti son père, tu n'auras plus un sou de moi.

– Tu as jeté un œil sur le prix de l'essence, papa ? avait-il gloussé, très sûr de lui. Seul un imbécile pourrait perdre de l'argent dans le business du pétrole.

– Tu disais la même chose quand tu es devenu promoteur immobilier, lui rappela froidement son père, ou plutôt quand tu *essayais* de l'être.

– C'est pas ma faute si le marché a tourné au vinaigre…

– Sois réaliste, fiston. Tu serais pas capable de vendre un igloo à un Eskimo, lui avait dit son père. La Red Diamond est mon dernier acte de charité. Si jamais tu reviens ici en rampant et en pleurnichant avec une autre histoire, tu feras aussi bien de te rebaptiser Drake Crâne-de-Piaf et de t'inscrire dans une école de barmen, parce que j'en aurai fini avec toi. Allez maintenant, va trouver du pétrole. Dépêche-toi !

Vu qu'au Texas, la compétition était rude (et aussi parce qu'il était propriétaire d'un « condominium », un appartement sur la baie de Tampa), Drake McBride choisit la Floride comme siège social de la Red Diamond Energy Corporation. Sa première décision fut de recruter Jimmy Lee Bayliss, retraité depuis peu d'ExxonMobil, pour qu'il lui apprenne tout sur la prospection pétrolière en dirigeant les opérations au quotidien afin que son patron puisse se concentrer, lui, sur le ski nautique et la pêche.

C'était Jimmy Lee Bayliss qui avait expliqué à Drake McBride que les gisements pétrolifères les plus riches de Floride se trouvaient à des kilomètres au large des côtes et sous la coupe de sociétés géantes qui bataillaient depuis des années pour obtenir des autorisations de forage. Une majorité de Floridiens s'y opposaient, n'ayant aucune envie de voir leurs plages étouffer sous le goudron en cas de marée noire accidentelle.

– Bof, oublions ce qui est au fond de l'océan, fit Drake McBride en tendant à Jimmy Lee Bayliss une coupure de journal. Voici où se niche le fric facile, mon ami.

Ce dernier fronça les sourcils en voyant le gros titre.

– Les Everglades ?

– Continuez à lire, mon vieux.

À en croire l'article, le gouvernement américain venait d'annoncer un plan d'acquisition des permis de forage (pétrole et gaz naturel) dans le sous-sol de la vaste réserve de Big Cypress pour protéger les zones humides en voie de disparition de toutes dégradations futures.

– Tout ce qu'il nous reste à faire, c'est à trouver du pétrole, n'importe lequel, lui expliqua tout excité Drake McBride. L'Oncle Sam nous paiera une fortune pour ne pas le pomper. C'est pas le truc le plus délirant que vous ayez jamais entendu ?

– Ça, c'est sûr, fit Jimmy Lee Bayliss, se méfiant immédiatement de cette combine.

– Dites-moi encore qu'on n'est pas dans un pays génial ! s'exclama Drake McBride.

– Mais on ne possède aucune concession de forage dans les Everglades.

– Votre boulot, c'est de m'en trouver une, répliqua-t-il en enfonçant son doigt dans la poitrine de Jimmy Lee Bayliss. Et de faire que ça cartonne.

La tâche se révéla frustrante et compliquée. La plupart des concessions pétrolières étaient entre les mains de grandes compagnies ou de vieux richards qui rirent pratiquement tous au nez de Jimmy Lee Bayliss et de ses propositions. Il n'obtint finalement qu'une unique parcelle de trois cent vingt hectares d'une âme en peine du nom de Vincent Trapwick junior qui, devant passer en jugement pour détournement de fonds, cherchait désespérément à vendre tous ses biens afin de régler ses avocats.

La parcelle Trapwick, connue sous l'appellation de section 21, était située à l'est de Naples, à un emplacement prometteur, car proche du Black Vine Swamp. Cependant, après des mois d'analyses des sols et une demi-douzaine de sondages, Jimmy Lee Bayliss en était arrivé à la déprimante conclusion que ladite section 21 renfermait juste assez de pétrole pour remplir un bocal à poissons rouges.

La nouvelle fut mal accueillie par Drake McBride, qui balança un coup de pied si violent dans son bureau qu'il en déchira la peau de serpent de l'une de ses bottes de cow-boy.

– Dommage qu'on ne possède pas la section 22, observa Jimmy Lee Bayliss.

– Quoi ? fit Drake McBride, tout ragaillardi. Y a vraiment du pétrole en quantité dans la section 22 ?

– C'est l'avis des géologues, mais ça n'a pas d'importance. C'est l'État qui est propriétaire du terrain, expliqua-t-il. Et il ne le vendra pas car il fait partie d'une vague réserve naturelle.

– Mais il est à quelle profondeur, ce pétrole ?

– Trois cents, trois cent cinquante mètres, d'après eux. Mais comme je vous l'ai déjà dit, c'est l'État qui possède…

Drake McBride fit claquer ses doigts manucurés.

– J'ai une idée. On n'a qu'à creuser un puits pirate sur la section 22, dans le secret le plus total puis, *via* une canalisation souterraine, le relier à notre tour de forage dans la section 21.

Jimmy Lee Bayliss en eut l'estomac barbouillé. Et ce n'était qu'un début.

– Le risque n'en vaut pas la chandelle, m'sieur. D'après les géologues, il est question de neuf cents barils par jour, pas plus. Et le pétrole est de mauvaise qualité, m'sieur, gluant et plein de soufre…

– Je me fiche de quoi ça a l'air et que ça pue, fit Drake McBride, tant que c'est du pétrole. Tout ce qu'il me faut – ou, je devrais dire, tout ce qu'il *nous* faut – c'est du brut floridien authentique qu'on fera dégouliner sur le bureau d'une bonne poire du département de l'Intérieur[1]. Il allon-

1. Département qui gère uniquement les territoires fédéraux et en aucune façon les problèmes de sécurité *(N. d. T.)*.

gera alors un tel paquet de blé contre nos droits de forage que même mon vieux en sera impressionné. Vous marchez avec moi ?

– Est-ce que j'ai le choix ?

– Pas si vous tenez à garder votre emploi, fit Drake McBride.

C'est ainsi que la magouille de la section 22 était née.

En ce moment, Jimmy Lee Bayliss regardait en plissant les yeux par la vitre ouverte de l'hélicoptère : il suivait une rangée de fanions roses, délimitant le tracé du futur oléoduc clandestin, qui cheminerait de la section 22 à la 21. La petite tour de forage, dissimulée dans une haute futaie de cyprès chauves, serait quasiment invisible, même depuis les airs.

La section 22 étant si sauvage et à l'écart de tout, Drake McBride ne redoutait pas d'être arrêté pour détournement de pétrole de l'État de Floride. Jimmy Lee Bayliss, cependant, était extrêmement soucieux. Il suffirait qu'un randonneur indiscipliné prenne un mauvais tournant dans le Black Vine Swamp pour que la magouille de la Red Diamond soit dévoilée… et Jimmy Lee Bayliss pourrait bien partager une cellule de prison de trois mètres sur trois avec Drake McBride. À cette seule idée, son estomac se soulevait, ce qui l'avait poussé à adopter des mesures drastiques.

S'il n'était pas un escroc par nature, l'idée de se faire des millions de dollars en ne pompant *aucun* pétrole était trop tentante pour que même quelqu'un comme lui y résiste. Pourtant, depuis qu'il avait accepté la louche combine de Drake McBride, Jimmy Lee Bayliss n'avait plus passé une seule bonne nuit de sommeil. L'incident inquiétant dont Melton avait fait l'objet n'avait fait qu'empirer sa frousse. Coller à la glu un homme nu contre un arbre ne lui paraissait pas quelque chose qu'un voleur ordinaire aurait fait.

Si bien qu'il avait décidé de surveiller les marais en les survolant quotidiennement en hélicoptère, en quête de signes d'intrusion. Jusqu'ici, il avait fait chou blanc.

– Prêt pour le retour ? lui demanda le pilote.

– Bien sûr. Déposez-moi au camion, fit Jimmy Lee Bayliss.

Alors que l'hélico atterrissait en douceur sur la piste de terre, il eut la surprise d'apercevoir un 4 × 4 rouge cerise, garé près de son pick-up. Le 4 × 4 avait une barre de feux d'urgence sur le toit de sa cabine et les initiales SSPCC peintes sur les côtés.

Il fallut quelques instants à Jimmy Lee Bayliss pour comprendre que les lettres signifiaient « Service des Sapeurs-Pompiers de Collier County ». Il mâcha quatre Tums supplémentaires avant de descendre de l'hélico.

L'expert en incendie s'appelait Torkelsen. Le cheveu blond clairsemé et une poigne à casser des noix, il avait envie de causer du feu qui avait pris dans la section 22.

– On travaille dans la section 21, s'empressa de préciser Jimmy Lee Bayliss.

– Oui, je sais. On se demandait simplement si vous ou vos hommes n'aviez rien vu de suspect dans le périmètre, ce jour-là.

– Comme quoi ?

– Par exemple, des personnes qui n'étaient pas censées se trouver là.

Torkelsen parlait sur un ton aimablement officiel, qui mit Jimmy Lee Bayliss mal à l'aise.

– Mon équipe était sur un autre site quand le feu de forêt s'est déclaré, fit-il. Je me trouvais avec eux.

– Ça n'avait rien d'un feu de forêt, Mr. Bayliss. C'était un incendie volontaire.

– Quoi ?

Il tâcha de dissimuler sa consternation afin que l'expert en incendie ne se doute pas qu'il était à deux doigts de mouiller son pantalon.

– Un incendie volontaire ? C'est de la folie ! s'exclama-t-il en riant jaune. Quel intérêt de mettre le feu à un marécage ?

Torkelsen haussa les épaules.

– Il arrive que les gens fassent des choses insensées. Vous reconnaissez ceci ?

Il brandit un stylo-bille frappé du sigle de la Red Diamond Energy. Un instant, Jimmy Lee Bayliss crut qu'il allait vomir les muffins de son petit déjeuner sur les chaussures de l'expert.

– Ouais, c'est à moi, fit-il d'une voix rauque. Il a dû tomber de ma poche pendant que je prenais des photos depuis l'hélico.

Ce qui était, bien entendu, un mensonge. Torkelsen parut gober la chose.

– Pas de quoi en faire un plat. On essaie juste de suivre toutes les pistes, dit l'enquêteur. On a retrouvé le stylo à cent cinquante mètres de l'endroit de départ du feu.

– Eh bien, vous pouvez le garder. J'en ai une pleine boîte.

Jimmy Lee Bayliss tentait d'avoir un ton détaché.

Torkelsen laissa tomber le stylo Red Diamond dans une grande enveloppe Kraft et en sortit une petite photographie.

– Pourriez-vous jeter un coup d'œil là-dessus, aussi ? demanda-t-il.

C'était la photo d'identité judiciaire d'un adolescent boutonneux que Jimmy Lee Bayliss ne reconnut pas. Sur la photo, le gamin avait l'air renfrogné et peu coopératif, attitude qui lui rappela ses propres garçons au même âge.

– C'est lui qui a mis le feu ? demanda-t-il à Torkelsen.
– Disons qu'on s'y intéresse.
– C'est pareil que le considérer comme suspect ?
– Entre vous et moi ? Oui, c'est un suspect, fit Torkelsen. Il s'appelle Duane Scrod junior, un voyou du coin qui aime jouer avec les allumettes. Il a déjà été arrêté. Le bureau du shérif nous a refilé le tuyau : il aurait pu se trouver sur les lieux le jour de l'incendie criminel.

Désormais, Jimmy Lee Bayliss avait retrouvé son calme. En examinant la photographie de Duane Scrod junior, une idée germa dans sa tête.

– Il s'était fait punir par l'un de ses professeurs, poursuivit l'expert en incendie. Le lendemain, il y avait une sortie nature organisée par l'école dans les marais, mais notre garçon, Duane, ne s'est pas présenté pour prendre le bus. On s'emploie à découvrir s'il s'est faufilé par ici et a mis le feu.
– Pour se venger, vous voulez dire.
– C'est une hypothèse, dit Torkelsen. Apparemment, c'est un gamin qu'il vaut mieux éviter d'embêter.

Jimmy Lee Bayliss examina la photo de l'élève comme un cadeau du ciel : un véritable incendiaire, ça tombait à pic.

Jamais il ne s'était attendu à ce qu'on suppose que la mise à feu du Black Vine Swamp était intentionnelle : il avait bossé tellement dur pour que ça ressemble à un vrai feu de forêt.

Le but était d'effrayer les gamins de cette sortie nature avant que l'un d'eux ne déboule par mégarde dans la section 22 et n'y repère la fosse boueuse et l'équipement de forage de la Red Diamond. Les élèves n'avaient jamais couru de grave danger, du point de vue de Jimmy Lee Bayliss. C'était un brûlis sous contrôle, avec berme de terre et tranchée remplie d'eau, fournissant une barrière naturelle entre les flammes et les randonneurs.

Quelques nuages de fumée, et le tour était joué : les professeurs avaient fait mettre les élèves en file et tout ce petit monde avait quitté à la queue leu leu le marécage en moins de dix minutes. Jimmy Lee Bayliss les observait dans ses jumelles, la bouche et le nez couverts d'un bandana rouge.

Il avait attendu que le brasier s'éteigne de lui-même avant de nettoyer l'endroit de tout indice susceptible de l'incriminer – du moins, l'avait-il cru. Il était furieux d'avoir fait tomber bêtement ce stylo-bille en mettant le feu. Comment avait-il pu être aussi négligent ? Drake McBride deviendrait fou si jamais il l'apprenait.

– Vous êtes bien certain qu'il s'agit d'un incendie criminel ? demanda-t-il à Torkelsen.

– On a découvert toute une série de traces suspectes dans le sous-bois, répondit l'expert.

Jimmy Lee Bayliss se réjouit d'avoir pris la peine de jeter son allume-feu au butane dans un canal qui longeait la route 29, en rentrant chez lui, cette nuit-là. Résultat, la seule preuve tangible le reliant à l'incendie criminel rouillait à présent dans neuf mètres d'eau boueuse infestée d'alligators.

La meilleure nouvelle de toutes, cependant, c'était que les sapeurs-pompiers avaient un autre suspect dans le collimateur. Le jeune Scrod était, ça crevait les yeux, de la mauvaise graine… c'était peut-être lui qui avait attaqué ce pauvre Melton, songea Jimmy Lee Bayliss. Faire en sorte qu'un abruti de ce gabarit soit retiré de la circulation serait une mesure de salubrité publique.

– Eh bien, alors ? fit Torkelsen en désignant de la

tête la photo dans la main du pétrolier, qui tremblait à peine à présent. Vous avez déjà vu ce jeune homme rôder par ici ?

– Je crois que oui, répondit-il en plissant le front pour mieux feindre la concentration. En fait, j'en suis sûr.

TREIZE

Nick passa la majeure partie de la journée de formation des professeurs à exercer son bras libre : il lava la voiture de sa mère, puis l'aida à récurer le four. Heureusement, elle ne lui demanda pas si Marta et lui avaient aimé le film qu'ils n'étaient jamais allés voir. Plus tard, Nick se rendit à bicyclette à la bibliothèque municipale, où il emprunta un livre d'Edward Abbey, l'écrivain cité par l'inconnu qui les avait surpris, Marta et lui, dans la maison de Mrs. Starch.

L'après-midi était ensoleillé, mais frais, si bien qu'il s'entraîna à lancer de la main gauche dans le filet d'arrêt, jusqu'à la tombée de la nuit. Au moment d'aller se coucher, il avait l'impression d'avoir le bras en béton. Il était si épuisé qu'il s'endormit après n'avoir lu que quelques pages du livre, intitulé *Le Gang de la Clé à molette*.

Il se réveilla tôt le lendemain matin et appela l'hôpital militaire à Washington DC. Il lui tardait de savoir si l'infection de son père s'était améliorée. Une infirmière, qui répondit au téléphone dans la chambre, apprit à Nick que le capitaine Gregory Waters n'était plus là, en ajoutant qu'elle n'était pas autorisée à lui donner de plus amples renseignements.

Nick tenta aussitôt de joindre sa mère à son travail, sans succès. Profondément inquiet, il s'assit seul dans son coin dans le bus scolaire, marmonnant à peine un « salut » à Marta et ses autres amis.

Toute la matinée, Nick demeura si préoccupé qu'il fut incapable de se concentrer sur son travail scolaire, y compris sur « l'équilibre ponctué ». C'était le terme qui figurait à la page 329 du manuel de biologie, car le jeudi, le Dr Wendell Waxmo n'enseignait *que* la page 329.

Les équilibres ponctués avaient quelque chose à voir avec la façon dont les espèces animales évoluaient au fil du temps, mais même Libby Marshall avait des difficultés à l'expliquer. Wendell Waxmo scruta la salle en quête d'une nouvelle cible et interpella Nick, non pas une mais trois fois, Nick qui était dans le brouillard.

– Très bien, Mr. Waters, levez-vous, aboya-t-il pour finir. Et chantez avec moi.

Soudain tiré de sa torpeur, Nick était trop mortifié pour bouger.

– Même avec un bras attaché dans le dos, je parie que vous pouvez pousser la chansonnette, lui dit Wendell Waxmo.

– Non, j'peux pas. Je vous promets.

– *Bridge over Troubled Water* ?

– J'connais pas les paroles en entier. Excusez-moi, fit-il.

Toute la classe le regardait à l'exception de Smoke, le nez enfoui dans son manuel.

– Et *Noël blanc* ? dit le remplaçant fou. Bon Dieu, chaque être humain de plus de trois ans connaît par cœur *Noël blanc*.

– Je vous en prie, ne m'obligez pas à chanter. Pas aujourd'hui.

Nick avait l'étrange sensation de disparaître derrière son pupitre, de devenir plus petit, pétri à chaque instant d'angoisse. Il songea : « Si seulement, je pouvais disparaître… »

– Eh bien ? lui dit Wendell Waxmo.

– Je ne peux pas faire ça, c'est tout.

– Et pourquoi non, Mr. Waters ?
– Parce que… je… simplement… je…
– Parce que quoi ?
– Parce qu'il n'a pas le cœur à ça !
C'était Marta qui s'était levée d'un bond. Les autres élèves, stupéfaits, en restèrent bouche bée.
Même le professeur fut brièvement troublé. Il tripota son nœud papillon – qui était ce jour-là vert citron – avant de reprendre ses esprits et de toiser Marta.
– Miss Gonzalez, c'est bien agréable de vous entendre enfin participer au cours. Verriez-vous un inconvénient à nous expliquer comment vous savez que Mr. Waters n'a pas le cœur à chanter ?
Marta lança un coup d'œil en biais à Nick qui, de la tête, lui fit signe de se rasseoir. S'il appréciait ce qu'elle essayait de faire – lui épargner un moment incroyablement gênant – il n'avait pas envie qu'elle s'attire des ennuis.
– J'attends, Miss Gonzalez, fit Wendell Waxmo en caressant les revers de son vieux smoking loqueteux. Ayez l'amabilité de nous dire pourquoi votre ami ne se sent pas d'attaque pour entonner une chanson.
– Parce que son père a été blessé par une bombe en Irak, fit Marta doucement. Et qu'il a failli en mourir. Alors, laissez-le tranquille, OK ?
Le professeur donna l'impression qu'on venait de lui lâcher une boule de bowling sur les doigts de pied. Sa bouche se figea en forme de O et le son qui en sortit fut un long et léger sifflement, pareil à celui d'un pneu qui se dégonfle.
Nick ne savait plus quoi faire. La plupart des élèves le regardaient avec un air de sympathie attristée ; même Smoke avait fermé son livre et l'observait de l'autre bout de la classe.

Marta se rassit, les yeux brillants de larmes. Elle griffonna un petit mot qu'elle passa à Nick en vitesse : « Je veux que Mrs. Starch revienne ! »

Peu à peu, le visage de Wendell Waxmo reprit des couleurs, il s'éclaircit la gorge bruyamment. Il venait à nouveau de se faire voler la vedette dans sa propre classe sauf que, cette fois, les circonstances ne lui permettaient pas de répliquer avec humour.

– Mr. Waters, nous adressons nos prières les plus sincères en faveur de votre père et de votre famille. La guerre est certes un événement tragique, dit-il, mais la vie continue. Donc, s'il vous plaît, vous tous, reportez votre attention sur la page 329 et la théorie des équilibres ponctués.

Nick leva la main gauche.

– Oui, Mr. Waters ?

– Mon père va s'en sortir, affirma-t-il avec force. Les médecins en sont certains.

Wendell Waxmo espéra que l'attitude optimiste du garçon allait galvaniser le reste de la classe.

– Quelle bonne nouvelle ! fit-il. Je pense que cela mérite des applaudissements !

Les élèves dévisagèrent le remplaçant comme s'il venait de perdre son pantalon. Wendell Waxmo regarda l'horloge murale : encore neuf longues minutes avant la sonnerie.

– Finissons au moins quelque chose, dit-il brusquement.

De sa serviette en cuir fatigué, il sortit la rédaction de Duane Scrod junior, sur laquelle il avait griffonné avec cruauté, en très grand, la note D + au feutre rouge vif. Elle était parfaitement lisible par toute la classe, même les élèves du dernier rang.

Le professeur agita la feuille sous le nez de Smoke en lui disant :

– Des boutons d'acné, voyez-vous ça, Mr. Scrod.

Le texte était truffé de traits, de cercles et autres gribouillis cramoisis.

– C'était même pas une idée de moi, fit le garçon. C'est Mrs. Starch qui m'a obligé à rédiger ça.

– Ma foi, elle n'est pas ici, n'est-ce pas ?

– Mais en quoi je l'ai tellement ratée ?

– En un mot : l'érudition ou plutôt son manque. Je vais laisser cette catastrophe dans le bureau de Mrs. Starch ; elle jugera par elle-même.

Wendell Waxmo revint vers le devant de la classe et rangea la dissertation sur l'acné dans le tiroir du haut de Mrs. Starch.

Les autres élèves gardèrent le silence mais l'atmosphère était assurément hostile. Nick aperçut Marta qui essayait d'écrire un autre mot, les veines de son cou palpitant de colère. Elle finit par le froisser et articula silencieusement la phrase : « Je le déteste ! »

Nick, lui aussi, compatissait avec Smoke, qui semblait terrassé par son D +. Ce dingue de Dr Waxmo aurait dû attendre la sonnerie pour lui rendre sa rédaction au lieu de le ridiculiser devant tout le monde.

Smoke leva la main.

Le professeur interrogea Graham, qui ne s'y attendait pas.

– Mr. Carson, dites à vos camarades comment les équilibres ponctués se rattachent au phénomène de spéciation.

Graham se leva et donna, avec confiance, une réponse, comme d'habitude totalement fausse.

Smoke leva la main plus haut. Le professeur regarda de l'autre côté et interrogea Mickey Maris.

Nick ne le supporta pas plus longtemps. Il s'éclaircit la voix et prit la parole :

– Duane a une question à vous poser, Dr Waxmo.

– Quoi ?

Le remplaçant pivota sur lui-même et transperça Nick du regard.

– Vous m'interrompez, Mr. Waters ?

Nick désigna Smoke.

– Duane a levé la main.

– Je ne suis pas aveugle, n'est-ce pas ?

– Non, m'sieur.

– Ce que Duane veut me demander peut attendre, j'en suis sûr.

– Ce n'est pas juste, protesta Nick.

– Ouais, répondez à sa question, dit Marta.

Les oreilles de Wendell Waxmo rosirent, son rond de calvitie le picota, le plastron de son smoking le démangea. Quelle mouche avait piqué ces gamins ? C'était incroyable !

Il abattit son poing potelé sur le bureau en disant :

– Silence, bande de sales petits microbes…

À ce moment-là, on frappa fermement à la porte, puis le Dr Dressler pénétra dans la salle. Il pointa un doigt sur Nick en disant :

– Mr. Waters, je dois vous voir dans mon bureau. Tout de suite.

Twilly Spree était né à Key West, trente-quatre ans avant que la Red Diamond Energy Corporation ne vienne sonder les alentours de la réserve de Big Cypress. Le père de Twilly était un promoteur immobilier convaincu, sa mère cultivait des bonsaïs et écrivit un épouvantable roman d'amour, qu'elle publia sous le pseudonyme de Rosalee DuPont.

Quand Twilly eut dix-huit ans, son grand-père mourut

subitement, laissant généreusement au jeune homme cinq millions de dollars en héritage. Twilly, qui les investit judicieusement, était aujourd'hui assez riche pour se payer son propre jet privé s'il l'avait voulu.

Ce qu'il ne fit pas. Il quittait rarement la Floride, endroit qu'il chérissait entre tous, endroit qui lui brisait le cœur car il le voyait disparaître à vue d'œil.

Twilly Spree, tout plein de bonnes intentions qu'il était, avait un caractère de cochon, ce qui de temps à autre le mettait dans le pétrin. Il n'aimait ni les tours d'habitation ni les autoroutes ni les lotissements hideux auxquels on donnait des noms de loutres ou d'aigles inexistants. Il n'aimait ni le béton ni l'asphalte. Et encore moins ceux qui enterraient la nature sauvage sous le béton et l'asphalte.

Or, même s'il donnait des milliers de dollars à des associations de défense de l'environnement, Twilly Spree s'impliquait parfois personnellement dans les causes auxquelles il croyait – de façon parfois excessive. Une fois, ayant surpris un automobiliste en train de balancer des emballages de fast-food par sa portière, il l'avait suivi pendant près de cent soixante-dix kilomètres sur l'autoroute, jusqu'à Fort Lauderdale. Le même soir, le pollueur tomba des nues en découvrant quatre tonnes de déchets non traités, déversés sur sa décapotable BMW rouge. Twilly observa la scène du haut d'un pin, sans l'ombre d'un remords[1].

Alors qu'il avait les moyens de louer sans problème des suites avec terrasse dans les plus beaux hôtels, il préférait dormir sous la tente, à la belle étoile. Depuis un ou deux mois, il campait à l'est de Naples dans une merveilleuse futaie de cyprès, connue sous le nom de Black Vine Swamp.

1. Pour retrouver cet épisode et en savoir plus sur Twilly, on peut lire, du même auteur, le roman *Mal de chien (N. d. T.)*.

Le jour du feu de forêt, Twilly, bien à l'abri derrière les arbres, observait un groupe d'écoliers en rando dans la nature. Une tournure imprévue des événements l'avait empêché de poursuivre l'incendiaire sur le moment, même s'il était persuadé d'attraper le coupable à la fin.

L'hélicoptère, qui décrivait actuellement des cercles au-dessus du marécage, ne lui causait pas de souci, son campement était si bien dissimulé qu'on ne pouvait l'apercevoir d'en haut. Il savait parfaitement que l'hélico était loué à la Red Diamond Energy Corporation et que ladite Red Diamond s'apprêtait à forer dans les marais en quête de pétrole. Ce que Twilly n'approuvait pas.

En guise de premier avertissement, celui-ci avait capturé l'un des ouvriers de la Red Diamond, l'avait déshabillé entièrement avant de le coller à la glu au tronc d'un arbre. Si le bonhomme n'avait pas souffert, on avait fait en sorte de lui faire bien sentir qu'il n'était pas le bienvenu. Les tuyaux métalliques qu'il était en train de décharger se trouvaient déjà à bord d'un cargo à destination d'Haïti, où ils convoieraient l'eau indispensable à l'irrigation des champs de légumes de pauvres fermiers. Twilly avait et les fonds et les relations pour réaliser de pareils miracles.

Après l'incident de la glu et la disparition des tuyaux, il s'était attendu à ce que la Red Diamond renforce la sécurité. Par conséquent, la présence de l'hélicoptère n'avait rien de surprenant. Dès que l'appareil eut disparu, Twilly se glissa hors du couvert des arbres et, après avoir traversé une prairie herbeuse, atteignit la longitude et la latitude d'un point précis, entré dans son GPS portable. Une fois là, il s'assit en tailleur et s'amusa à observer une file de fourmis béliers qui emportaient un grillon mort.

Quelques minutes plus tard, un autre hélicoptère arriva du sud et se mit en vol stationnaire au-dessus de l'homme :

le remous créé par les rotors dérangea le défilé des fourmis, tout en faisant danser et voltiger follement l'herbe soyeuse.

L'hélicoptère était payé par Twilly en personne. Il fit signe au pilote qui ouvrit la porte et poussa à l'extérieur un ballot qui atterrit avec un bruit sourd et liquide, à dix mètres de l'endroit où il attendait.

Avec un canif, il fendit l'épais emballage puis souleva le couvercle, afin de s'assurer que le contenu important du paquet n'avait pas souffert. À l'intérieur, il dénombra deux douzaines de petites bouteilles en plastique, remplies chacune d'un liquide blanchâtre. On avait disposé les bouteilles sur un lit de neige carbonique pour les maintenir au frais.

Twilly Spree sourit et songea : « L'espoir fait vivre. »

Il fit brièvement le signe OK au pilote et l'hélicoptère s'éloigna, laissant la prairie retomber dans le silence sous la lumière oblique du matin.

Nick n'avait pas envie d'apprendre de mauvaises nouvelles de son père de la bouche du Dr Dressler, qui était pour ainsi dire un étranger, mais pour quelle autre raison le directeur lui aurait-il fait quitter le cours ?

Le Dr Dressler ne lui dit pas un mot pendant qu'ils se rendaient dans le bâtiment administratif. Nick n'avait qu'une envie : tourner les talons et s'enfuir le plus vite possible. Si toute sa vie s'apprêtait à s'écrouler, il voulait être chez lui quand ça arriverait. Il se demandait si sa mère avait déjà été avertie. Si tel était le cas, où était-elle ? Et qui se trouvait auprès d'elle pour la réconforter ?

– Prenez un siège, s'il vous plaît, lui dit le directeur quand ils entrèrent dans son bureau.

Nick avait besoin de s'asseoir. La pièce semblait tourner

et le Dr Dressler lui donnait l'impression de parler dans un seau.

– Puis-je appeler ma mère ? demanda Nick.

– Pourquoi ?

– Ah. Elle est déjà au courant.

Le Dr Dressler parut interloqué.

– Au courant de quoi ?

Même s'il ne s'était jamais évanoui, Nick était tout à fait certain qu'il allait tomber dans les pommes d'une seconde à l'autre. De sa main libre, il s'agrippa au bras du fauteuil pour se maintenir droit. Il ferma les yeux très fort, espérant que la pièce cesserait de tanguer.

Est-ce que son père était mort ? Il ne pouvait pas poser la question. Il avait trop peur.

– Vous vous sentez bien ? lui demanda le directeur.

– Non, monsieur, pas vraiment.

– Votre bras vous gêne-t-il ?

– Mon bras n'a rien. Je l'ai attaché de cette façon pour m'entraîner à être gaucher.

– Voilà un projet intéressant.

Que le Dr Dressler tâche de lui exprimer son soutien n'améliora guère le moral de Nick.

– Vous me paraissez bien pâlot, pourtant, fit le directeur. Attendez, je vais appeler l'infirmière…

– Non, s'il vous plaît. Ça va aller.

Quand il ouvrit les yeux, il vit que le Dr Dressler tenait une enveloppe.

– C'est arrivé à l'école, mais en vous étant adressé, Nick.

– De la part de qui ?

– Lisez attentivement. Puis je vous poserai quelques questions.

En prenant l'enveloppe, Nick vit qu'elle avait déjà été

ouverte. « C'est pas cool, songea-t-il avec colère. Et si la lettre était personnelle ? »

Sentant que Nick était fâché, le directeur lui dit :

– C'est juste par précaution. On doit s'assurer qu'aucune personne indésirable ne tente de contacter nos élèves au sein de l'établissement.

– Alors, vous avez lu ma lettre ?

– On fait simplement attention, Nick. Comme vous pouvez le voir, il n'y a aucune adresse d'expéditeur.

C'était la première chose qu'il avait remarquée, lui aussi, et avec un énorme soulagement. Il était certain que la Garde nationale n'aurait pas expédié un avis de décès sous enveloppe anonyme, surtout pas de couleur lavande. Il déplia la lettre :

Cher Mr. Waters,

J'ai appris que Miss Gonzalez et vous vous intéressiez de près à ma santé et à mon bien-être. Laissez-moi vous assurer que je vais très bien et que je compte reprendre mon enseignement à l'école Truman dès que possible.

Miss Gonzalez et vous êtes les seuls élèves à exprimer de l'inquiétude à mon sujet et je vous en suis reconnaissante. Cependant, je dois vous demander fermement de ne pas sonder plus avant mes affaires privées ni de venir chez moi sans y avoir été invités dans les règles.

Au lieu de cela, vous devriez tous deux vous concentrer sur vos études (lesquelles, si j'ai bonne mémoire, supporteraient sans mal quelques améliorations).

Sincèrement vôtre,

Mrs. Starch

On avait tapé le message sur du papier à lettres portant le nom de Mrs. Starch. S'il était bidon, songea Nick, le faussaire avait fait de l'excellent travail en imitant le ton sévère de Mrs. Starch. En tout cas, Nick était soulagé que la lettre n'ait rien à voir avec l'état de santé de son père.

Le directeur ne perdit pas de temps avant d'en venir aux questions.

– Marta et vous, vous êtes-vous vraiment rendus à la maison de Mrs. Starch ?

Nick acquiesça.

– Personne ne l'a revue depuis la sortie nature. Ça semble tellement bizarre.

– Elle a eu des problèmes familiaux urgents, expliqua le Dr Dressler, et elle a prévenu l'école qu'elle avait besoin d'un congé. Il n'y a rien de bizarre là-dedans.

Il n'avait pas l'air d'en être si persuadé, d'après Nick. En fait, à l'entendre, il semblait tenter de se convaincre lui-même que la disparition soudaine de Mrs. Starch était normale.

– Comment avez-vous pu aller chez elle ? C'est au diable, près du centre commercial, fit le directeur.

– On a marché depuis le cinéma.

– Et qu'avez-vous trouvé, une fois sur place ?

Nick pesa sa réponse avec soin. Marta et lui s'étaient promis de ne parler à personne de celui qui prétendait s'appeler Twilly et être le neveu de Mrs. Starch.

– Eh bien, elle n'était pas chez elle, répondit-il. Et on aurait dit qu'elle était absente depuis un moment.

Le Dr Dressler croisa les mains de façon mécanique. Nick eut l'impression qu'il voulait passer pour imperturbable.

– Avez-vous vu quelque chose d'inhabituel ? demanda le directeur.

Nick songea immédiatement à la sinistre collection d'animaux empaillés, à l'intérieur de la maison de Mrs. Starch.

– Il faisait noir, dit-il, éludant la question sans avoir à inventer un mensonge.

– Mais il est clair qu'elle a su que Marta et vous êtes allés là-bas, sinon elle ne vous aurait pas écrit cette lettre.

Ça devait être Twilly qui avait raconté à Mrs. Starch sa rencontre avec deux de ses élèves. Pourtant, Nick ne voyait aucune raison d'apprendre au Dr Dressler que Marta et lui avaient été capturés par un inconnu étrange portant un bonnet de ski et une cartouchière pleine de balles réelles.

– Peut-être qu'elle a jeté un œil dehors et qu'elle nous a repérés depuis une fenêtre à l'étage, fit Nick. Ce n'est pas parce qu'elle n'a pas répondu à la porte qu'elle n'était pas chez elle.

– Oui, c'est juste, concéda le directeur.

– Lui avez-vous parlé depuis qu'elle est partie ?

Le Dr Dressler se raidit derrière son bureau.

– Comme je vous l'ai déjà dit, elle est restée en communication avec l'établissement.

– Mais lui avez-vous *vraiment* parlé ? Est-ce que quelqu'un l'a fait ?

– Je suis certain qu'elle appellera, le coupa court le Dr Dressler, dès que ses problèmes familiaux seront réglés.

Le téléphone sonna et le directeur décrocha. Après avoir écouté un instant, il s'excusa et quitta le bureau. Plusieurs minutes s'écoulèrent et Nick s'impatienta.

Il remarqua un épais dossier marqué « B. Starch » posé à un angle du bureau. Nick l'ouvrit d'un coup sec et se mit à en feuilleter les pages sans attendre. En temps normal, il n'était pas un fouineur, mais il était encore très contrarié qu'on ait ouvert sa lettre sans sa permission. Il pensait que le Dr Dressler lui devait bien quelque chose.

Nick était à la recherche d'un début de renseignement, mais la paperasse figurant dans le dossier de Mrs. Starch se rapportait surtout à des formalités sans intérêt. Il trouva ce qu'il cherchait juste au moment où il entendit la voix étouffée du directeur, qui parlait à quelqu'un derrière la porte. Il referma le dossier une demi-seconde à peine avant que le Dr Dressler ne revienne dans la pièce.

– Je n'ai plus qu'une question à vous poser, Nick.

– Oui, monsieur ?

– Pouvez-vous me garantir absolument que Marta et vous allez vous conformer aux desiderata de Mrs. Starch ? Je vous prie de respecter sa vie privée; c'est ce dont elle a besoin en ce moment. Ce n'est que justice.

– On était inquiets à son sujet, c'est tout. On n'avait pas l'intention de lui causer des embêtements.

Le Dr Dressler semblait avoir du mal à accepter l'idée que des élèves de Bunny Starch se fassent autant de souci à son sujet.

– Écoutez, je sais bien qu'elle n'est pas le prof le plus populaire de l'école, dit Nick. En fait, c'est même tout le contraire. Mais après ce qui s'est passé pendant la sortie nature…

Le directeur opina.

– Oui, ça a été très courageux de sa part de repartir chercher l'inhalateur de Libby en plein incendie. Mais ne vous inquiétez pas, Nick, l'école lui rendra hommage comme il se doit à son retour.

Le Dr Dressler le raccompagna jusqu'à la porte du bureau, en croyant apparemment que Nick s'était engagé à ne plus se soucier de l'endroit où se trouvait Mrs. Starch. En fait, il n'avait rien promis de ce genre.

– Avez-vous parlé à quelqu'un de sa famille ? demanda-t-il au directeur.

– Non.

– J'ai entendu dire qu'elle avait un neveu, laissa tomber Nick d'un ton innocent.

– Pas à ma connaissance, répliqua le Dr Dressler.

L'air curieux de ce dernier confirma ce que Nick avait lu dans le dossier d'embauche de Mrs. Starch. Elle n'avait ni frères ni sœurs, ce qui signifiait qu'il lui était impossible, biologiquement parlant, d'avoir un neveu du nom de Twilly… ou Joe, Fred ou Engelbert, d'ailleurs.

En fait, le dossier de Mrs. Starch ne faisait état d'aucun proche vivant, ce qui rendait son excuse de « problèmes familiaux urgents » hautement suspecte.

Nick était pressé de montrer la lettre de Mrs. Starch à Marta, mais il ne regagna pas le cours de biologie. En sortant en toute hâte du bâtiment administratif, il entendit une voiture klaxonner, puis quelqu'un crier son nom.

C'était sa mère, qui lui faisait de grands gestes depuis le parking. Nick n'arriva pas à voir si elle pleurait ou pas. Il inspira un bon coup et courut à sa rencontre.

QUATORZE

C'était sur un cours d'eau, au fin fond des Everglades, que Nick avait appris que son père allait partir au Moyen-Orient. Ils se trouvaient à bord d'un petit bateau à fond plat qu'un guide propulsait à la perche dans les hauts-fonds, en quête de sébastes et de brochets de mer. Cette partie de pêche était un cadeau de Noël que sa mère leur offrait à tous deux, en avance.

Nick, assis sur une glacière au centre du bateau, regardait son père lancer avec sa canne à mouche, sur un rythme si régulier et impeccable qu'il en était presque hypnotique. Quinze mètres de ligne claquaient pile dans son dos, flottaient dans les airs puis, après un fouetté serré, filaient en avant, déposant la mouche sur l'eau aussi légèrement qu'un flocon de neige. C'était un spectacle merveilleux à voir.

– Mon unité de la garde vient d'être appelée, dit son père, les yeux fixés sur l'eau.

– Pour aller se battre, tu veux dire ?

– J'imagine qu'on le saura quand on sera là-bas.

– Combien de temps tu resteras parti ? demanda Nick, en tâchant que sa voix ne trahisse pas son émotion.

– Un an, à ce que j'ai entendu dire, mais espérons que ça ne sera pas si long.

Pile au lancer suivant, il prit un bon brochet qui sauta deux fois avant de filer dans la mangrove, en cassant le fil. Le guide partit d'un juron sonore, mais le père de Nick parut aussi ravi que s'il avait attrapé le poisson.

– À ton tour, Nicky, fit-il, en rembobinant sa ligne.

– Non, papa. Continue à lancer.

– Allez, j'ai eu ma chance.

– Attrape le prochain, dit Nick.

Il n'avait pas envie de pêcher. Rester assis à regarder son père manier sa canne à mouche et tracer des rubans aériens dans le ciel le satisfaisait amplement. Il voulait un souvenir tout frais de son père, qu'il garderait en lui pendant que le capitaine Waters combattrait au loin.

– Tu l'as déjà dit à maman ? demanda Nick.

– Hier soir.

– Et elle l'a bien pris ?

– Elle l'avait senti venir. Elle regarde les infos.

– T'as pas peur ?

– Un peu. Ça m'embête surtout de manquer ta saison de foot. Peut-être même celle de lacrosse. Mais on nous laisse envoyer des mails de là-bas.

– Cool. Je t'enverrai les résultats.

– Nicky, je pense que je n'ai pas besoin de me fendre d'un grand discours.

– Où tu me dirais de prendre soin de maman ?

– Oui.

– T'inquiète, lui dit-il.

– Je sais.

Son père effectua un nouveau long lancer. Instantanément, il y eut un éclair à la surface et la ligne se tendit. Cinq minutes plus tard, le guide sortait un gros brochet, noir et cuivré, de l'eau marécageuse. Le père de Nick souleva le poisson par sa mandibule et le brandit pendant que Nick le prenait en photo.

Son père était radieux.

– À ton avis… cinq kilos ?

– Plus, fit Nick. Six, minimum.

Tard ce même soir, une fois ses parents couchés, il était allé faire une recherche sur Internet pour comprendre ce qui était en jeu dans cette guerre. Sept mois plus tard, il n'en était toujours pas sûr.

Personne n'avait réussi à trouver les terribles armes que le gouvernement irakien était censé avoir cachées, tandis qu'un grand nombre de terroristes qui attaquaient les troupes américaines se révélaient être des citoyens irakiens. Nick ne comprenait pas pourquoi le peuple qu'ils essayaient d'aider posait des bombes pour atteindre de bons soldats comme son père.

Nick, qui était pourtant doux de caractère et avait la tête sur les épaules, se mettait rarement en colère mais, depuis peu, il s'énervait facilement devant ce qui se passait. Tout en courant vers sa mère sur le parking de l'école en redoutant les pires nouvelles possibles, Nick sentit à nouveau la colère bouillonner en lui. C'était peut-être égoïste, mais il n'avait pas envie de perdre son père à cause d'une guerre que personne ne semblait capable d'expliquer.

Nick rejoignit sa mère et l'étreignit. Chassant ses larmes brûlantes, il faillit s'étouffer en essayant de parler.

– Tout va bien, Nicky, dit-elle, d'un ton étonnamment calme.

– J'ai appelé l'hôpital et on m'a dit que papa n'était plus là.

– Oui, je sais.

– Mais je croyais qu'il allait mieux ! Qu'est-il arrivé ? s'écria-t-il.

– Tu devrais le lui demander toi-même.

Sa mère le fit pivoter face à la voiture. Le capitaine Gregory Waters était assis à la place du passager où, avec un grand sourire, il leva le pouce de sa main gauche.

Chaque soir, le Dr Wendell Waxmo disposait devant chez lui une dizaine de bols pour les chats errants, initiative qui, si elle contrariait ses humains de voisins, était grandement appréciée des ratons laveurs, écureuils et autres opossums qui sortaient sans se presser des bois pour se gorger de Ronron avarié.

Il habitait un appartement à cinq rues de la plage de Naples, endroit charmant où il ne se rendait jamais car l'eau salée lui enflammait les sinus et parce que sa peau était ultrasensible aux rayons ultraviolets. Wendell Waxmo était à strictement parler une personne d'intérieur. Cependant, pour un professeur (même remplaçant), il passait peu de temps à lire des livres ou à peaufiner ses compétences en sciences, maths ou anglais.

Au lieu de ça, il préférait se vider la tête devant des émissions de télévision insipides, comme le téléachat et autres bêtises. Il achetait le moindre gadget débile et sans valeur, dont il voyait la publicité sur le câble… râpes à fromage, fouets à mayonnaise, gants de cuisine personnalisés, ciseaux pour poils d'oreille, déodorants pour chaussettes électroniques, fil dentaire réutilisable… Jusqu'à une lampe électrique qui demeurait allumée trois ans d'affilée jour et nuit !

Wendell Waxmo aimait tellement zapper à la recherche de nouveaux articles inventifs qu'il se déconnectait du reste de son petit univers personnel : depuis la sonnerie au tuba de son portable jusqu'aux miaulements des chats qui se faisaient malmener par des ratons laveurs affamés derrière l'immeuble.

Il se trouva qu'il était une fois de plus collé à son téléphone, en train de commander, tout excité, un pèle-raisin fonctionnant à l'énergie solaire pour quarante-neuf dollars et quatre-vingt-douze cents (payable en douze mensualités de quatre dollars seize, manutention et transport non compris) quand, en levant les yeux, il aperçut un inconnu planté dans son salon.

– En voilà un smoking, commenta le type.

Agrippant farouchement le combiné, comme si l'intrus prévoyait de le lui arracher et de commander le pèle-raisin pour son propre compte, Wendell Waxmo bredouilla :

– Je… je… suis… à… à vous dans une mi… minute.

L'homme s'installa et s'arma de patience. Wendell Waxmo reprit ses esprits, termina sa transaction et posa son portable. Il décida que l'inconnu n'avait rien d'un tueur à la tronçonneuse.

– Comment êtes-vous entré dans mon appartement ? lui demanda-t-il.

– La porte n'était pas fermée à clé. Vous devriez faire plus attention.

L'homme portait un bonnet de ski sombre, des vêtements kaki et ce qui ressemblait à une cartouchière dans le plus pur style western.

– Si vous comptez me voler, prenez tout ce que vous voulez, lui dit Wendell Waxmo avec un ample mouvement du bras. Ne me faites pas de mal, c'est tout.

L'intrus examina avec un sourire désabusé le vaste assortiment de gadgets et autres babioles inutiles qui encombraient les étagères, les tables et même le sol.

– Malgré ma grande envie de posséder un presse-artichaut supersonique à trois vitesses, fit l'homme, je crois que je m'en passerai.

– Alors que venez-vous faire ici ?

– Un petit cadeau à la jeunesse de ce pays.

Wendell Waxmo desserra nerveusement son nœud papillon.

– C'est-à-dire ?

– Vous allez quitter l'enseignement.

– Quoi ?

– On n'a plus besoin de vos services à l'école Truman. Aujourd'hui, c'était votre dernier jour.

Les yeux porcins du professeur devinrent encore plus petits.

– Mais qui êtes-vous, au juste ?

– Bunny Starch prend ses responsabilités très au sérieux et elle entend que ses remplaçants fassent de même. Des comptes rendus très alarmants de ce qui se passe dans sa salle de classe lui sont revenus aux oreilles, Wendell.

– Je ne vois absolument pas de quoi vous parlez.

– Enseigner la même page encore et encore, le même jour de chaque semaine. Demander à ses élèves de se lever et de pousser la chansonnette sans aucune bonne raison.

L'homme haussa les épaules et se leva.

– Soit dit en passant, quelle espèce de demeuré *chante* le « serment d'allégeance » ?

– C'est donc ça ? lâcha Wendell Waxmo avec ressentiment.

Pendant un instant, il envisagea bêtement de tenter de défendre ses méthodes pédagogiques.

– Mais j'obtiens des résultats ! affirma-t-il.

– Non, on vous rit au nez, reprit l'inconnu. Un de vos élèves pond une rédaction de cinq cents mots, un jeune qui n'avait jamais rien écrit de sa vie, et vous le démolissez devant toute la classe ! Pas très sympa.

– Vous parlez du texte sur l'acné ?

– Le père d'un autre gamin a été estropié en Irak et vous voulez l'obliger à chanter *Noël blanc* ?

L'intrus agita la tête avec dégoût.

– Il y a une seule et unique chose pire qu'un abruti, Wendell, c'est un abruti qui ne comprend rien à rien. Je vous recommande de vous trouver un autre secteur d'activité.

Le professeur se rebiffa.

– D'après ce que j'ai entendu, Mrs. Starch sait elle aussi se montrer dure avec ses élèves.

– Oh, je n'en doute pas, fit l'homme en se dirigeant vers la porte. Mais du moins, ils étudient le manuel *in extenso*.

– Vous ne pouvez pas me virer ! Seul le directeur peut faire ça.

L'homme s'immobilisa, revint vers Wendell Waxmo, le saisit par les épaules, le hissa hors de son fauteuil et lui dit bien en face :

– Je suis beaucoup plus fou que vous ne l'êtes : ne me donnez pas de raison de revenir.

Wendell Waxmo prit finalement peur, réaction saine et normale. Les bras de l'intrus étaient durs comme la pierre et son regard froid et plein de lassitude. Il agissait en homme absolument dénué de crainte et du moindre doute.

– Je me mettrai en congé maladie demain, fit-il d'une voix flûtée.

– De façon permanente.

– Oui. J'inventerai quelque chose d'affreusement contagieux.

– Bonne idée.

L'inconnu en bonnet de ski remit Wendell Waxmo en position assise.

– Vous n'avez pas envie de m'entendre chanter ? dit le remplaçant. Ça pourrait vous faire changer d'avis.

– Hautement improbable.

– Alors, dites-moi simplement une chose : êtes-vous un espion à la solde de Bunny Starch ?

– Bonsoir, Wendell.

L'intrus sortit dignement par la porte de derrière et, en descendant les marches, dispersa la troupe geignarde des chats de gouttière.

Quand Duane Scrod junior revint de l'école, son père lui tendit une courte liste de commissions où figuraient du lait, des céréales et deux kilos et demi de graines de tournesol… beaucoup trop pour rapporter tout ça à moto. Il prit donc l'un des pick-up et mit le cap sur l'épicerie, en faisant jaillir le gravier sous ses roues.

Jimmy Lee Bayliss, qui guettait un peu plus loin dans la rue, reconnut le garçon d'après la photo que lui avait montrée Torkelsen, l'expert en incendie. Dès que la camionnette fut hors de vue, il roula au ralenti jusqu'à la maison et vint se garer près d'un Tahoe arborant ce graffiti vengeur : BOYCOTTEZ SMITHERS CHEVROLET !

Ironie du sort, Jimmy Lee Bayliss conduisait une berline Chevrolet quatre portes qu'il avait louée, n'ayant pas envie d'être aperçu au volant d'un véhicule de la société. Lors de cette mission, il était crucial que rien ne puisse le relier à la Red Diamond Energy Corporation. Il prévoyait de s'introduire sous un prétexte quelconque au domicile des Scrod et d'y voler quelque chose – n'importe quoi – appartenant au garçon.

Les fenêtres, dans l'obscurité, étaient grandes ouvertes. On entendait très fort de la musique classique, une symphonie, ce que Jimmy Lee Bayliss trouva étrange. Vu l'aspect rudimentaire et inachevé de l'endroit, il se serait davantage attendu à du blues ou de la country, sa musique préférée.

Un homme, qui ne pouvait qu'être le père de Duane Scrod junior, lui ouvrit la porte. Pieds nus, une barbe de trois jours, il portait des lunettes de vue sales, une casquette rouge crasseuse, une chemise de chasse camouflage et, en guise de pantalon, un boxer-short motif léopard.

– Vous venez pour les impôts ? lui demanda l'homme.

En entendant ça, Jimmy Lee Bayliss crut tenir un excellent prétexte, bien meilleur que son idée d'origine, à savoir se faire passer pour un inspecteur des fosses septiques.

– Tout à fait, dit-il à Duane Scrod senior. J'appartiens aux services du percepteur.

– Eh bien, je vous attendais, fit l'homme, qui dégaina une pince rouillée à bout pointu avec laquelle, vif comme une vipère, il prit en tenaille les lèvres de son visiteur abasourdi.

Jimmy Lee Bayliss aurait lâché le cri le plus puissant de son existence s'il avait seulement pu ouvrir la bouche. Mais tout ce qu'il réussit à faire, ce fut gémir et demeurer immobile, car même le plus petit mouvement intensifiait la douleur que lui infligeait la pince.

– Oh, Nadine ? héla Duane Scrod senior.

Un formidable bruit d'ailes s'éleva et un très gros oiseau au plumage gaiement coloré vint se percher avec un cri rauque sur l'épaule de l'homme. Jimmy Lee Bayliss, dont les yeux se remplissaient de larmes de douleur, observa l'oiseau avec anxiété.

– *Hello*, fit l'oiseau. Bonjour ! *Hallo !*

– Arggghhh, répondit-il.

Se servant de la pince pour remorquer son prisonnier, Duane Scrod senior gagna le salon et éteignit la chaîne stéréo.

– Charbonnier est maître chez soi, grommela-t-il. Comme on dit dans la Bible.

Jimmy Lee Bayliss n'était pas en position d'argumenter. Affolé, il tentait d'imaginer un moyen de s'échapper.

– Et si je vous arrachais les lèvres et que je les donnais à bouffer à Nadine ? Ça vous ferait réfléchir à deux fois avant de porter atteinte à la vie privée de quelqu'un ? lui demanda Duane Scrod senior.

– Nuuuuggggh ! le supplia Jimmy Lee Bayliss.

– C'est un ara femelle bleu et or. Elle parle trois langues. Un jour où elle avait très faim, elle a boulotté une cannette de bière, se rappela-t-il avec fierté. Et là, je vous parle de super alu… elle a gobé ça comme un cookie à l'avoine.

Jimmy Lee Bayliss comprit pourquoi le fils de Duane Scrod senior avait pu devenir un ado à problèmes. Il en éprouva un accès de sympathie pour le garçon qu'il comptait piéger pour incendie volontaire.

– Kesk'tu dis, Nadine, mon bébé ? Tu veux becqueter un brin ?

Duane Scrod senior taquina l'ara, qui lorgnait le prisonnier avec grand intérêt.

Jimmy Lee Bayliss, plongeant prudemment sa main dans sa poche, en sortit une poignée de billets, qu'il tendit à celui qui venait de le capturer.

Duane Scrod senior compta la somme et dit :

– Dix-neuf dollars ? Vous croyez que vous pouvez acheter votre liberté pour dix-neuf dollars merdiques ?

Et il se mit à nourrir son oiseau avec les billets, un par un.

– Je vous ai dit un bon millier de fois à vous autres que je serai ravi de repayer des impôts dès qu'on aura équipé mon Tahoe d'un axe de transmission neuf.

– Arrrrggggh, gazouilla Jimmy Lee Bayliss, qui en avait assez entendu.

Il balança un violent coup de pied dans les rotules dénudées de Duane Scrod senior et ne rata pas sa cible. Le type beugla et lâcha la pince à bout pointu qui pendilla un instant devant le menton de Jimmy Lee Bayliss avant de tomber sur le sol.

Pendant que Duane Scrod senior sautillait en rond, jurant et tenant son genou meurtri, l'ara prit son envol en criaillant de fureur. Jimmy Lee Bayliss courut vers la porte à moustiquaire, mais il fut trop lent : l'oiseau le chopa par-derrière et, de son bec cannelé, entreprit de lui décortiquer le crâne comme une noix de coco.

Jimmy Lee Bayliss tomba à genoux en se débattant contre cet oiseau diabolique, qui refusait de lâcher prise. Sur la moquette tachée de moisi, il aperçut une lourde sacoche d'écolier en Nylon, munie d'une bandoulière. Il la ramassa et se mit à se taper sur la tête, stratégie douloureuse mais efficace. Plusieurs coups atteignirent Nadine, éparpillant des plumes bleu et or. L'oiseau jura en allemand, libéra Jimmy Lee Bayliss et revint d'un coup d'aile vers Duane Scrod senior, qui cherchait à présent sa pince comme un fou.

Pris de vertiges à cause des coups, Jimmy Lee Bayliss descendit en titubant les marches du perron puis plongea dans sa voiture de location. Ce ne fut qu'à mi-chemin de la route qu'il retrouva ses esprits et remarqua qu'il avait gardé la volumineuse besace avec laquelle il avait repoussé l'assaut de l'ara meurtrier. Il était posé sur le siège avant, près de lui, avec son motif camouflage.

Un sac d'écolier.

Jimmy Lee Bayliss songea : « C'est trop beau pour être vrai. »

La mère de Nick téléphona, depuis le parking, au Dr Dressler qui accorda à Nick la permission de quitter l'école plus tôt. Pendant le trajet vers la maison, il mitrailla son père de questions jusqu'à ce que sa mère lui dise d'y aller plus calmement et de reprendre son souffle.

– Alors, tu n'as plus d'infection, pas vrai ? demanda Nick.

– C'est en voie d'amélioration, répondit le capitaine Gregory Waters. L'armée a une clinique externe à Fort Myers où je peux me faire suivre.

Il remarqua que les rougeurs et autres traces de brûlure sur le visage de son père avaient commencé à guérir et que ses cheveux avaient légèrement repoussé.

– Et ta rééduc ?

– Ça roule, Nicky. J'ai appris qu'on allait faire ça ensemble.

Son père désigna son bras bandé.

– Quel genre d'exercices tu fais avec l'autre ?

– J'essaie surtout d'écrire et de faire des maths, répondit Nick. Mais c'est plus dur que ce que je pensais.

Sa mère s'interposa :

– Tu devrais le voir devant l'ordinateur, Greg. Il arrive à taper presque aussi vite avec une main qu'avec les deux. Et pas plus tard qu'hier au soir, il lançait sa balle de base-ball !

Le visage de son père s'éclaira.

– Tu lances de la main gauche ? C'est fantastique.

Nick dit, un peu embarrassé :

– J'ai un peu l'air d'un guignol quand je fais un *windup*.

– Tu n'as pas l'air d'un guignol, le reprit sa mère avec emphase. Tu te débrouilles super bien.

– J'ai hâte de voir ça, dit son père.

– Pas question, papa, je ne suis pas prêt.

– Allons, voyons, je pourrais y puiser de l'inspiration.

– Plus tard, peut-être, dit Nick.

En arrivant à la maison, sa mère et lui aidèrent Greg Waters à gagner sa chambre où il s'allongea et sombra dans le sommeil. Il dormit tout l'après-midi et se réveilla affamé.

Passant outre les objections de sa femme, il décida que le dîner serait une course entre gauchers, à celui qui mangerait le plus vite, avec cinq dollars pour le vainqueur. Nick et lui se livrèrent à un véritable carnage, massacrant leur salade et essayant de piquer leurs raviolis et leurs haricots verts avec leur fourchette. Vers la fin du repas, ils riaient si fort qu'ils ne pouvaient plus rien avaler. La mère de Nick les déclara à égalité. Pour le dessert, elle servit des milk-shakes au chocolat afin que Nick et son père puissent reposer leurs bras.

Ils sortirent ensuite dans le jardin. Son père s'installa dans un transat en disant :

– Voyons ce que tu as dans le ventre.

Nick ramassa la balle et s'approcha du monticule bricolé maison. Le filet d'arrêt était à douze mètres et il le fixa avec appréhension. Son père et lui s'entraînaient depuis que Nick avait trois ans et il n'avait jamais senti la moindre tension… jusqu'à aujourd'hui.

Il ne s'agissait pas de base-ball, mais d'espoir. Il voulait montrer à son père qu'on pouvait quasiment tout faire avec un seul bras.

– Relax. Vas-y en souplesse, lui conseilla son père.

– Te moque pas si je me loupe.

– En ligue Double-A, j'ai joué avec un type qui était ambidextre… il pouvait sortir un coureur de base avec l'un ou l'autre bras. Il jouait champ droit de la main gauche et champ gauche, de la droite.

– Sérieux ? fit Nick.

– Un athlète incroyable. Malheureusement, il ne pouvait pas frapper une balle courbe, même si sa vie en dépendait, ajouta Greg Waters. Aujourd'hui, il vend des lave-vaisselle à Pensacola.

Faisant tourner la balle dans sa main libre, Nick aligna

ses deux premiers doigts sur les coutures. Avoir l'autre bras attaché dans le dos le déséquilibrait.

– Tout en douceur, lui dit son père.

Il se déplia et propulsa la balle aussi fort qu'il le put. Elle rebondit deux mètres devant le filet puis roula dans les mailles.

Il frappa le sol du pied, rouge comme une pivoine.

– Bon Dieu, je lance comme une fille !

Son père pouffa.

– Évite que ta mère entende ça… elle était la championne de son équipe universitaire de softball. Recommence maintenant, ralentis simplement le mouvement.

Nick récupéra sa balle et essaya de faire un meilleur lancer. Cette fois, elle frappa la moitié basse du filet.

– C'est mieux. Allonge le pas en direction de ta cible, suggéra Greg Waters.

À sa dixième tentative, Nick touchait régulièrement la zone de *strike*. Si ses lancers n'étaient pas très rapides, au moins, ils étaient droits.

– Nicky, fit son père, c'est plutôt bon. Je le pense vraiment.

– Merci, papa.

– Je peux essayer ?

– Bien sûr.

Mais à peine Greg Waters se leva-t-il qu'il se mit à chanceler. Nick se précipita vers lui et l'aida à se stabiliser.

– Attendons demain, papa. Tu as eu une longue journée.

– Je me sens bien. Passe-moi la balle.

– Tu es sûr ?

Nick jeta un coup d'œil vers la maison, et aperçut sa mère qui les regardait avec anxiété par la fenêtre de la cuisine.

– La balle, s'il te plaît, fit-il en tendant la main gauche.

Nick la lui donna et son père se dirigea vers le monticule.

Sa démarche incertaine et son épaule fortement bandée lui donnaient une apparence massive, presque celle d'un ours.

– Souviens-toi : tout en douceur, lui cria Nick.

– Tu parles.

Son père fixa un batteur imaginaire, fit un signe de tête à un receveur tout aussi imaginaire, puis se balança en arrière en une version saccadée de son mouvement de *windup* normal. La balle vola comme une fusée au-delà du filet, traversa la haie et passa au-dessus de la barrière. Ils entendirent distinctement comme un coup de gong quand elle rebondit sur la grille de barbecue de leur voisin.

– Ah, merde, marmonna Greg Waters.

Nick n'avait pas envie qu'il se décourage.

– T'es toujours plein de peps, papa.

– Tu pourrais aller la chercher ? Je veux essayer encore une fois.

– Pas ce soir. Il faut que tu te reposes.

– Nicky, va me chercher cette balle, lui dit-il sèchement.

Elle flottait dans la piscine du voisin. Nick s'empressa de la repêcher et d'escalader à nouveau la barrière. Il fut content de voir que sa mère les avait rejoints et espéra qu'elle convaincrait son père d'aller se reposer.

– Il y a quelqu'un pour toi devant la maison, dit-elle à Nick.

– C'est qui ?

Greg Waters tendit la main vers la balle, mais sa femme s'en empara avant lui.

– Tu es mis sur la touche pour la soirée, mon grand, lui dit-elle.

– Qui vient me voir, maman ? lui redemanda Nick.

– Un garçon à moto, répondit-elle. Il m'a dit qu'il est en cours de biologie avec toi.

QUINZE

Duane Scrod junior se tenait immobile dans l'allée, dos à la maison. Il paraissait regarder le soleil se coucher.

– Salut, Smoke. Qu'est-ce qui se passe ? fit-il.

Quand il se retourna, Nick vit qu'il portait toujours son blazer de l'école Truman et sa cravate.

– Salut, Waters.

Smoke avait l'air mal à l'aise d'être là, presque timide.

– Écoute, faut que tu me prêtes ton manuel de biologie. Je te le rendrai demain.

– Pas de problème. J'ai raté la dernière partie du cours aujourd'hui. Est-ce que Wendell Waxmo nous a donné des devoirs ?

– T'inquiète pas à cause de lui. Il n'est plus dans la course.

– Qu'est-ce que tu veux dire ?

– C'est de l'histoire ancienne, *man*, dit Smoke en faisant mine de se trancher la gorge du plat de la main. Parti. Fini. *Out*.

À entendre, ça ne disait rien qui vaille. Nick connut un bref instant d'effroi.

– Qu'est-ce qui lui est arrivé ? Il est mort ou quoi ?

Smoke se marra.

– Relax, Max. Waxmo n'est pas mort… personne n'a levé le petit doigt sur lui. Mais après ce qu'il t'a fait aujourd'hui, qu'est-ce que t'en as à fiche ?

Nick fut légèrement gêné qu'il fasse allusion à la scène qui avait eu lieu en classe quand le remplaçant fou lui avait demandé de chanter un cantique de Noël et que Marta avait pris sa défense. Il s'attendait à moitié à ce que Smoke le charrie d'avoir laissé une fille parler à sa place.

– Rien de grave. Je ne lui veux aucun mal à ce type, dit-il.

– Vachement sympa. Bon, je peux l'avoir ce bouquin, maintenant ? Je suis en retard, on m'attend quelque part.

– Bien sûr, fit Nick qui retourna dans la maison.

Sa mère l'intercepta avant qu'il n'aille dans sa chambre.

– C'est qui ce garçon ? lui demanda-t-elle. Pourquoi tu ne l'invites pas à entrer ?

– C'est Duane Scrod junior.

– Le mangeur de crayon ? Mais il a l'air si propre sur lui et si normal.

– Propre sur lui, peut-être. Normal, carrément pas.

Le manuel de biologie se trouvait tout au fond de son sac en joyeux fouillis. Ressortant en hâte, il le tendit à Smoke qui attendait sur sa moto. Il avait enfilé des gants en cuir et coiffé un casque intégral à la visière opaque. Nick ne pouvait plus voir l'expression de son visage.

– Je peux te demander quelque chose, Smoke ? Comment ça se fait que tu aies besoin de m'emprunter ce livre ?

– Pasque j'ai perdu mon sac.

– Ce que je voulais dire, c'est pourquoi t'en as besoin si on n'a pas de devoirs ?

Il ne répondit pas tout de suite. Il fourra le manuel sous un de ses bras et démarra sa moto au kick.

– Pasqu'il faut que j'étudie, dit-il.

Nick l'entendait à peine.

– Quoi ?

– FAUT QUE JE RÉVISE POUR LE CONTRÔLE ! cria-t-il à travers sa visière.

« Quel contrôle ? » s'étonna Nick. Il lui fit signe d'attendre. Il voulait l'interroger sur l'incendie du Black Vine Swamp, lui demander si c'était bien lui que Marta avait aperçu conduisant la Prius bleue de Mr. Starch à toute vitesse et aussi s'il connaissait le dénommé Twilly qui prétendait être le neveu de Mrs. Starch…

Mais surtout, Nick voulait découvrir si Duane Scrod junior savait où se trouvait Mrs. Starch.

– Tu peux arrêter ta moto, une minute ? hurla-t-il.

L'autre la fit rugir plus fort.

– S'il te plaît ? C'est important !

– Comment ça va, ton père ? lui cria Smoke, le prenant par surprise.

– Il s'en sort bien. Il est rentré aujourd'hui à la maison, beugla Nick en réponse. Eh, faut vraiment que je te parle…

Smoke lui fit un léger salut et s'éloigna dans la rue en pétaradant.

Sa mère ouvrit la porte.

– Qu'est-ce qu'il voulait ? demanda-t-elle.

– M'emprunter un livre. Et je vois pas du tout pourquoi il a choisi de me demander ça à moi.

– Peut-être qu'il n'a pas d'autres amis.

– Mais il ne m'a pas dit trois mots depuis l'école primaire. J'appellerais vraiment pas ça être amis.

– Eh bien, peut-être qu'il croit que vous l'êtes, fit sa mère. Va aider ton père, maintenant. Il est déterminé à prendre une douche et je n'ai pas envie qu'il fasse une chute et se casse le coccyx pour couronner le tout.

– Qui va veiller sur lui quand je serai à l'école et toi au travail ?

– Il dit qu'il prendra soin de lui-même, Nicky.

– Mais sa rééducation ?

– Devine ce qu'il m'a demandé de lui acheter.
– Des balles de base-ball ?
– Ouaip, dit sa mère, mimant un mouvement de lancer. Quatre douzaines. Voilà ce dont il a envie. Je suppose qu'il va s'entraîner avec ce fichu filet toute la journée. Non, mais tu t'imagines ? Il vient juste de sortir de l'hôpital !
– J'imagine très bien, dit Nick.
Rien n'aurait pu le rendre plus heureux.

Quand le Dr Dressler arriva à l'école Truman, tôt le lendemain, il découvrit un mot collé sur la porte de son bureau lui demandant d'appeler Wendell Waxmo au plus vite.

Le directeur n'avait aucune envie de parler au remplaçant dès le matin. À vrai dire, il préférait ne pas lui parler du tout. Cet individu était un givré intégral, un danger public dans une salle de classe.

Pas un jour ne se passait sans que le Dr Dressler ne reçoive des appels courroucés de la part de parents se plaignant des excentricités de Waxmo et exigeant qu'il soit renvoyé ou embarqué en asile psychiatrique. Il leur assurait toujours qu'il examinerait cette affaire promptement et prendrait les mesures appropriées.

Il ne faisait que temporiser, bien entendu, espérant que Bunny Starch aurait vent de ce chaos quotidien et reviendrait au pas de charge à l'école pour arracher ses élèves des griffes du pire remplaçant qui existât.

Cependant la première semaine de Wendell Waxmo tirait à sa fin et Mrs. Starch ne s'était pas montrée. Le Dr Dressler ignorait combien de temps encore il pourrait contenir la colère des parents avant qu'ils n'adressent leurs plaintes au conseil d'administration. Le directeur avait même appelé le répondeur de Mrs. Starch et laissé un message, déplorant le comportement de Wendell Waxmo et s'enquérant sur un ton aimable, quoique insistant, de la date éventuelle de son retour à l'école.

Encore une fois, il n'obtint pas de réponse.

Et voilà qu'à présent, Wendell Waxmo lui-même avait appelé, demandant à parler au Dr Dressler. Tout en composant à contrecœur son numéro, le directeur s'attendait à être piégé dans une conversation sans queue ni tête, à l'image des pratiques éducatives du remplaçant.

Il fut donc surpris quand Wendell Waxmo lui déclara tout de go :

– Je ne retournerai pas dans votre établissement. J'ai bien peur que vous ne deviez trouver un autre professeur pour remplacer Mrs. Starch.

– Vous ne me laissez guère de temps… la première sonnerie est dans une heure.

– Je ne peux rien pour vous, Dr Dressler. Je crains d'être très malade.

– Je suis désolé de l'apprendre. Est-ce grave ?

– Très grave. J'ai une pourriture tropicale birmane.

– Pardon ?

– Une pourriture tropicale birmane ! répéta d'un ton sec Wendell Waxmo. Vous avez certainement entendu parler de cette maladie.

– Bien sûr, mentit le directeur.

Ce qui n'avait aucune importance, car Wendell Waxmo n'avait pas du tout la voix d'un malade.

– Les symptômes sont épouvantables, Dr Dressler. La peau devient verte et puis tombe.

– Vraiment ?

– Et les médecins pensent que je l'ai attrapée dans votre école ! À cause des conditions d'hygiène déplorables de la cafétéria !

Le Dr Dressler en doutait fortement. Sur l'ordinateur de son bureau, il avait ouvert Yahoo et tapé le terme « pourriture tropicale ».

– Je ne suis vraiment pas en forme, fit Wendell Waxmo.

– Mais il s'agit d'une mycose du pied, objecta le directeur après en avoir lu la définition. On peut la soigner avec des antibiotiques locaux, selon les sites médicaux que je consulte sur le Web.

– Non, non, non… ça, c'est dans le cas d'une pourriture tropicale *normale*. La pourriture tropicale birmane est cent fois pire. Il n'y a pas de traitement connu !

– Hummmm. Mais, bon sang, comment avez-vous pu attraper quelque chose de ce genre dans notre cafétéria ?

– Au buffet des salades, sans doute.

– Vous avez foulé aux pieds notre buffet des salades, Wendell ?

– Le fait est que je suis extrêmement malade.

« Sans blague, songea le Dr Dressler. Malade de la tête, oui ! »

– C'est triste, mais je ne retournerai pas enseigner à l'école Truman… jamais plus, continua Wendell Waxmo. Je vous prie de bien vouloir rayer mon nom de la liste des remplaçants disponibles.

« Pas une grande perte, songea le directeur. Mais à présent, comment faire pour inciter Bunny Starch à revenir ? »

– Un long et douloureux combat m'attend, fit le remplaçant d'un ton dramatique.

– Nous prierons tous pour que votre pourriture tropicale disparaisse.

– Je vous en remercie, Dr Dressler.

– Mais n'allez pas vous mettre en tête de nous faire un procès.

– Grands dieux, non !

– Car les choses tourneraient au vinaigre, Wendell. Sans vouloir vous offenser, vous ne vous êtes pas fait que des amis ici.

– Ma foi, je chante dans mon arbre généalogique, fit-il.

– On peut dire les choses comme ça, je suppose.

Même si le directeur ignorait la vraie raison du départ de Wendell Waxmo, il n'avait pas l'intention de perdre son temps à essayer de la découvrir. Rien de ce que ce bonhomme disait ou faisait ne semblait très logique.

– Oh, j'ai failli oublier, dit-il. Je vous prie d'informer celui ou celle qui me remplacera que les élèves en sont à la page 263.

– En quelle classe ? demanda le Dr Dressler.

– Dans toutes les classes ! répliqua-t-il, comme si ça allait de soi. Demain, nous sommes vendredi, et le vendredi, nous étudions toujours la page 263. Sans exception.

Le directeur leva les yeux au ciel, mais se retint de dire quelque chose de cruel au téléphone.

– Tous les vendredis, la même page ?

– Bien entendu. Il faut étudier, encore étudier, toujours étudier !

– Au revoir, Wendell. Et prompt rétablissement.

– Merci, Dr Dressler.

Jimmy Lee Bayliss n'avait pas soufflé mot à son patron de l'enquête en cours sur l'incendie criminel. Néanmoins, Drake McBride en eut vent. Apparemment, le pilote de l'hélicoptère était une pipelette.

– Quand comptiez-vous m'avertir… si du moins vous en aviez l'intention ? lui demanda son patron, d'un ton revêche.

– J'ai pas jugé que c'était nécessaire, m'sieur. J'avais la situation bien en main, répondit-il.

Ils étaient installés dans le bureau de Drake McBride, qui avait une vue magnifique sur la baie de Tampa. Au loin, les voiliers tiraient des bords sur l'eau agitée.

– Mais vous m'aviez dit que vous aviez nettoyé l'endroit, qu'on ne nous soupçonnerait jamais d'être les auteurs de l'incendie, fit Drake McBride.

– Y a pas de quoi s'inquiéter. Promis.

– Ne pas s'inquiéter ? reprit-il en levant les paumes vers le ciel. Un incendie criminel, c'est pas un petit délit, mon pote. On met les gens en prison pour ça !

– Je me suis lié d'amitié avec l'expert en incendie, fit Jimmy Lee Bayliss. On n'aura pas de problèmes. Ils en ont après un gamin du coin, un pyromane connu.

Drake McBride se leva de son bureau et se versa du café noir. Il n'en offrit pas à Jimmy Lee Bayliss, ce qui était tout aussi bien car ce dernier avait l'estomac en capilotade et les lèvres encore sensibles, depuis sa rencontre avec Duane Scrod senior.

– Je ne comprends pas pourquoi on en fait tout un plat, rageait Drake McBride. Rien à voir avec l'incendie d'un orphelinat… c'est qu'une saleté de marécage sans valeur. L'année prochaine, à la même époque, on verra même plus que ça a brûlé.

– La foudre tombe tout le temps dans ces bois, observa Jimmy Lee Bayliss.

– *Exactamente !* Alors, vous êtes en train de me dire que ces gars-là se précipitent pour enquêter sur le plus petit feu de forêt ? Non, mais j'y crois pas.

Il était indigné.

– Comme ça, d'un coup, on est dans *Les Experts :*

Everglades. Parlez-moi de gaspiller les dollars du contribuable !

Jimmy Lee Bayliss savait très bien pourquoi les autorités s'étaient intéressées à l'incendie du Black Vine Swamp.

– C'est juste parce qu'il y avait des gamins dans le coin, fit-il.

– Ouais, ben, aucun de ces petits merdeux n'a été blessé, hein ? Pas un ne s'y est même roussi les sourcils.

Drake McBride, planté devant la fenêtre panoramique, fixait pensivement la baie.

– Résultat des courses : fallait qu'on fasse quelque chose pour les tenir à l'écart de la section 22. Et ça a marché, pas vrai ?

– Oui, m'sieur. Y a pas eu de mal.

– Et soit dit en passant : c'était juste idiot de faire une sortie nature au beau milieu de nulle part. Si c'était ma classe, je les emmènerais tous à SeaWorld voir des baleines tueuses faire leurs trucs de ballerines ou que sais-je.

– Ou à Weeki Wachee, renchérit Jimmy Lee Bayliss. Là où toutes ces filles déguisées en sirènes font du ski nautique.

– Ça, c'est bien dit !

Drake McBride sourit enfin, même s'il reprit son sérieux en retournant à son bureau.

– Dites-moi, s'il vous plaît, Jimmy Lee, ils n'ont aucune preuve pouvant relier la Diamond Red à l'incendie ? J'ai pas besoin de me chercher un avocat ni un garant de caution ?

– Z'ont que dalle, m'sieur.

Il omit d'informer son patron qu'il avait laissé tomber un stylo de la compagnie sur les lieux du sinistre.

Drake McBride, s'avançant sur son siège, le scruta avec curiosité.

– Bon sang, qu'est-ce qui est arrivé à votre gueule ? Quelqu'un vous a donné un coup de poing ?

Jimmy Lee Bayliss n'avoua pas qu'un dingue, propriétaire d'un perroquet enragé, avait tenté de lui arracher les lèvres avec une paire de pinces.

– Je me suis coupé en me rasant, dit-il.

– En vous rasant avec quoi ? Un taille-herbes ?

– Pas bien grave, marmonna-t-il en se cachant la bouche.

Drake McBride le fixa d'un regard d'acier auquel il s'exerçait souvent devant son miroir.

– Écoutez voir un peu, mon pote : vous dites que vous avez la situation en main. Est-ce que ça signifie que je peux prendre mon après-midi et aller monter Roi l'Éclair ?

– Absolument.

Dans sa quête pour passer pour un pur Texan, Drake McBride avait acheté un cheval du nom de Boulette, l'avait rebaptisé Roi l'Éclair et prenait maintenant des leçons d'équitation. Jimmy Lee Bayliss s'attendait à ce que l'animal le désarçonne puis le piétine, une fois qu'il aurait compris quel drôle de gus il avait sur le dos.

– L'expert en incendie et moi avons eu une vraie bonne discussion, ajouta-t-il tâchant de mettre son patron à l'aise.

Drake McBride se laissa aller dans son fauteuil et posa ses bottes en peau de serpent rutilantes sur le bureau.

– Ce gamin dont vous avez parlé, il m'a tout l'air d'un suspect n° 1.

– Carrément, fit Jimmy Lee Bayliss. Un mauvais élément.

– Ils devraient aller y regarder de plus près.

– Oh, ils n'y manqueront pas.

– Toute l'aide que la Red Diamond Energy peut apporter…

– Ils ont eu notre pleine et entière coopération, dit Jimmy Lee Bayliss.

Drake McBride cligna de l'œil.

– Donnez-leur tout ce dont ils ont besoin, OK ?

– Je fais que ça.

– Encore une chose, mon pote.

– Ouais.

Jimmy Lee Bayliss détestait que son patron l'appelle « mon pote ». Ce type regardait trop de vieux westerns sur le câble.

– Si jamais il arrivait autre chose, fit Drake McBride, j'aimerais mieux ne pas l'apprendre par le pilote de mon hélicoptère. Compris ? Je préférerais que *vous* m'en parliez.

– Oui, m'sieur. Puisqu'on parle d'hélico, j'aurai besoin qu'on m'emmène là-bas, sur le site de forage.

– Bien sûr… après m'avoir déposé à ce… Vous savez, là où il y a les chevaux ?

– À l'écurie, vous voulez dire ?

– C'est ça.

Drake McBride rectifia l'inclinaison de son chapeau de cow-boy.

– À l'écurie, fit-il.

SEIZE

Pendant le trajet en bus vers l'école, Nick raconta à Marta la visite surprise de Smoke.

– Tu veux dire que ce fou dangereux sait où tu habites ? C'est pas cool.

– Il voulait juste m'emprunter mon livre de biologie.

– J'en suis pas si certaine, fit Marta.

– Pour étudier en vue d'un contrôle, à ce qu'il m'a dit.

– Quel contrôle ? Il n'y a aucun contrôle… hein ?

– Pas que je sache. C'était bizarre. Puis il s'est barré avant que je puisse lui poser des questions sur Mrs. Starch.

Marta fronça les sourcils.

– Va pas chercher plus loin, Nick. Laisse tomber, point barre.

Après leur rencontre avec le dénommé Twilly, elle avait perdu un peu de son enthousiasme pour résoudre le mystère de la disparition de Mrs. Starch.

– J'ai pris à la bibliothèque un bouquin de cet écrivain dont Twilly nous a parlé. Edward Abbey. Le titre, c'est *Le Gang de la Clé à molette* et le héros, un mec délirant du nom de Hayduke qui veut faire sauter un barrage.

– Pour quelle raison ? demanda Marta.

– Parce qu'il obstrue un énorme fleuve sauvage. Alors lui et d'autres types se lancent dans une sorte de guerre clandestine.

– Rien que des mecs, hein ?

– Non, y a aussi une femme dans la bande.
– Tiens-t'en aux BD, Nick.
– Sérieux, c'est une bonne histoire. Et marrante.
– Mais quel rapport avec Mrs. Starch ?
Nick secoua la tête.
– Qui sait ? Peut-être qu'il n'y en a pas.
– Écoute, je me fiche vraiment de savoir où elle est et ce qu'elle fait, dit Marta. Je veux simplement qu'elle revienne à l'école pour qu'on n'ait plus à se coltiner Waxmo. Une sorcière qui sait enseigner vaut mieux qu'un frappadingue tombé de la lune.
– Smoke m'a dit que Waxmo était parti.
– Pas possible ! s'exclama-t-elle en jubilant.
– Je ne sais pas ce qu'il s'est passé, mais Smoke a fait comme s'il avait quelque chose à voir là-dedans, dit Nick. Il m'a comme qui dirait brossé le tableau.
Marta applaudit des deux mains.
– J'y crois pas qu'on soit vraiment débarrassés de Waxmo le Barjo. C'est trop beau pour être vrai.
– On le saura bientôt.
En tout cas, une autre remplaçante, du nom de Mrs. Robertson, était installée au bureau de Mrs. Starch quand Nick et Marta entrèrent en cours de biologie, à la troisième heure. Ils échangèrent un coup d'œil puis allèrent s'asseoir à leur place. Graham agitait déjà la main vers le professeur. La plupart des élèves la connaissaient parce qu'elle faisait régulièrement des remplacements à l'école.
– Le Dr Waxmo est malade, commença-t-elle. Il a attrapé une espèce de méchant virus grippal, selon le Dr Dressler. Donc, il semblerait que je vous ferai cours jusqu'au retour de Mrs. Starch.
Quand les élèves l'applaudirent avec gratitude, Mrs. Robertson tâcha de ne pas sourire. L'instabilité carac-

térielle de Wendell Waxmo était légendaire parmi les autres remplaçants.

Une fois les réjouissances terminées, elle dit :

– Très bien, mettons-nous au travail. Vous avez une question, Graham ?

Le garçon baissa la main en disant :

– Je suis prêt pour la page 263.

– Oh ?

– Je l'ai apprise par cœur en entier, comme le Dr Waxmo nous avait dit de le faire. Les gamètes et les chromosomes !

– C'est bien, dit Mrs. Robertson avec patience. Mais j'utilise une méthode pédagogique différente de celle du Dr Waxmo. Je trouve plus efficace d'étudier chapitre après chapitre au lieu de choisir des pages au hasard.

Graham parut tout déconfit en entendant la remplaçante demander aux élèves d'ouvrir leur manuel au chapitre 10. Nick remarqua alors l'absence de Smoke, ce qui signifiait également l'absence de son livre de biologie. Il allait devoir suivre sur celui de quelqu'un d'autre.

Marta lui passa un mot : « Où est ton nouvel ami ? »

Il haussa les épaules. Peut-être que le nouveau Duane Scrod junior, malgré ses progrès, était retombé dans ses anciens travers.

Torkelsen gara son 4 × 4 sur la route de terre et s'approcha de l'hélicoptère où l'attendait le pétrolier.

– Montez, dit ce dernier à l'expert en incendie.

Torkelsen s'attacha sur l'un des sièges arrière.

– Quand l'avez-vous trouvé ? demanda-t-il.

– Il y a une heure environ. Je vous ai appelé tout de suite, répondit Jimmy Lee Bayliss.

Le trajet en hélico ne prit que quelques minutes. Torkelsen regardait par la vitre pendant que Jimmy Lee Bayliss mâchonnait une poignée de Tums en espérant que l'expert ne le questionnerait pas sur les marques qu'avait laissées la pince sur ses lèvres. L'appareil se posa dans une clairière sèche et les deux hommes en descendirent. Jimmy Lee Bayliss montra le chemin.

– Attention aux serpents à sonnette, avertit-il.

– En effet, fit l'expert en incendie.

Ils se frayèrent un passage jusqu'à un buisson de choux palmistes. La sacoche à motif camouflage gisait sur le sol, dissimulée en partie par des feuilles mortes. Jimmy Lee Bayliss se dit qu'il avait fait du bon boulot en dissimulant la pièce à conviction.

Torkelsen ramassa le sac et l'examina.

– On faisait un vol de reconnaissance quand j'ai aperçu des cochons sauvages courir à travers ces arbres, dit Jimmy Lee Bayliss. Alors j'ai demandé au pilote d'atterrir et je suis descendu avec mon fusil. Je n'ai pas attrapé ces saletés de cochons, mais je suis tombé sur ce truc et j'ai imaginé que ça vous intéresserait.

L'expert en incendie ouvrit les poches de la sacoche et en tria avec soin le contenu.

– Bon sang, y a quoi là-dedans ? demanda Jimmy Lee Bayliss, comme s'il ne le savait pas.

Il avait soigneusement retiré tout devoir daté d'après l'incendie, sinon Torkelsen aurait deviné que la sacoche n'avait pu être oubliée sur les lieux le jour du délit.

– Des livres de classe, des crayons, une calculatrice, énuméra-t-il. Et ceci…

De l'un des compartiments, il sortit un petit allume-feu au gaz butane.

Jimmy Lee Bayliss émit un sifflement.

– Vous avez touché le jackpot !

Torkelsen prit des photos avec un appareil numérique. Il disposa sacoche et allume-feu sur un tapis de palmes.

– C'est pas très loin de l'endroit où l'incendie s'est déclaré, juste ? fit Jimmy Lee Bayliss, à nouveau comme s'il ignorait tout. Le gamin a dû planquer ses affaires ici avant de se carapater.

– Ça m'a tout l'air d'être ça, à coup sûr.

Torkelsen nota la marque et le numéro du modèle de l'allume-feu au butane que Jimmy Lee Bayliss avait acheté dans sa quincaillerie préférée en revenant chez lui, après sa visite au domicile des Scrod. Il l'avait testé en s'en servant pour brûler le ticket de caisse afin qu'on ne puisse jamais remonter jusqu'à lui.

L'expert en incendie remballa tout dans la sacoche, la mit en bandoulière et suivit Jimmy Lee Bayliss jusqu'à l'hélicoptère. Le pilote décolla et effectua un ample virage pour éviter de survoler la zone de la section 22, où la Red Diamond Energy érigeait sa plate-forme de forage illégale. Même si le site était bien caché dans les bois, Jimmy Lee Bayliss ne voulait prendre aucun risque, surtout avec un passager à l'œil d'aigle tel que Torkelsen.

Quand l'hélico se posa sur la route de terre, Jimmy Lee Bayliss descendit et raccompagna l'expert en incendie jusqu'à son 4 × 4.

– Il y a une étiquette avec un nom sur ce sac d'écolier ? demanda-t-il innocemment.

– Ouaip, fit Torkelsen. Celui de ce gamin dont je vous ai déjà parlé : Duane Scrod junior.

– Alors vous le tenez, votre incendiaire !

L'expert déposa la sacoche accusatrice à l'arrière du 4 × 4.

– Ça m'aide beaucoup, Mr. Bayliss. Merci un million de fois.

– Appelez-moi en cas de besoin.

Jimmy Lee Bayliss se félicita intérieurement en revenant vers l'hélicoptère. Il aurait eu le pas bien moins joyeux s'il avait su qu'au même instant, quelqu'un l'épiait.

Perché à mi-hauteur d'un cyprès et à l'abri de ses branches, Twilly Spree suçotait une tranche de pamplemousse, en attendant que l'hélicoptère de la Red Diamond s'éloigne dans le ciel. Alors il descendit de l'arbre et pataugea lentement hors de la futaie.

Les araignées et les moustiques ne l'inquiétaient pas plus que les serpents venimeux ni les tortues alligators. Twilly était tout à fait à son aise dans le Black Vine Swamp, comme dans tout milieu naturel sauvage. Il se sentait plus en sécurité en marchant parmi une poignée de reptiles et d'ours affamés qu'en roulant sur l'interstate 75 à l'heure de pointe.

Comme il le faisait chaque matin avant que les ouvriers de la compagnie pétrolière n'arrivent, Twilly se mit en quête des traces d'une panthère particulière. Il aurait été fou de joie en repérant la moindre empreinte de patte, mais il n'en trouva pas. Twilly n'avait plus revu l'animal depuis le jour où il avait entendu claquer deux coups de feu dans le secteur. Comme il ne tomba jamais sur sa dépouille ni sur des taches de sang, il en avait conclu qu'elle s'en était tirée sans une égratignure.

Le jour de l'incendie, il avait entendu le cri d'une panthère – il n'y avait pas à se tromper sur cette plainte à faire dresser les cheveux sur la tête – et choisi de croire que c'était celle qu'il cherchait. Plus vite le félin regagnerait son territoire, mieux ce serait. C'était vraiment une question de vie ou de mort, même si ce n'était pas celle de Twilly qui était en jeu.

Sur la piste le ramenant au campement, il tomba sur le gamin.

– T'es censé être en classe, lui dit Twilly.

– J'ai rêvé que je la voyais.

– Où ça ?

– Sur le chemin de planches, fit Duane Scrod junior. Fallait que je vérifie, au cas où ça serait, genre, un rêve indien. Mais ça n'en était pas un.

– Dommage.

Twilly, pour sa part, rêvait rarement. Mais il connaissait des Séminoles et des Miccosukees dont les visions devenaient parfois réalité.

Face au soleil, Duane Scrod junior plissa les yeux en scrutant l'étendue du marécage.

– Alors, vous n'avez rien trouvé ? Pas de traces ?

Twilly fit non de la tête.

– Juste celles d'un lynx et d'un vague daim, c'est tout. Tu as aperçu cet hélico, pas vrai ?

– Vous inquiétez pas, fit le garçon. On ne m'a pas vu. J'ai caché la moto vraiment bien, j'dois dire.

– Faut que tu ramènes tes fesses à l'école. Le contraire n'est pas habile.

– Ouais, je sais.

– Ta sacoche a réapparu ?

– Non. Je vous jure que je l'ai rapportée chez moi, fit le gamin. Mais je ne la retrouve nulle part. Bizarre.

– Tu as demandé à ton vieux ?

Duane Scrod junior eut un reniflement de mépris.

– Il s'est barricadé dans son salon de musique avec son oiseau barjo. Il m'a dit qu'il avait chassé un contrôleur des impôts et que la prochaine fois, on lui enverra le FBI. Ça sert à rien de lui parler quand il est comme ça.

Ce garçon était dans une situation délicate, c'était évident : sa mère s'était enfuie en Europe et son père n'avait pas toujours l'esprit clair. Twilly Spree avait de la peine pour lui, mais pas assez pour abandonner sa mission.

– Eh, j'ai vu que les bouteilles sont arrivées, fit Duane Scrod junior.

– Ouais. Tout le monde va bien, pour l'instant.

– C'est cool ce que vous avez fait.

– Va à l'école, lui dit Twilly. Ne m'oblige pas à te le dire deux fois.

– D'accord. À plus.

En regardant le garçon s'éloigner, Twilly souhaita être plus qualifié pour dispenser conseils et sagesse. Cependant, ayant passé la plus grande partie de sa vie à suivre son instinct plutôt que sa raison, il pouvait difficilement offrir un modèle adulte de bon sens.

Il revint vers le campement, en traversant silencieusement, par habitude, marais, prairies et îlots d'arbres. Dans une partie détrempée, il tomba sur quelque chose de foncé au milieu de la piste, quelque chose qui, plus tôt dans la matinée, n'y était pas.

Twilly, se baissant vers le sol, approcha son visage pour être bien sûr. Il étudia avidement sa découverte toute fraîche. La taquina avec une brindille. Puis la retourna avec une feuille. Il alla même jusqu'à la flairer.

Il n'y avait aucun doute : une crotte de panthère !

La journée du Dr Dressler tourna au vinaigre quand son déjeuner fut interrompu par l'arrivée de George et Gilda Carson. Ils étaient venus, comme chaque semaine, plaider la cause de Graham, leur « brillant » rejeton, pour qu'on lui fasse sauter une ou deux classes.

En se basant sur son dernier bulletin, que le directeur avait en main, Graham était exactement là où il devait être.

– Il a C+ de moyenne, rappela-t-il aux Carson. S'il n'y a rien de mal à ça, cela m'indique que votre fils a suffisamment à faire pour le moment.

– Que voulez-vous dire par là ? se rebiffa Gilda Carson.

– Oui, où voulez-vous en venir ? renchérit George Carson.

Une partie du rôle du Dr Dressler consistait à supporter les exigences déraisonnables des parents mais, parfois, il n'était pas facile de rester poli.

– Normalement, on ne fait pas sauter de classe à un élève à moins qu'il ou elle n'ait une moyenne de A dans toutes les matières, leur expliqua-t-il. Et encore, seulement, s'il ou elle réussit une série de tests montrant qu'il ou elle est apte à précéder l'ensemble des autres élèves du même âge.

– On vous a demandé de faire passer ces tests à Graham, dit Gilda Carson.

– C'est ce que j'ai fait.

Le Dr Dressler lui tendit une copie des résultats pas très brillants qu'elle montra à son mari.

– Et alors, c'est tombé un mauvais jour. Vous parlez d'une affaire, dit George Carson. Faites-les-lui repasser.

Le directeur jeta un coup d'œil las à la pendule de cuivre posée sur son bureau.

– Graham est un jeune homme bien, reprit-il. Il est attentif en classe. Il pose des tas de questions. Il fait de gros efforts, mais…

– Mais quoi ? dit la mère du garçon avec un sourire méprisant.

– Mais c'est un élève C+.

– C'est la faute de ses professeurs, Dr Dressler. Il est évident que Graham est en deçà de ses capacités, décréta George Carson en agitant la feuille des tests. Et ça ne devrait pas se produire dans un établissement comme le vôtre. On se saigne aux quatre veines pour payer les frais de scolarité ici…

Le directeur ignora mentalement le discours « on se saigne aux quatre veines », qu'il avait entendu des dizaines de fois dans la bouche de parents décidés à blâmer l'école parce que leurs enfants décevaient leurs attentes. Le plus souvent, les élèves amélioraient leurs résultats grâce à un léger coup de pouce et obtenaient leur diplôme avec de bonnes notes.

Cependant, les Carson n'étaient pas plus d'humeur à entendre des paroles d'encouragement que le Dr Dressler n'était d'humeur à les supporter. Il se préparait à leur dire quelque chose de très franc quand son assistante entrouvrit la porte.

– Pardon de vous interrompre, monsieur le directeur, mais l'inspecteur Marshall demande à vous voir.

– Certainement. Je le reçois tout de suite.

S'il fut soulagé d'être débarrassé des Carson (qui se retirèrent en rouspétant), il s'inquiéta de cette nouvelle venue de l'inspecteur du bureau du shérif. Ça n'avait sans doute rien d'une visite de courtoisie.

Jason Marshall, une fois dans la pièce, alla directement au fait.

– Je suis venu arrêter Duane Scrod junior, dit-il.

– Pour l'incendie du marais ?

L'inspecteur opina gravement.

Imaginer ce terrible gros titre : UN ÉLÈVE DE L'ÉCOLE TRUMAN ARRÊTÉ POUR INCENDIE CRIMINEL, sapa le moral du Dr Dressler.

Duane Scrod junior étant encore mineur, les autorités ne

pouvaient le désigner nommément mais, au final, ça avait peu d'importance. La nouvelle qu'un élève de l'établissement était accusé d'un très grave délit lui procurerait une publicité catastrophique. Le directeur anticipait la réaction musclée des membres du conseil d'administration de l'école, sans mentionner celle de certains de ses riches donateurs.

– Les pompiers m'ont appelé il y a une demi-heure de ça, dit Jason Marshall. Apparemment, ils ont réuni toutes les preuves nécessaires.

Le Dr Dressler ne se fatigua pas à demander des détails. Étant donné les antécédents d'incendiaire du garçon, il ne doutait pas de la culpabilité de Duane Scrod junior. Il y avait évidemment une bonne raison à ce que ses camarades le surnomment Smoke.

– Il reste vingt minutes avant la fin des cours, dit le directeur. On ne peut pas attendre ?

– Non, finissons-en, lui répondit l'inspecteur.

Il vérifia l'emploi du temps et vit que Duane Scrod junior était en séminaire d'anglais avec Mr. Riccio.

– Il vaut sans doute mieux que vous restiez ici, dit-il à Jason Marshall, qui acquiesça.

Le Dr Dressler s'empressa de rejoindre la salle de classe qui était à l'autre bout de l'école. Duane Scrod junior manifesta peu d'émotion quand le directeur frappa à la porte et lui demanda de sortir.

À mi-chemin du bâtiment administratif, il finit par lui demander pourquoi on lui faisait quitter le cours.

– Il y a un problème, Duane.

– Kesk'vous voulez dire ?

– Un membre du bureau du shérif veut vous parler.

– Encore ? Comment ça se fait ?

– Votre père est chez lui ? Parce que vous allez sûrement avoir envie de l'appeler après ça.

– Quand il gèlera en enfer, dit le garçon.

L'école Truman avait une règle stricte sur les jurons, mais le Dr Dressler ferma les yeux. Duane Scrod junior était un individu baraqué qu'il n'avait pas envie d'énerver. Ce dernier savait que l'inspecteur avait bien plus d'expérience que lui pour gérer ce genre de situation.

Jason Marshall les attendait avec une paire de menottes.

– Non, mais c'est pas vrai, marmonna le garçon en comprenant ce qu'il lui arrivait.

– Je regrette, fiston, dit l'inspecteur. Tourne-toi, s'il te plaît.

Il ne bougea pas. Poussant un profond soupir, il leva les yeux au plafond.

– C'est tellement injuste, fit-il.

Le Dr Dressler était maintenant nerveux à l'extrême. Personne n'avait jamais été arrêté dans son bureau jusque-là.

– Je vous en prie, Duane, faites ce que l'inspecteur Marshall vous dit.

Lentement, très lentement, le garçon se tourna.

« Dieu merci », songea le directeur.

Mais alors, à l'instant où Jason Marshall s'avançait pour lui passer les menottes, Duane Scrod junior franchit la porte en un éclair.

– Hep ! s'écria l'inspecteur, le poursuivant au pas de course. Arrête-toi !

Le directeur resta seul, à la fois abasourdi et nerveux. Il avait l'impression de se trouver dans un épisode du feuilleton *Cops*.

Il regarda par la fenêtre, juste à temps pour apercevoir le fugitif piquer un sprint vers le terrain de sport. Pour un gamin aussi costaud, il était très rapide et creusait régulièrement l'écart entre lui et l'inspecteur. Il se demanda pourquoi personne n'avait jamais persuadé Duane Scrod junior de jouer dans l'équipe de football de l'école, qui manquait cruellement d'un arrière.

Une équipe de lacrosse s'entraînait à l'extrémité ouest du terrain ; le fugitif fonça tout droit sur l'un des joueurs. Même à distance, le Dr Dressler identifia l'élève sans difficulté : c'était Nick Waters, à cause de son bras droit en écharpe.

Il observa avec ébahissement Duane Scrod junior prendre Nick à part et lui parler brièvement. Puis le garçon se mit à courir de plus belle, sauta une clôture métallique, avant de disparaître dans une épaisse pinède. L'inspecteur Jason Marshall courait loin derrière, en beuglant et en faisant de grands gestes.

Le Dr Dressler, pensant que Duane Scrod junior n'avait pas d'amis à l'école Truman, se demanda pourquoi le gamin avait choisi d'aller parler à Nick Waters… et quel message avait pu être si important pour le pousser à interrompre sa fuite.

Si le Dr Dressler avait pu entendre les mots prononcés par Duane Scrod junior sur le terrain d'entraînement, il aurait pu réserver son jugement sur l'incendie volontaire du Black Vine Swamp.

La première chose que le garçon surnommé Smoke avait dite à Nick, c'était :

– Ton manuel de biologie est dans mon casier. La combinaison, c'est 5-3-5.

La deuxième chose fut :

– C'est pas moi qui ai mis le feu. Je suis innocent.

DIX-SEPT

Quand Nick rentra chez lui après les cours, il aperçut son père dans le jardin en train de lancer des balles de base-ball de la main gauche dans le filet d'arrêt. Il enleva son blazer, qu'il posa sur une chaise, arracha sa cravate et se précipita dehors.

– Comment va… tu sais… ? fit-il en montrant l'épaule bandée de son père.

– Mon moignon, tu veux dire, précisa-t-il en souriant tristement. En fait, c'est plutôt le moignon d'un moignon.

Nick songea : « Au moins, il n'a pas perdu son sens de l'humour. »

– L'infection a presque disparu. Mais je mentirais si je te disais que je suis dans une forme olympique.

– Alors, tu devrais y aller mollo.

– Non, m'sieur.

Le capitaine Gregory Waters rafla une autre balle dans le seau à ses pieds.

– Enlève ton attelle, Nick, et on jouera ensemble.

Nick savait qu'il ne servait à rien de discuter.

– Lance-la par ici, dit-il.

– Détache ton bras droit et va chercher ton gant.

– Allez, papa, lance, c'est tout.

– Comme tu veux.

Son père fit un *windup* et lança. La balle atterrit dans la main nue de Nick en la claquant… que ça piquait !

– Wouah ! s'exclama-t-il en sifflant et en secouant les doigts. Super bien !

– Ça vient, fit son père.

Nick renvoya la balle, qui fila assez droit, mais manqua de puissance. Il se sentait encore maladroit en lançant du mauvais bras.

– Dis, papa, depuis combien de temps t'es là à t'entraîner ?

– Quatre heures et des poussières.

– Wouah, et t'es pas fatigué ?

Greg Waters éclata de rire.

– Tu plaisantes ? Je suis crevé, fit-il. Mais c'est le meilleur moyen de reprendre des forces et d'acquérir de la mémoire musculaire.

La fois d'après, il lança bas et un peu lentement. Nick ramassa la balle dans l'herbe, fit un grand pas en avant et la renvoya avec force… elle passa un mètre cinquante au-dessus de la tête de son père.

Greg Waters rigola en lui disant :

– Même quand j'avais mes deux bras, je ne pouvais pas sauter aussi haut.

Nick récupéra la balle dans un parterre de géraniums et regagna au trot l'autre bout du jardin.

– Quel est ton joueur gaucher préféré de tous les temps ? demanda-t-il à son père pendant le lancer suivant.

– Steve Carlton des Phillies, c'était bien avant ta naissance. Fallait voir sa balle rapide.

– Meilleure que celle de Johan Santana ?

– Repose-moi la question quand Johan sera entré au Hall of Fame[1].

1 Temple de la Renommée, institution américaine qui honore les meilleurs dans leur domaine, ici sportif *(N. d. T.)*.

Il effectua un autre lancer, très rapide, celui-là. Nick ne vit pas d'inconvénient à ce que la balle lui pique la paume ; c'était exaltant de voir son père lancer si fort et avec une telle précision du bras qui était autrefois son point faible.

– Alors, Nicky, quelles sont les dernières nouvelles à l'école ?

Il avait prévu de parler de Smoke à ses parents, pendant le dîner. Ils en auraient entendu parler, de toute façon, un jour ou l'autre.

– Le père de Libby est venu arrêter l'un des élèves, mais il s'est enfui dans les bois et lui a échappé.

Greg Waters s'arrêta en plein mouvement. Il baissa le bras, mais sans lâcher la balle.

– On venait l'arrêter pour quoi ?

– Ce feu dans les marais dont je t'ai déjà parlé, le jour où on est allés en sortie nature, lui expliqua Nick. Mais il y a un truc, papa : je crois pas qu'il ait fait ça.

– Comment tu le sais ?

La porte de derrière s'ouvrit et sa mère sortit, portant le gant d'un joueur de première base, de la taille d'un jambon. Elle cria à son mari, en tapant du poing l'intérieur du gant :

– Allez, mon petit soldat, montre-moi ce que tu as dans le ventre !

Greg Waters, avec un grand sourire, lui expédia la balle qu'elle attrapa facilement puis relança par en dessous – mais avec beaucoup de peps – à Nick. Sa mère, qui n'avait pas joué au softball depuis l'université, avait toujours un excellent bras.

– Tu es rentrée depuis quand ? lui demanda Nick.

– Ça fait trente secondes. Je vous ai aperçus dans le jardin, vous autres débutants, et je me suis dit que vous auriez besoin de soutien, sinon vous alliez casser des carreaux aux fenêtres de la maison de Mrs. Storter.

– Pas moi ! protesta son mari en faisant mine de se sentir insulté. C'est Nicky le plus déchaîné.

Pendant une demi-heure, ils jouèrent à trois dans un silence agréable et décontracté, comme ils le faisaient avant qu'on envoie Greg Waters en Irak. Il semblait irréel à Nick de penser que pas même quinze jours s'étaient écoulés depuis que son père avait été grièvement blessé, et qu'il était déjà de retour à la maison, en train de lancer une balle de base-ball ! « C'est comme un miracle », songeait Nick.

Mais il faut dire que son père n'était pas un patient comme les autres.

– Nick, raconte à ta mère ce qui s'est passé aujourd'hui à l'école, dit Greg Waters.

– Oh, je suis déjà au courant. Gilda Carson a envoyé un texto à tous les parents qui sont dans l'annuaire, dit-elle. Ce garçon qui a échappé à la police, c'est le même qui est venu l'autre soir emprunter à Nick son livre de biologie.

– Vraiment ? Il ne m'en a pas parlé.

Greg Waters eut l'air soucieux mais continua ses lancers.

– Il s'appelle Duane Scrod junior, ajouta-t-elle. Son père a fait un séjour en prison pour incendie criminel, donc je suppose que les chiens ne faisant pas des chats…

– Il n'est pas coupable, maman, la coupa Nick d'un ton ferme.

– Qu'est-ce qui te rend si sûr de toi ?

– Il me l'a dit. Pendant qu'il s'enfuyait, il m'a arrêté pendant mon entraînement de lacrosse pour me dire qu'il était innocent. Pourquoi il se serait donné la peine de faire ça si ce n'était pas vrai ?

Sa mère lui lança la balle.

– Certaines personnes mentent, Nicky. En particulier quand elles ont des ennuis.

– Mais je le crois, moi ! Je l'ai vu dans ses yeux.

Nick lança avec effort la balle à son père qui cafouillla et la laissa tomber dans l'herbe. Ce qu'il entendait le rendait distrait, ça sautait aux yeux.

Sa mère reprit :

– Dis à ton père comment les autres élèves appellent Duane junior ?

– Bah, c'est juste un surnom, protesta-t-il.

– Dis toujours, dit son père.

– Smoke, fit Nick calmement, sachant qu'il serait plus difficile que jamais de convaincre ses parents de l'innocence de Duane Scrod junior.

– Smoke ?

Greg Waters ramassa la balle, qu'il tourna et retourna dans sa main.

– Laisse-moi deviner pourquoi on l'appelle Smoke.

– Parce qu'il aime bien qu'on l'appelle comme ça. Personne ne sait pourquoi.

Puis il ajouta :

– OK, la police dit qu'il a mis deux fois le feu, mais ça fait longtemps… ça ne signifie pas automatiquement qu'il ait allumé celui-là.

Nick supposa que sa mère savait déjà tout des incendies précédents *via* Mrs. Carson, qui avait sans doute obtenu ce renseignement de Graham.

– Nicky, à t'entendre, tout ça ne sent pas bon, fit son père.

– Mais ce qui est arrivé dans le passé ne devrait pas compter… s'il n'a pas allumé cet incendie, on ne devrait pas l'arrêter pour ça, insista-t-il. C'est pas juste, papa.

Sa mère s'avança et l'étreignit, posant son gant de softball dans le dos sur la bosse que formait son bras droit bandé.

– Selon Mrs. Carson, dit-elle, ils ont une preuve irréfutable que Duane junior est coupable.

– Quelle preuve ?
– Elle ne le dit pas dans son message. Mais, à l'entendre, ça avait l'air d'être du solide.
Nick se dégagea et alla s'asseoir sur une chaise longue.
– Eh bien, moi, j'y crois pas. De toute façon, on est censé être innocent tant que rien ne prouve qu'on est coupable, hein ?
« Si Smoke m'a menti sur le terrain de lacrosse, songea-t-il, alors c'est le plus grand acteur du monde. »
– La police l'a rattrapé ? demanda-t-il.
– Pas encore, répondit sa mère. Je ferais mieux d'aller préparer le dîner. On en reparlera plus tard.
Le capitaine Gregory Waters s'assit, ouvrant et fermant sa main gauche. Il avait l'air tout endolori et épuisé.
– Peut-être que demain, j'essaierai avec ma canne à mouche, dit-il.
Nick se surprit à fixer la manche droite vide de la chemise de son père… s'habituer à le voir avec un bras en moins prendrait du temps. Son père plaisantait même sur son aspect « bancal » quand il se regardait dans la glace.
– Je peux te poser une question sur la guerre ? demanda-t-il.
– Bien sûr.
– L'homme qui est mort, quand la roquette a touché votre Hummer… tu m'as dit qu'il était comme un frère pour toi.
– Vrai, c'était le cas.
– Tu le connaissais depuis combien de temps ?
Greg Waters réfléchit un instant.
– Quinze jours. Trois semaines, peut-être.
– Ça fait pas très longtemps, observa Nick.
– Eh bien, parfois on se lie d'amitié tout de suite.
– Parce que vous combattiez ensemble ?
– Non, la même chose m'est arrivée quand je jouais chez

les juniors, lui expliqua son père. Tu te mettais à parler avec un joueur, le premier jour de l'entraînement de printemps, et tu savais tout de suite qu'il était O.K. Puis un autre type rappliquait et, en deux secondes, tu pouvais dire que c'était un nul complet.

– Je vois ce que tu veux dire, dit Nick. C'est comme un radar zarbi.

– Ouais, on peut dire ça.

Nick se leva.

– Faut que je passe un coup de fil avant le dîner.

– Ce garçon que la police recherche… c'est un ami à toi ? demanda son père.

– C'est une bonne question, répondit-il. Je crois que oui.

Après avoir mis le couvert pour aider sa mère, Nick alla dans sa chambre, ferma la porte et appela Libby Marshall sur son portable. Elle promenait Sam, son chien.

– Non, on ne l'a pas encore attrapé, lui dit-elle, anticipant la question de Nick. Mais ça ne devrait pas tarder. Et mon père, ça le fait rigoler qu'à moitié… il s'est claqué un tendon en le poursuivant !

Nick devait faire attention à ce qu'il disait à Libby. C'était naturel qu'elle croie Smoke coupable parce que son père lui avait sûrement dit qu'il l'était.

– Comme il est toujours en conditionnelle pour avoir fait brûler ce panneau publicitaire sur l'interstate, lui dit Libby, on peut le boucler jusqu'au prochain procès, d'après mon père. Six mois, peut-être plus.

« Pas étonnant qu'il se soit enfui », songea-t-il.

– On le cherche encore à cette heure-ci ?

– Non, c'est pas un tueur en série ni rien, répondit-elle. On le chopera dès qu'il reviendra chez lui. Papa dit que c'est là qu'on retrouve les jeunes délinquants en cavale, d'habitude.

– Mais s'il se pointe pas là-bas ?
– T'as raison, Nick. Mais où il irait sinon ?
Ce dernier songea : « J'aimerais bien le savoir. »
– Pourquoi est-on si sûr que c'est lui le coupable ?
Nick espérait que le père de Libby avait fait allusion à cette mystérieuse nouvelle preuve.
Et, coup de chance, c'était le cas.
– Quelqu'un a découvert le sac de Smoke, pas loin du point de départ de l'incendie. Et devine ce qu'il y avait dedans : un allume-feu, le même qu'utilisent les pyromanes ! Il est cuit, Nick. L'affaire est close.
– Son sac d'école ? Celui à motif camouflage ?
– Attends un instant, fit Libby. Sam, non ! Méchant chien ! MÉCHANT CHIEN !
Pendant qu'elle grondait son compagnon à quatre pattes, Nick tint le téléphone loin de son oreille. Ça ne tenait pas debout que la sacoche de Smoke apparaisse tout à coup dans le Black Vine Swamp.
Quand Libby revint en ligne, elle était à bout de souffle :
– Excuse-moi, Nick, faut que j'y aille. Sam vient d'acculer dans un coin un énorme matou qui veut lui arracher la truffe à coups de griffes… Non ! Méchant ! J'ai dit NON !!!
Nick raccrocha et appela Marta aussitôt.
– T'as prévu un truc demain matin ? demanda-t-il.
– Non, je dors, répondit-elle. C'est samedi, t'as oublié ?
– On part faire une virée à vélo.
– Je ne crois pas, Nick.
– Sois prête à huit heures.
– Ça va pas la tête, dit-elle. Je ronflerai comme un ours polaire à huit heures du matin, c'est sûr.
– Non, c'est important. Je t'expliquerai tout quand je te verrai.
– T'avise pas de me faire retourner à la maison de

Mrs. Starch ! J'ai pas envie de finir empaillée avec des yeux de verre et une étiquette autour du cou, comme toutes ces bêtes mortes !

– T'inquiète, c'est pas là qu'on ira.

Le lendemain matin, alors que Duane Scrod senior se faufilait dans la cuisine pour chercher des graines de tournesol pour Nadine, il entendit frapper à la porte, puis une voix appeler :

– Duane ? Tu es là ?

Elle paraissait trop jeune, à l'entendre, pour être celle d'un membre du FBI, mais Duane Scrod senior ne voulait prendre aucun risque. Il regagna en se carapatant le salon de musique et s'y barricada. Son ara, qui mourait de faim, eut beau lui pincer sauvagement le lobe de l'oreille, Duane Scrod senior serra les dents et garda le silence malgré la douleur.

Même s'il ne voulait pas retourner en prison, il comprenait bien que ses chances de rester libre s'amenuisaient. Agresser ce type des impôts n'était pas ce qu'il avait fait de plus intelligent dans sa vie et, d'après lui, c'était une simple question de temps avant que des agents du gouvernement lourdement armés n'assiègent sa maison.

Plus tôt dans la journée, Duane Scrod senior s'était caché d'un autre inconnu, un homme qui avait frappé à plusieurs reprises en se disant adjoint du shérif à la recherche de Junior. Duane senior avait sorti Nadine de sa cage puis couru se dissimuler sous une couverture matelassée, dans le salon de musique.

– Ouvre, Duane ! C'est moi… Nick Waters ! cria le nouveau visiteur.

Alors une voix de fille s'éleva :

– Je te l'avais dit. Il est même pas ici.

S'il effleura l'esprit de Duane Scrod senior que les personnes sur sa véranda pouvaient être vraiment en train de chercher son fils, il rejeta bien vite cette idée. Un ou deux Indiens Miccosukees mis à part, Junior n'avait pas d'amis de son âge.

« Non, songea Duane Scrod senior, ça doit être un piège. Le FBI peut se montrer extrêmement sournois. »

Dès que les voix se turent à l'extérieur, Nadine lâcha l'oreille de son maître. Au bout de quelques minutes, il s'approcha prudemment de la petite épinette qui bloquait la porte du salon de musique, se préparant à la pousser de côté.

– *Ich habe Hunger !* se plaignit Nadine. *I am hungry !*

– Chut, l'oiseau, lui murmura Duane Scrod senior, ou je te vends au colonel Sanders[1].

Une voix féminine s'éleva dans son dos :

– Faites pas ça.

Il pivota et se tapit près du clavecin. Deux visages s'encadraient dans la fenêtre ouverte : celui d'un garçon et celui d'une fille, qui l'observaient.

– Qu'est-ce que vous voulez ? leur demanda-t-il. Le gouvernement vous envoie, vous aussi ?

– On va à l'école avec Duane, dit le garçon. Faut qu'on le trouve.

– Ouais, eh ben, faites la queue.

– Il est en biologie avec nous, ajouta la fille.

Nadine poussa un cri perçant et voleta deux ou trois fois autour de la pièce avant de se poser sur un lustre poussiéreux.

– Allez-vous-en ! aboya Duane Scrod senior aux enfants.

1. Le créateur de la chaîne KFC (Kentucky Fried Chicken) *(N. d. T.)*.

Il n'était toujours pas convaincu qu'il ne s'agissait pas d'agents du FBI déguisés.

– La police recherche Duane qui est en cavale, dit le garçon. Ils vont l'arrêter pour incendie criminel, mais on pense qu'il n'a rien fait.

– Non, Nick, l'interrompit la fille. Pas « on », *tu* penses qu'il n'a rien fait.

– Peu importe. Il faut qu'on lui parle.

Duane Scrod senior dit :

– Même si je savais où il est – et je le sais pas – je vous le dirais pas. Alors, soyez gentils d'aller voir ailleurs. Et *tout de suite*, je veux dire.

Mais les deux jeunes ne bougèrent pas.

« Qu'est-ce qui va de travers dans ce monde ? se dit Duane Scrod senior. Depuis quand les adultes ont arrêté de diriger les opérations ? »

– Il est joli, votre piano, commenta la fille. Je prends des leçons depuis que j'ai quatre ans.

– Grand bien te fasse, grommela Duane Scrod senior. Allez, du balai, maintenant.

Il fut stupéfait de voir les deux enfants passer tranquillement par la fenêtre pour entrer dans la pièce.

– Vous savez ce que j'ai joué au récital de cet automne ? dit la fille. Le prélude n° 4 en *ré* majeur de Rachmaninov.

– Tu plaisantes, dit l'homme.

Rachmaninov était depuis toujours l'un de ses musiciens préférés. Il fit glisser l'épinette, dégageant la porte, et la fillette s'assit sur le tabouret et joua le morceau intégralement, de mémoire.

– C'est un ravissement total, reconnut Duane Scrod senior.

– Je m'appelle Marta, dit-elle. Et lui, c'est Nick.

– Je suis le père de Duane. Mais je peux toujours pas vous dire où il est pasque j'en ai pas la moindre idée.

De plus, qui me dit que vous êtes pas des agents du FBI infiltrés.

– C'est le truc le plus débile que j'aie jamais entendu, fit la fille. Je n'ai même pas réussi à intégrer les pom-pom girls.

Duane Scrod senior rougit.

Le garçon nommé Nick lui dit :

– Vous n'avez pas entendu parler de ce qui s'est passé hier à l'école ?

– Non. Junior n'est pas rentré, j'en sais pas plus.

– C'est parce qu'il est en cavale, il fuit la justice, dit la fille nommée Marta, d'un ton dramatique.

– Ah, super, marmonna-t-il.

Le garçon lui décrivit ce qui s'était produit à l'école Truman quand l'inspecteur du bureau du shérif était venu arrêter Duane Scrod junior pour l'incendie volontaire du Black Vine Swamp.

– Mais D. J. m'a dit qu'ils n'avaient pas de preuve, objecta son père. Il me l'a juré !

– Ils n'avaient rien jusqu'à hier, reprit le garçon prénommé Nick. Et puis on a découvert sa sacoche sur le lieu de l'incendie.

À présent, Duane Scrod senior était vraiment perplexe.

– D. J. avait une sacoche ?

La fille soupira avec impatience.

– Pour l'école, Mr. Scrod.

– Couleur camouflage, poursuivit Nick, comme celle d'un chasseur.

– Ah, ouais.

L'homme s'en souvenait maintenant.

– Et vous l'avez vue quand pour la dernière fois, cette sacoche ? demanda le garçon.

– Avant-hier.

Les deux gamins tinrent un conciliabule, puis la fille se tourna vers Duane Scrod senior et lui demanda :

– Vous en êtes sûr à cent pour cent ?

– Tu parles que je le suis. C'était quand le type du gouvernement est v'nu ici pour les impôts et qu'il m'a fait une violation de vie privée. Il t'a ramassé le sac de Junior par terre, puis a essayé d'assassiner ma chère et tendre Nadine avec… pas vrai, ma chérie ?

– *Yes*, répondit l'ara, en se balançant sur le lustre.

– Alors, elle est où sa sacoche, maintenant ? demanda la fille.

– Ça me dépasse. Peut-être que le type des impôts s'est taillé avec.

Duane Scrod senior se demandait combien de temps il pourrait attendre avant d'appeler Millicent Winship pour lui apprendre que son petit-fils avait à nouveau des ennuis avec la justice.

Le garçon appelé Nick affirma :

– Je pense que Duane n'est pas coupable.

L'homme toussa.

– Je ne demanderais pas mieux que de te croire, mais D. J. a ce qu'on appelle des antécédents avec les incendies.

– Eh bien, cette fois, c'est pas lui, déclara le garçon. C'est ce qu'il m'a dit et moi, je le crois.

– Et kesk'vous attendez que j'fasse ? Que j'aille manifester devant le tribunal ? dit-il en haussant les épaules. Junior ne sortira pas du bois tant qu'il sera contraint et forcé, et on ne le retrouvera jamais là-bas. Pas avant des milliards d'années.

– Quand vous aurez de ses nouvelles…

– Qui vous dit que j'en aurai ?

– Mais si jamais, fit la dénommée Marta, dites-lui d'arrêter sa cavale et de se livrer. C'est son seul moyen de se disculper.

Duane Scrod senior ricana amèrement.

– On n'est pas dans un film, vous savez. Les choses ne se règlent pas aussi simplement dans la vie.

Le garçon franchit le premier la fenêtre. La fille le suivit mais marqua un court temps d'arrêt sur le rebord.

– C'est un mignon petit piano que vous avez là. Vous en jouez ? demanda-t-elle.

Le père de Smoke fit non de la tête.

– Pas depuis des années.

– Eh bien, vous devriez vous y remettre.

– Ah ouais, pourquoi ?

– Parce que vous vous sentiriez mieux, ajouta Marta avant de disparaître de sa vue.

Pendant le trajet de retour, Nick était si agité qu'il eut du mal à garder son vélo sur le trottoir.

– Mais tu vois pas ? C'est un coup monté ! s'exclama-t-il. Smoke n'a pas pu paumer sa sacoche dans le marais le jour de l'incendie, puisque son père a vu cette même sacoche dans la maison, il y a deux jours. Tu sais quoi ? Je me rappelle l'avoir aperçue sous le pupitre de Smoke en biologie, le premier jour de cours de Waxmo !

– Du calme. Tu vas faire une crise d'hyperventilation, lui dit Marta.

– Je suis sérieux : quelqu'un a fauché son sac, fourré un allume-feu à l'intérieur puis l'a laissé sur le site de l'incendie. Smoke s'est fait piéger !

– Mais pourquoi ? C'est dingue.

Nick devait bien l'admettre : il manquait quelques pièces essentielles au puzzle. Même si Duane Scrod junior faisait bande à part à l'école, il ne semblait pas s'y être fait d'ennemis. Nick ne voyait pas qui aurait eu envie de le voir, injustement, sous les verrous.

– N'oublie pas, fit Marta, que son père est un givré de première, lui aussi. Je veux dire : pourquoi un contrôleur des impôts volerait une sacoche d'écolier ?

– Et si c'en n'était pas vraiment un ? lui opposa Nick. Et s'il était allé chez Smoke rien que pour y prendre un truc qu'il pourrait déposer dans le Black Vine Swamp, quelque chose qui l'accuserait ?

Marta eut un grognement sceptique.

– Bon, ne te mets pas en pétard, dit-elle. Voici un autre « et si ».

– OK.

– Et si Smoke avait deux sacoches, Nick ? Une pour ses affaires de classe et l'autre pour son attirail de pyromane.

Marta le décevait de plus en plus : pourquoi ne pouvait-elle pas voir ce qui se passait ?

– Mais il est venu jeudi soir m'emprunter mon livre de biologie, tu te rappelles ? Il m'a dit qu'il avait perdu son sac à dos. Je t'en ai parlé le lendemain.

– Il t'a dit aussi qu'il devait étudier pour un contrôle qui n'existait pas, souligna Marta. Toute cette histoire était plutôt embrouillée. Tu l'as dit toi-même.

Nick freina à l'ombre d'un arbre et tenta de rassembler ses idées. Rien de ce qui concernait l'incendie du Black Vine Swamp ne tenait vraiment debout, depuis la disparition de Mrs. Starch jusqu'à l'apparition de la sacoche de Duane Scrod junior.

Marta arrêta sa bicyclette à côté de celle de Nick.

– Et si Smoke avait su qu'on avait retrouvé son sac là où le feu a pris et s'il avait essayé de se fabriquer un alibi en venant te trouver pour te dire qu'il l'avait, je te cite, « perdu ». Et puis, s'il avait forcé son père à mentir en disant que la sacoche était dans la maison deux jours plus tôt et qu'un inconnu l'avait barbotée bien à propos ?

– Je préfère ma version, fit-il.

– S'il n'est pas coupable, pourquoi s'est-il enfui devant le père de Libby ?

– Parce qu'il avait peur d'être arrêté. Il a paniqué, c'est tout.

– Tout le monde prétend être innocent, envers et contre tout, reprit Marta. Tu ne regardes jamais Court TV[1] ?

Nick reconnut dans son for intérieur qu'elle avait peut-être raison et que Smoke l'avait embobiné. Mais son père lui disait toujours de suivre son instinct et l'instinct de Nick lui soufflait que Smoke lui avait dit la vérité.

– Marta, je continue à croire qu'il n'a rien fait.

– Très bien. Alors, donne-moi une bonne raison pour que quelqu'un en ville ait eu envie de le piéger ? Donne-moi un seul nom… Nick ?

Il ne l'écoutait plus. Descendu de vélo, il entreprenait de traverser la rue au trot.

– Allez, viens, la héla-t-il en se retournant.

– Non, mais tu es fou ou quoi ? cria-t-elle.

– Dépêche !

Nick, tout excité, lui montrait un mini centre commercial. Marta cadenassa en hâte leurs deux vélos à l'arbre et courut derrière lui.

La Prius de Mrs. Starch, avec sa plaque d'immatriculation « Sauvez les lamantins », était garée devant un restaurant du nom de *Pizza Napoli*. La voiture était vide et non verrouillée.

Nick jeta un regard alentour pour s'assurer que personne

1. Chaîne du câble qui retransmet les procès *(N. d. T.)*.

ne l'observait. Puis il plongea sur la banquette arrière, en laissant la portière ouverte pour Marta.

– À quoi tu joues exactement ? lui demanda-t-elle en jetant un coup d'œil anxieux derrière elle.

– J'attends ce type, Twilly, ou qui que ce soit d'autre qui conduit cette bagnole. Allez, monte.

– Mais il nous a dit qu'il ne voulait plus jamais nous revoir ! T'as oublié ?

Nick n'avait pas oublié.

– C'est notre seul moyen d'obtenir des réponses, fit-il. Toi, je sais pas, mais moi, je suis fatigué d'être en plein brouillard.

Marta fit la grimace et se prit la tête à deux mains.

– Mais tu es complètement, totalement, désespérément dingue ? Moi, j'aime mieux être dans le brouillard que, ben, morte. Ce mec avait des balles à sa ceinture, Nick. De vraies balles, ce qui veut dire qu'il a sans doute le vrai flingue qui va avec.

– Moi, je bouge pas, lui dit-il d'un ton catégorique. Soit tu rentres chez toi soit tu montes dans la voiture avec moi. Mais tu ferais bien de te décider vite fait car le voilà qui arrive.

Marta monta dans la voiture.

DIX-HUIT

Le dénommé Twilly ne manifesta aucune réaction en apercevant Nick et Marta à l'arrière de la Prius. Il s'installa au volant, déposa deux pizzas dans leurs boîtes sur le siège à côté de lui et démarra.

– Pouvez-vous nous emmener voir Mrs. Starch ? lui dit Nick.

Twilly ne répondit pas. Dans le rétroviseur, ils le virent compter tout seul.

– Qu'est-ce que vous faites ? lui demanda Marta.

– Je vous donne jusqu'à vingt pour me débarrasser le plancher.

– On bougera pas tant qu'on n'aura pas eu certaines réponses, lui dit Nick.

– Et si vous essayez de nous jeter dehors, ajouta Marta, je vais crier jusqu'à ce quelqu'un appelle les flics.

Twilly soupira puis dit :

– Que de comédie.

Se retournant sur son siège, il fit quitter à la Prius sa place de parking en marche arrière.

Marta pointa un doigt sur lui.

– C'est quoi, *ça* ?

– Des becs de vautour. Un ami me les a donnés comme porte-bonheur, dit Twilly.

Croûteux et décolorés par le soleil, les deux becs, attachés à une lanière de cuir râpé, pendillaient sur son torse nu. Marta fit la grimace et Nick lui articula silencieusement le mot « beurk ».

Twilly se faufila dans la circulation. Tâchant de masquer sa nervosité en faisant la conversation, Nick lança :

– Je suis en train de lire un des livres d'Edward Abbey. C'est trop cool.

Twilly le lorgna dans le rétro.

– Je suppose que ça veut dire que ça te plaît.

– Ouais, c'est un marrant, l'auteur. Le gang de la Clé à molette a vraiment existé ?

– Bon Dieu, j'aurais bien aimé.

Twilly rit dans sa barbe en enfonçant le bonnet de ski sur son front.

– Et toi ? demanda-t-il à Marta. Qu'est-ce que tu lis ?

– J'ai lu tous les Harry Potter… trois fois, répondit-elle. Sérieux, ces gros machins dégueus, ça vient des vautours ?

– Ouaip.

– Alors votre ami…

– Non, il ne les a pas abattus, il les a trouvés écrasés sur la route, des victimes de la circulation.

Marta approuva, fascinée.

– Leurs becs sont pas magiques ou un truc comme ça ?

– Ça, j'en sais rien.

Ils empruntèrent la bretelle de l'autoroute, s'éloignant de plus en plus de la ville. Nick se demanda s'il n'avait pas commis une grosse erreur. Ils ne savaient quasiment rien de ce type-là ; il pouvait rouler vers Belle Glade pour les balancer dans le lac Okeechobee.

– Mrs. Starch n'est pas votre vraie tante, hein ? fit Nick.

– Bien sûr que non, répliqua Twilly.

– Alors elle est, hum, votre prisonnière ? lui demanda carrément Marta. On sait que vous étiez dans le marais le jour de la sortie nature parce qu'on vous voit sur une vidéo que Nick a filmée… vous portez la même cartouchière qu'aujourd'hui. C'est vous qui avez allumé le feu ?

Nick se tassa sur le siège. Dès que Marta se sentait à l'aise, elle était capable de dire n'importe quoi. Aux yeux de Nick, le moment était mal choisi pour accuser Twilly de kidnapping et d'incendie criminel.

Pourtant, ce dernier ne se mit pas en colère.

– Quelles petites questions empoisonnantes, fit-il avec une nuance amusée dans la voix. Primo, je ne retiens pas cette chère tante Bunny prisonnière. Quiconque tenterait de faire une telle folie le regretterait toute sa vie, j'en suis sûr. En revanche, tu as raison, j'étais dans le Black Vine Swamp, ce jour-là. Mais je n'ai pas allumé le feu. C'est quelqu'un d'autre.

– C'était pas Smoke, hein ? s'entendit demander Nick.

– Smoke ?

– Son vrai nom, c'est Duane Scrod junior, ajouta-t-il. Marta l'a aperçu dans cette voiture, l'autre jour… avec vous.

– Je suis connu pour prendre des auto-stoppeurs, dit Twilly.

Nick poursuivit :

– Duane est dans le cours de biologie de Mrs. Starch avec nous. Hier, un inspecteur est venu l'arrêter pour cet incendie, mais il s'est enfui.

Marta s'impatienta.

– Il a dit à Nick qu'il était innocent, mais les sapeurs-pompiers ont découvert sa sacoche sur les lieux.

Dans le rétro, l'expression de Twilly était devenue grave.

– Ce ne sont pas eux qui l'ont trouvée, c'est un quidam. Et c'est lui qui a prévenu la brigade.

– Quelle différence ça fait ? questionna Marta.

– Une énorme différence, princesse.

– Comment vous savez tout ça ? demanda Nick, excité comme une puce. Vous avez vu Smoke ?
– Assez bavassé, fit Twilly.
Il tendit l'une des boîtes à pizza à Marta.
– Encore une question, s'il vous plaît, l'implora Nick. Après, on la bouclera. Pas vrai, Marta ?
Elle lui lança un sourire poli et sarcastique avant d'attaquer la pizza. Twilly tambourinait sur le volant.
– Qui a vraiment déclenché cet incendie ? demanda-t-il.
– Si je le savais, je ferais…
– Vous feriez… quoi ?
– Rien, dit Twilly en montant le volume de la radio à fond.

Le temps que Jimmy Lee Bayliss arrive aux urgences, Drake McBride n'injuriait plus les infirmières. On lui avait injecté un produit spécial pour qu'il se calme et retrouve un comportement normal. Elles racontèrent à Jimmy Lee Bayliss que son patron souffrait sans doute d'une commotion cérébrale pour être tombé sur la tête et qu'il avait sans doute aussi quelques côtes cassées.
– Ce Roi l'Éclair de mes deux m'a désarçonné, se plaignit Drake McBride, dans le coaltar. Puis il a fait des claquettes sur ma poitrine !
Jimmy Lee Bayliss s'assit puis lui dit :
– Ça va aller.
– Elles ne veulent même pas me laisser voir un médecin !
– Faut que vous attendiez votre tour, comme tout le monde.
– Mais pourquoi ? Je suis pas *tout le monde*, moi, geignit-il. J'ai essayé de leur donner du blé pour passer en premier, mais elles l'ont pris de haut…

Jimmy Lee Bayliss fut content d'avoir manqué cette scène.

– On peut pas filer un pot-de-vin à une infirmière. Ça marche pas comme ça dans les hôpitaux.

– C'était pas un pot-de-vin. Mais un pourboire.

Drake McBride s'interrompit pour vomir dans une bassine en plastique. Relevant la tête, il dit :

– Rendez-moi un service, mon pote. Allez à l'écurie et abattez ce bon à rien de canasson pour moi, vous voulez bien ? Avant qu'il n'estropie quelqu'un, votre serviteur pour ne pas le nommer.

– Oui, m'sieur, fit Jimmy Lee Bayliss, qui n'avait aucune intention de faire du mal au cheval en question.

Comme presque tous les samedis, le service des urgences de l'hôpital était surchargé. Parmi ceux qui étaient dans la salle d'attente avec eux, il y avait une femme d'âge mûr, qui avait percuté une boîte aux lettres à vélomoteur, un vieux monsieur qu'une balle de son partenaire de double avait assommé pendant un match de tennis et un jeune cambrioleur maussade (menotté à sa chaise) qu'un chien policier avait mordu dans une partie fort sensible de son anatomie.

– Cette piqûre m'a donné le tournis, fit Drake McBride. Et ma tête me fait toujours un mal de chien.

Son patron avait beau être groggy et souffrir, Jimmy Lee Bayliss décida de passer outre et de tout lui dire.

– M'sieur, j'ai de bonnes et de mauvaises nouvelles, lança-t-il.

Drake McBride gémit.

– Laissez-moi vous expliquer un truc : si vous avez des mauvaises nouvelles, alors c'est pas possible que vous en ayez des bonnes. Les mauvaises annulent toujours les bonnes.

Jimmy Lee Bayliss baissa la voix.

– On va inculper ce gamin pyromane pour avoir mis le feu à la section 22, annonça-t-il à Drake McBride. Ce qui veut dire qu'on est tirés d'affaire.

– D'accord, quoi d'autre ? Me cachez rien juste pasque je suis ici avec, je sais pas, neuf côtes fracturées et une grave blessure au cerveau.

Il lui parla d'abord de Melton.

– Ce bouffon est à nouveau tombé dans une embuscade. Cette fois, on l'a bombé d'orange fluo de la tête aux pieds puis attaché sur le capot de son camion.

– À poil, comme la dernière fois ? demanda faiblement Drake McBride.

– Oui, m'sieur.

– C'était un camion de la Red Diamond ?

– Heureusement, c'est moi qui l'ai trouvé et pas un étranger. Autrement, ça aurait été dans les journaux ou même aux infos de Fox TV : un type tout nu et tout orange en plein milieu des marais.

Son patron acquiesça d'un air sombre.

– Ouais, à tous les coups. Merci d'avoir gâché ma journée, qui était déjà bien mal partie à cause de ce cheval débile.

Mais Jimmy Lee Bayliss n'en avait pas terminé.

– Ceux qu'ont fait ça, quels qu'ils soient, ont retiré l'essieu avant du pick-up.

– Celui de la compagnie.

– Oui, m'sieur.

– Faut que je m'étende.

Se laissant glisser de sa chaise, Drake McBride se vautra par terre. Les autres patients, assis avec leurs parents, l'ignorèrent.

– Il y a pire, dit Jimmy Lee Bayliss. Un garde-chasse m'a appelé ce matin alors que j'étais au Lavauto. C'est là que j'avais emmené Melton pour le récurer et lui ôter sa couche de peinture.

Drake McBride gémit.

– Un garde-chasse fédéral ou d'État ?

– Un fédé. Un agent de la faune, c'est comme ça qu'il s'est présenté.

– Oh, me racontez pas.

– Ben ouais : on lui a signalé une panthère en liberté près de notre concession. Il veut venir vérifier dans le coin le plus tôt possible.

Drake McBride se redressa.

– Et alors, où est le problème ? Vous m'avez dit que ce félin n'était plus là. Que les coups de feu avaient suffi.

Jimmy Lee Bayliss avait beau savoir que son patron n'avait pas l'esprit très vif, être tombé sur la tête l'avait rendu inhabituellement lent.

L'agent de la faune n'aurait pas besoin de découvrir une panthère vivante sur la concession pour causer de gros ennuis à la Red Diamond Energy. S'il repérait ne serait-ce qu'une demi-empreinte de patte ou le plus infime tas de crottes moisi, le gouvernement pourrait intervenir pour superviser les opérations de forage, et peut-être même les arrêter.

– La loi sur les espèces menacées d'extinction est très rigoureuse, rappela-t-il à son patron, qui jura entre ses dents avant de s'effondrer à nouveau sur le sol douteux.

– Et si ce même agent de la faune s'aventure dans la section 22, fit Drake McBride, et y découvre notre petit projet confidentiel ? J'imagine qu'on devra fournir quelques explications puisque ce terrain appartient au grand État de Floride et pas à nous.

– J'y veillerai, répondit Jimmy Lee Bayliss. On a encore besoin de dix jours minimum avant de pouvoir enterrer la canalisation de transfert et, après, faudra se débrouiller pour que ce type reste concentré sur la section 21.

– Et pendant ce temps, dites-moi votre plan secret pour nettoyer tout le vieux caca que cette saleté de félin aura laissé derrière lui.

Jimmy Lee Bayliss n'avait aucune stratégie pour localiser et enlever les déjections de panthère. Il dit :

– La superficie est de trois cent vingt hectares. Tout ce qu'on peut faire, c'est prier pour qu'il pleuve un bon coup et bien fort.

– En pleine sécheresse ? Très drôle.

Drake McBride enfouit son visage dans ses mains et bascula sur le côté, toujours par terre.

– Je pourrais aussi bien mourir ici, fit-il, d'un ton lamentable.

Jimmy Lee Bayliss lui-même ne se sentait pas particulièrement heureux ni insouciant. À peine quinze jours plus tôt, il avait consulté des brochures immobilières du Costa Rica, rêvassant à la manière dont il dépenserait les millions de dollars qu'il allait gagner dans la magouille pétrolière de la Red Diamond. Aujourd'hui, il s'inquiétait de la façon d'échapper à la prison.

– On devrait donner une bonne augmentation à Melton, suggéra-t-il. Il est vraiment en rogne à cause de ce qu'il lui est arrivé et c'est sûr qu'on a intérêt à éviter qu'il blablate dans toute la ville.

– La peinture orange est partie ? demanda Drake McBride.

– Presque partout. Mais c'était difficile d'atteindre certains recoins.

– Faut qu'vous trouviez qui s'amuse à nous mettre des bâtons dans les roues. À n'importe quel prix.

– C'est mon objectif, vous en faites pas, dit-il.

Une infirmière bien charpentée s'approcha et intima à Jimmy Lee Bayliss de réinstaller son patron sur la chaise.

– Il verra bientôt le médecin, dit-elle, après la dame piquée par une guêpe et le monsieur qui s'est brûlé avec son barbecue.

– Gloire à Dieu, murmura Drake McBride, en se remettant à genoux avec difficulté.

Twilly Spree n'était pas un extraverti et, même s'il préférait en général la compagnie des animaux à celle des humains, il s'efforçait de se montrer prudent dans tous les genres de relation. Une fois, il s'était trop attaché à un abruti de chien[1] qu'il avait enlevé à son crétin de maître, pour lui donner une leçon – plusieurs leçons, en fait. Le moment venu de dire au revoir au chien, Twilly en avait éprouvé tant de tristesse et un tel vide qu'il s'en alarma. Des émotions aussi vives ne pouvaient, croyait-il, que le distraire de ses missions diverses et variées.

Les deux gamins assis sur la banquette arrière de la voiture n'étaient pas trop insupportables et avaient sans doute de bonnes intentions, pourtant Twilly garda un silence précautionneux, pendant le trajet jusqu'au Black Vine Swamp. Ses pensées étaient tournées vers le garçon qui se faisait appeler Smoke, à présent en cavale, et qui avait besoin d'aide.

C'était ennuyeux que Duane Scrod junior se soit fait piéger et Twilly soupçonnait la Red Diamond Energy Corporation d'être derrière cette machination. L'un de ceux qui travaillaient sur le site de forage de la compa-

1. Bakchich, le labrador fou de *Mal de chien* du même auteur *(N. d. T.)*.

gnie avait convoqué l'expert en incendie, brève rencontre que Twilly avait observée la veille à distance, depuis son perchoir dans un cyprès. Sur le moment, il n'était pas au courant pour la sacoche volée, mais avait pu reconstituer toute l'histoire après avoir parlé au jeune Duane en cavale et, plus tard, avec une secrétaire volubile du bureau du shérif.

Twilly suivit le raisonnement suivant : la Red Diamond voulait sûrement faire porter le chapeau à un gamin innocent pour cacher sa propre implication dans l'incendie volontaire. S'il ignorait pour quelle raison la Red Diamond avait allumé un feu de broussailles mettant ainsi en fuite des écoliers en sortie nature, il bossait sur des hypothèses.

La Red Diamond étant une compagnie récente, il y avait peu de renseignements sur Internet. Cependant, des détectives privés engagés par Twilly avaient déniché le nom de son PDG – Drake W. McBride –, ce qui était un début.

En attendant, il continuait ses incursions furtives dans la concession de la section 21, où il s'en était pris à deux reprises au même pauvre bougre dont il s'était occupé d'une manière un tant soit peu énergique.

Twilly Spree sentit qu'on lui tapait sur l'épaule. Depuis la banquette arrière, le garçon appelé Nick Waters lui demanda :

– Vous pourriez baisser la radio, s'il vous plaît ?

– Non.

– Alors changez de station au moins, renchérit la fille appelée Marta.

– Négatif.

En conduisant, Twilly écoutait les classiques du rock, rien d'autre.

Nick, penché par-dessus son épaule, lui demanda :

– Vous travaillez pour Mrs. Starch ?

– J'ai déjà dit : plus de questions. Mange plutôt de la pizza.

– Il aime ni les champignons ni les olives, dit Marta.

– Dommage.

Twilly ouvrit les vitres pour chasser de l'habitacle l'odeur de fromage de la pizza.

– Tenez-vous-le pour dit : je ne travaille pour personne, fit-il. Je suis quelqu'un d'inemployable, comme on dit.

– Vous êtes un genre de SDF ? demanda Marta.

– Tout le contraire. Je peux habiter n'importe où.

Twilly fut tenté de s'arrêter sur un bord de route à l'écart et d'y abandonner les deux gamins, mais se dit qu'ils pourraient lui être utiles plus tard. Au moins, ça ferait du bien à Duane junior d'apprendre que quelqu'un d'autre avait de l'affection pour lui.

Twilly quitta la route 29 pour un chemin de traverse poussiéreux. Quelques minutes plus tard, la Prius roulait au pas le long d'un passage cahoteux et envahi par la végétation, qui avait été autrefois la voie ferrée d'une exploitation forestière. Le sentier se terminait devant un portail cassé, avec un écriteau « DÉFENSE D'ENTRER » rouillé. Twilly se gara sous un figuier étrangleur géant, éteignit la radio et intima à ses passagers de ne pas faire de bruit. Il eut beau guetter le sifflement aigu de l'hélicoptère de la compagnie pétrolière, tout était calme dans le ciel.

Il descendit rapidement puis entreprit de dissimuler la voiture avec des branchages et des palmes qu'il avait coupés et empilés dans ce but. Si le manchot Nick Waters ne rechigna pas à lui donner un coup de main, la dénommée Marta resta craintivement à l'écart, tenant son portable bien en évidence.

– Libby Marshall est le numéro 2 dans ma numérotation abrégée et son père est inspecteur au bureau du shérif, alors n'allez pas vous mettre des idées folles en tête, le prévint-elle.

Twilly sourit.

– J'essaierai de me contrôler. Vous êtes prêts pour une balade ?

– Tout à fait, fit le garçon.

– On va loin ? demanda la fille.

Vingt minutes plus tard, l'eau du marécage lui arrivant jusqu'aux genoux, elle reposa la question d'une voix plus forte.

Twilly posa un doigt sur ses lèvres et continua à patauger de plus belle. Il les mena le long d'une piste détrempée, à travers un marais sans arbres jusqu'à ce qu'ils pénètrent enfin dans des étendues de pinède en terrain sec. Là, il vit des traces récentes de daim à queue blanche, de lynx et de ratons laveurs, mais ne s'arrêta pas pour montrer les diverses empreintes et autres crottes aux enfants. Twilly n'avait pas le temps de jouer les guides ; il était pressé.

Les boîtes à pizza en équilibre sur sa main libre, le garçon nommé Nick rattrapa Twilly et marcha à sa hauteur. D'une voix étouffée, il lui demanda :

– Il y a des panthères par ici ?

– T'en as pas entendu crier une, pendant la sortie nature ?

– Non, c'était vous, fit-il. N'est-ce pas ?

L'homme lui fit un clin d'œil et non de la tête.

– Pas possible !

Le garçon eut l'air aux anges.

Quelques pas en arrière, la fille appelée Marta râlait.

– Pourquoi on utilise pas le chemin de planches comme les gens normaux ? Mes Converse toutes neuves sont complètement fichues !

Une buse à épaulettes, tenant une souris dans ses serres,

passa au-dessus d'eux. Une fois encore, Twilly s'arrêta pour écouter : le seul bruit venant du ciel était celui d'un pivert qui faisait des trous dans un arbre mort.

Marta les rejoignit en disant :

– C'est ridicule. Où est Mrs. Starch ?

Twilly glissa deux doigts dans sa bouche et siffla. Il n'y eut aucune réponse, ce qui était le signal convenu pour qu'il poursuive son chemin.

Marta lâcha tout à trac :

– Et s'il ne nous conduisait pas vraiment auprès de Mrs. Starch, Nick ? Et s'il voulait nous découper en morceaux pour nourrir les alligators ?

– La chair humaine est trop dure. Les « gators » préfèrent le poisson, observa l'homme avant de recommencer à avancer.

Nick resta à ses côtés.

– Elle a peur, c'est tout, lui murmura-t-il.

Twilly comprenait. Il était le premier à reconnaître qu'il n'avait pas la tête de quelqu'un de fiable.

– Bientôt, tout deviendra limpide, dit-il. Enfin, plus ou moins.

– Je vous fais confiance.

– Ma foi, Nick Waters, je n'irais pas *jusque-là*.

– Mon père me dit toujours de suivre mon instinct.

– Il a été salement blessé en Irak, hein ?

Le garçon fut pris de court.

– Comment vous savez ça ?

– Duane m'en a parlé, répondit Twilly. Tu t'es pas bousillé le bras pendant un match de lacrosse, comme tu me l'as raconté, pas vrai ?

– Non, j'ai menti.

– Je m'en doutais. J'avais jamais vu d'attelle aussi bizarroïde.

Twilly donna une chiquenaude à la drôle de bosse qui gonflait le T-shirt du garçon derrière son épaule droite.

– Mon bras n'a rien, avoua-t-il. J'apprends à être gaucher.

– Comme ton père.

Nick acquiesça et se tut.

– C'est bien, dit Twilly.

Il essaya de se rappeler s'il avait aimé son propre père aussi profondément que Nick Waters aimait le sien. Les émotions, c'était compliqué, comme ses souvenirs d'enfance.

Dans leur dos, la fille s'écria :

– J'espère que vous êtes contents tous les deux, j'ai des ampoules à mes ampoules !

Ils étaient maintenant assez proches pour que Twilly Spree puisse sentir l'odeur boisée du feu de camp de la veille au soir.

– C'est quand la dernière fois que tu as vu une panthère en liberté ? demanda-t-il à Nick.

– Jamais.

– Alors, c'est ton jour de chance.

DIX-NEUF

Le campement secret était dans l'ombre, sous une canopée d'arbres emmêlés. Il y avait deux mini tentes et un foyer creusé dans la terre. Fixée au sol par des piquets, une bâche d'un vert fané protégeait un tas de provisions et de fournitures montant à hauteur de poitrine.

Un rabat s'ouvrit dans l'une des tentes : une silhouette grande et maigre rampa à l'extérieur, celle de Mrs. Starch. Elle se mit debout lentement, en se brossant de la main ; ses yeux jetèrent des éclairs à la vue de Nick et de Marta.

– Qu'est-ce que ça veut dire ? demanda-t-elle.

– Ils ont détourné la voiture, expliqua Twilly. Enfin, disons ça comme ça.

– Oh, je vous en prie, fit Mrs. Starch en fronçant les sourcils.

Malgré l'accueil glacial, Nick fut soulagé de voir que son professeur de biologie était indemne et aussi revêche qu'à l'accoutumée. Le chapeau de paille mis à part, elle portait le même genre de vêtements que lors de la sortie nature : ample chemise à manches longues, pantalon de toile et cuissardes. Pourtant, Mrs. Starch avait l'air différent : plus âgée et plus fatiguée. Son maquillage chargé s'était dilué et une raie de racines couleur café coupait en deux sa masse de cheveux teints en blond, retenus par une vague queue-de-cheval. Aucune trace de ses énormes lunettes de soleil libellule.

– À votre tour de les recevoir. Je pars en patrouille popo, lui dit Twilly qui regagna les bois d'un pas nonchalant.

Nick supposa qu'il allait faire une pause-pipi.

Mrs. Starch se mit à marcher de long en large comme elle le faisait en classe. Cela eut le même effet éprouvant sur les nerfs de Marta qui devint verdâtre et nauséeuse. Nick posa les boîtes à pizza sur une souche.

– Qu'avez-vous à dire pour votre défense ? fit Mrs. Starch.

Marta n'était pas en état de parler et Nick n'avait pas encore inventé de justification. Le mieux qu'il put trouver fut :

– On était inquiets.

– Inquiets ou simplement fouineurs ? lui répliqua-t-elle. C'était assez grossier de votre part d'entrer chez moi par effraction. Et maintenant ceci ?

Nick crut entendre un faible cri étouffé, sans pouvoir dire d'où il provenait. Toujours agrippée à son portable, Marta s'assit sur un rondin près du foyer et inspira profondément pour mieux repousser sa nausée.

Le vent, venu du nord, souffla plus fort, mettant un froid mordant dans l'air. Mrs. Starch écrasait brindilles et feuilles, qui crissaient sous ses pas, en allant et venant devant eux. Elle parut moins grande à Nick que dans son souvenir.

– Vous n'avez pas le droit d'être ici. Strictement aucun, dit-elle.

Marta leva mollement la main.

– Tout ça, c'est l'idée de Nick.

– Je n'en doute pas.

– On veut juste savoir ce qui se passe, s'entendit répondre Nick.

– Soyez plus précis.

– D'accord : l'incendie. Parlez-nous de l'incendie.

– Ah, dit Mrs. Starch.

– Et de Smoke… de Duane junior, je veux dire.

Le professeur arrêta son va-et-vient et se planta, les mains sur les hanches.

– Quelque chose d'autre ?

– Oui, fit Nick.

Il avait tellement de questions à poser.

Marta pépia :

– Votre maison… tous ces animaux empaillés…

Mrs. Starch agita un index osseux en signe de protestation.

– Là. C'est personnel. Beaucoup trop personnel.

Nick entendit à nouveau un cri bizarre… comme celui d'un oiseau prisonnier d'une taie d'oreiller.

– Et *ça*, c'est quoi ? demanda-t-il.

Elle jeta un coup d'œil soucieux derrière elle. Dans l'ombre tachetée de lumière, la cicatrice en forme d'enclume sur son menton était si foncée qu'elle paraissait presque violette.

– Je n'ai rien entendu, dit Marta.

Mrs. Starch se pencha jusqu'à se trouver nez à nez avec Nick et, de tout près, son nez à elle n'avait rien de particulièrement attrayant. Il était sali de boue et piqueté, à ce qu'il semblait, de minuscules piqûres d'insecte.

– Je vais vous montrer quelque chose d'extraordinaire, dit-elle. Mais si l'un de vous en souffle un seul mot à âme qui vive, si vous bavassez à tort et à travers, alors je jure que je vous… je vous…

– Vous nous sacquerez ? termina Nick.

– Vous nous tuerez ? demanda Marta.

– Pire ! s'exclama Mrs. Starch. Je perdrai tout le respect que j'ai pour vous.

Nick cilla. C'était une première nouvelle pour lui que

Mrs. Starch eût le moindre respect pour eux et, à en juger par la réaction perplexe de Marta, c'en était une pour elle aussi.

– Personne d'autre que vous deux ne doit être au courant, leur dit le professeur avec insistance. Pas même votre père ou votre mère. Ni vos petits copains à la langue bien pendue de Facebook. Ni votre cousin au troisième degré de Trifouillis-les-Oies. *Personne*. C'est bien clair ?

– Comme de l'eau de roche, murmura Marta.

Mrs. Starch saisit Nick par l'épaule gauche.

– C'est une question de vie ou de mort, chuchota-t-elle. Vous pouvez comprendre ça ?

– On ne dira rien à personne, fit Nick.

– De vie ou de mort, répéta Mrs. Starch.

Puis, se laissant tomber à quatre pattes, elle se précipita dans sa tente.

Comme on pouvait s'y attendre, la presse et les stations de télé locales qualifièrent Duane Scrod junior de « jeune délinquant anonyme » déjà arrêté pour incendie criminel. Mais, même si les autorités avaient livré *in extenso* le nom du garçon, l'existence stable et bien organisée du Dr Dressler n'en aurait pas moins volé en éclats sous l'impact.

UN ÉLÈVE DE L'ÉCOLE TRUMAN RECHERCHÉ POUR INCENDIE VOLONTAIRE ÉCHAPPE À LA POLICE

Ce fut juste l'un de ces gros titres déplaisants qui poussa le conseil d'administration de l'école à se réunir d'urgence, un samedi. Ses membres, bouleversés à l'extrême, posèrent de nombreuses et pénibles questions au directeur, qui y répondit du mieux qu'il put.

Si certaines observations étaient tout à fait injustes, à son avis, il ne gaspilla pas d'énergie à essayer de se défendre. L'atmosphère dans la pièce n'était déjà que trop tendue, ce qu'il pouvait comprendre. S'il était déjà relativement scandaleux qu'un élève de l'établissement ait été inculpé d'un grave délit, les comptes rendus médiatiques sensationnalistes de la folle échappée de Duane Scrod junior à travers l'école – laissant sur place l'inspecteur du shérif défait et essoufflé – avaient enfiévré le conseil.

Bien qu'à proprement parler, son boulot ne consistât ni à arrêter ni à menotter des incendiaires, le Dr Dressler s'attendait à être sanctionné, peut-être même renvoyé, pour avoir autorisé le policier à arrêter le garçon pendant les heures de cours.

Au final, le conseil donna un blâme au directeur et ordonna l'exclusion de Duane Scrod junior, avec prise d'effet immédiate. Quand le Dr Dressler souligna que la grand-mère de Duane junior faisait, chaque année, don de grosses sommes à l'école, les membres du conseil tinrent un conciliabule qui aboutit à un nouveau vote. Cette fois, ils décidèrent que le garçon serait « exclu temporairement » jusqu'à ce que l'affaire passe devant les tribunaux ; moment auquel son maintien au sein de l'école Truman serait réexaminé.

Le Dr Dressler faisait face à deux corvées désagréables. La première consistait à prévenir Millicent Winship, la richissime grand-mère de Duane Scrod junior, la seconde à prévenir Duane Scrod senior, son timbré de père. Le directeur, après avoir tiré à pile ou face, roulait à présent vers le domicile des Scrod.

Au tournant de la route, il remarqua un adjoint du shérif assis dans une voiture de police, garée à l'un des angles. Juste en face, il aperçut une berline sombre aux vitres teintées… sans doute un autre policier dans un véhicule banalisé. Ils attendaient de mettre la main sur Duane

Scrod junior si jamais il tentait de se faufiler chez lui. Le Dr Dressler songea qu'ils auraient plus de chance s'ils se dissimulaient.

Le directeur s'arrêta près du 4 × 4 Tahoe bombé de graffiti appartenant au père de Duane. Comme précédemment, de la musique classique s'échappait des fenêtres : Beethoven, cette fois, et non pas Bach. À contrecœur, il descendit de voiture et monta lourdement les marches pour frapper à la porte à moustiquaire.

On coupa la chaîne stéréo et une voix rauque beugla :

– Entrez ! Et faites vite !

– Mr. Scrod ?

Le directeur entra prudemment. Duane Scrod senior se prélassait sur un transat en faux cuir devant la télévision allumée, son coupé. Sa casquette était posée en travers de son crâne et sa chemise délavée, déboutonnée jusqu'à la taille. Perché sur l'accoudoir usé jusqu'à la trame, se tenait l'énorme ara bleu et or.

– J'vous remets, vous, fit Duane Scrod senior, d'une voix groggy. Nadine aussi.

– Je peux m'asseoir ?

– Nan. Déballez votre affaire et passez votre chemin. J'ai déjà eu trop de visites aujourd'hui.

L'homme ne décollait pas les yeux de l'écran de télé. L'oiseau, lui aussi, paraissait comme hypnotisé.

– Vous regardez quoi ? demanda le Dr Dressler.

– Une émission de cuisine. Française.

Ça n'était pas ce qu'aurait supposé le directeur en premier. À en juger par l'aspect primitif de l'individu, le Dr Dressler se serait attendu à le trouver branché sur du catch pro ou bien un derby de démolition de vieilles voitures, un samedi matin. Mais l'habit ne fait pas le moine, se remémora-t-il. Après tout, c'était un amateur de musique classique.

Duane senior prit une gorgée de Mountain Dew puis dit :

– La mère de Junior vit à Paris. On a pensé qu'elle pourrait faire une apparition dans cette émission quand est arrivé le moment de la recette où on rajoute le fromage. Elle a une boutique qui vend que ça… des bons fromages ! Vous imaginez ?

Le Dr Dressler ne sut quoi répondre. Plongeant sa main dans la poche de sa veste, il en sortit deux paquets de crackers aux oignons, en provenance de la cafétéria de l'école.

– J'ai apporté ça pour Nadine.

En un éclair, l'oiseau fondit sur le directeur, lui arracha la friandise des mains puis regagna la chaise longue d'un coup d'aile.

Duane Scrod senior gronda l'oiseau pour ses mauvaises manières.

– On dit quoi au monsieur, Nadine ?

– Merci mille fois ! criailla l'oiseau. *Danke schön ! Thanks a million !*

Le Dr Dressler s'empressa d'en venir au fait :

– Je suis là pour vous parler de Duane junior, fit-il. Après tout ce qui s'est passé, je crains bien que nous devions l'exclure de l'école.

Le père du garçon se tourna enfin vers le directeur et le fixa droit dans les yeux.

– J'ai certainement pas envie d'être celui qui va annoncer ça à sa mamie.

– Non, monsieur, c'est mon boulot. Vous avez regardé les infos ?

– Ouais. Au moins, on n'a pas cité son nom.

– La situation est très grave, fit le Dr Dressler.

Duane senior en convint.

– C’est une honte, aussi. Ces derniers jours, D. J. a pas mal potassé. Et puis il a fallu que tout ça lui tombe dessus.

Il balaya d’une pichenette un morceau de cracker sur sa manche en disant :

– Nadine, tu manges comme une cochonne.

Son oiseau et lui reconcentrèrent leur attention sur le programme de cuisine française. Le Dr Dressler resta là, ne se sentant pas à sa place et ne sachant pas quoi faire. En tant que directeur de l’école Truman, il était de son devoir dans des moments aussi difficiles de dispenser des conseils utiles aux parents, mais jamais auparavant, il n’avait eu affaire à un personnage semblable à Duane Scrod senior.

– Je peux ajouter quelque chose ? demanda le Dr Dressler.

– D’accord, mais uniquement pasque vous avez apporté des crackers.

– La meilleure chose que votre fils puisse faire, c’est de se livrer à la police, et le plus tôt possible.

Duane Scrod senior se gratta la casquette.

– Vous avez peut-être raison, mais si vous aviez tort ? Qu’est-ce qui arriverait à Junior, alors ?

– Mr. Scrod, on va bien finir par le rattraper. Et quand ça arrivera, il passera un très mauvais quart d’heure. Si vous voyez Duane, dites-le-lui de ma part, s’il vous plaît.

– Et zut, dites-le-lui vous-même. Hé, Junior ?

Duane Scrod senior s’avança sur son siège en élevant la voix.

– D. J., rapplique un peu par ici !

Le Dr Dressler entendit un grincement de porte, suivi de pas dans le couloir. Duane Scrod junior apparut, l’air calme mais grave. Portant une sorte de tenue de chasse à motif camouflage, il tenait son casque de moto sous un bras.

Le directeur, qui ne s'était jamais trouvé en présence d'un individu en cavale, était plus nerveux que Duane junior.

– Que faites-vous ici ? demanda-t-il au garçon.

– Ma lessive, répliqua-t-il, très terre à terre.

– Mais la police est en planque des deux côtés de la rue !

– Je suis rentré par-derrière, expliqua le gamin. En passant par la cour des voisins. Ils sont allés au rodéo de Zolfo Springs.

Duane senior prit la parole :

– Junior, le monsieur dit que t'es exclu de l'école.

– Bof.

– Et aussi que tu devrais te livrer.

– Ouais, c'est ça, dit Duane junior.

L'oiseau criailla, décolla de la chaise longue et frôla le Dr Dressler en quête d'un surplus de crackers. Le directeur baissa la tête mais en pure perte. L'ara atterrit directement sur son épaule et se mit à lui becqueter le crâne.

– Nadine ! aboya Duane Scrod senior.

– Au secours, geignit le Dr Dressler.

Duane junior s'empara de l'oiseau et le flanqua dehors par la porte d'entrée. Son père soupira puis se réinstalla devant son émission culinaire. Le directeur tâta avec précaution le col de sa chemise pour s'assurer que Nadine n'y avait pas laissé un petit présent désagréable.

– Cet oiseau est le roi des emmerdeurs, marmonna Duane junior, en s'essuyant les mains sur son pantalon.

– Je saigne ? lui demanda le Dr Dressler.

– Rien qu'une égratignure. Lavez-vous bien en rentrant chez vous.

Le directeur pesa les mots suivants avec soin.

– Duane, vous ne pourrez pas fuir indéfiniment.

– C'est pas mon intention.

– Si vous aviez un avocat, il vous conseillerait de vous rendre immédiatement à la police.

– Et je lui répondrais la même chose qu'à vous : je peux pas prouver mon innocence si je suis bouclé en prison.

– Duane, écoutez-moi seulement...

– Non, vous, écoutez-moi. J'ai pas allumé ce feu, je porterai pas le chapeau.

Duane junior paraissait en colère et ça n'avait pas l'air d'être de la frime. Au fil des années, le directeur avait entendu nombre de mensonges maladroits et autres bobards, inventés par des élèves qui s'étaient mis dans le pétrin, et il se considérait comme un homme difficile à berner. À présent, en regardant Duane Scrod junior dans les yeux, il lui vint à l'esprit que le garçon pourrait bien dire la vérité.

– Si vous n'êtes pas l'incendiaire, qui est-ce ?

– Aucune idée.

– Comment votre sacoche a-t-elle atterri dans le marais ?

Duane junior lança un coup d'œil à son père et baissa la voix.

– Papa m'a dit qu'un employé des impôts est venu ici et l'a volée, mais qui sait. Il y a des jours où il est complètement à l'ouest.

Ils entendirent un *flouap* sonore et, en se retournant, aperçurent Nadine suspendue comme une mite géante à la porte à moustiquaire. Duane senior leva les yeux de la télé et agita le poing.

– Vous avisez pas de la laisser rentrer tant qu'elle ne s'est pas excusée ! Et en trois langues, encore !

Son fils n'y prêta aucune attention. Il s'adressa au Dr Dressler et lui dit :

– À mon tour de vous poser une question.

– Mais certainement.

Le directeur était avide de formuler un conseil de bon aloi.

– Allez-y franco avec moi, fit-il. En quittant cette maison, vous allez courir dire aux flics que je suis ici ?

Il hésita, rien qu'un instant, et sursauta en s'entendant répondre :

– Non, Duane. Je n'en soufflerai pas mot. C'est promis.

– Merci, mec, dit le garçon surnommé Smoke avant de disparaître dans le couloir.

Mrs. Starch ressortit de la tente en tenant délicatement son chapeau de paille, le fond tourné vers le bas. Le chapeau semblait pleurer.

– Chut, maintenant, fit-elle.

Puis, très calmement, elle s'adressa à Marta :

– Il y a une glacière pleine de bouteilles de lait sous la bâche. Voudriez-vous bien aller m'en chercher une ?

Mrs. Starch s'assit en tailleur au pied d'un cyprès, le chapeau sur les genoux. Elle chauffa la bouteille entre ses mains, la décapsula et y adapta une tétine en caoutchouc. Nick et Marta s'accroupirent devant elle. Jetant un œil dans le chapeau, ils aperçurent une boule de fourrure couleur miel, qui s'y contorsionnait.

C'était un chaton comme ils n'en avaient jamais vu.

– On l'appelle Flac, dit-elle, parce qu'il fait pipi en permanence !

Le petit félin se précipita sur la bouteille et se mit à téter bruyamment. Quand Marta tendit la main pour le câliner, Mrs. Starch l'en empêcha.

– Règle n° 1 : pas de caresses, fit-elle.

– Il est trognon, murmura Marta, s'approchant aussi près que le lui permit son professeur. C'est quoi ?

– Je parie que Nick le sait.

– C'est un bébé panthère, fit-il.

Une version bien vivante de celui qu'il avait vu, empaillé, dans la maison de Mrs. Starch.

Le professeur sourit.

– C'est exact. Une panthère de Floride. Nom scientifique ?

– *Puma concolor coryi.*

– Exact encore une fois. Quelqu'un a vraiment lu le programme de mon cours ! s'exclama-t-elle. L'autre réponse acceptable aurait été *Felis concolor coryi*, bien que *Puma* soit plus poétique. Dans certaines parties d'Amérique du Sud, le mot signifie « animal à la magie puissante ».

Aux yeux de Nick, le bébé panthère était d'une beauté irréelle, exotique et pourtant délicate. Son pelage était moucheté de taches qui s'effaceraient avec le temps et sa longue queue fauve recourbée au bout était annelée presque comme celle d'un léopard. Démesurées et pointues, ses oreilles duveteuses étaient blanches comme du coton à l'intérieur.

Le museau du panthéreau, encadré de bandes de fourrure noires comme du charbon, dégoulinait pour l'instant de lait qui lui dessinait une moustache de bandit. Ses yeux, à peine ouverts, étaient d'une nuance bleu crémeux. Ils vireraient bientôt au marron et enfin à de l'or pâle, se souvint Nick d'après ses lectures. Les pattes de devant, déjà aussi grandes que celles d'un matou, agrippaient le col du biberon de fortune.

Et quel moteur puissant pour une créature si miniature : plus un vrombissement qu'un ronronnement.

– Où est la maman ? voulut savoir Marta.

– Pas si fort, ma chérie, dit Mrs. Starch.

– La mère du petit est morte ? demanda Nick, craignant le pire.

Il restait si peu de panthères en liberté qu'il était rare d'en voir une.

– Non, sa mère est vivante, répondit-elle. Du moins, c'est ce que croit Mr. Spree et il s'imagine être un expert.

Le petit fauve recracha soudain la tétine en émettant un rot digne d'un lion. Mrs. Starch éclata de rire, spectacle peu commun.

Elle dit à Nick et à Marta :

– Vous avez des tas de questions, vous deux, et j'y répondrai en temps voulu. Mais, pour l'instant, le petit roi Flac doit finir de dîner… n'est-ce pas, mon bébé ?

Comme s'il avait compris, le panthéreau miaula pour une rallonge de lait.

Mrs. Starch souleva doucement la bouteille et la porta à la gueule du félin en se mettant à fredonner une berceuse. Le chant était étonnamment joli et apaisant. Marta et Nick étaient stupéfaits ; c'était un aspect de la personnalité de leur professeur qu'ils n'avaient jamais remarqué ni même soupçonné.

Ils restèrent assis paisiblement dans le marais à l'écouter fredonner pendant que le panthéreau tétait goulûment et que les feuilles émeraude tremblotaient au-dessus de leurs têtes, s'agitant au soleil.

La brise fraîche était on ne peut plus agréable. Nick tendit la main vers celle de Marta.

VINGT

Dans sa quête de la panthère disparue, Twilly Spree avait quadrillé des centaines d'arpents du Black Vine Swamp. Ses recherches étaient lentes et souvent fastidieuses, et ce jour-là, elles le menèrent vers une futaie de cyprès impressionnants qu'il n'avait pas encore explorée.

Courbant l'échine, les yeux rivés au sol, il s'avançait en calculant le moindre de ses mouvements. Sous le couvert dense des arbres, les crottes de panthère n'étaient pas toujours faciles à voir.

Un éclair rose attira son attention. Il crut, tout d'abord, que c'était un pétale de volubilis. Mais, en le ramassant, Twilly réalisa qu'il s'agissait d'un fanion attaché à du fil de fer. Puis il en repéra un autre et d'autres encore, plantés dans un alignement parfait.

Il accéléra le pas. En suivant ces repères jusqu'à l'orée des cyprès, il tomba sur un périmètre boueux que des véhicules tout-terrain paraissaient avoir aplani, en reculant, freinant, patinant avec leurs grosses roues…

Il poursuivit sa route, arrachant chaque fanion de plastique qu'il repérait. La piste l'emmena sous la canopée luxuriante d'une vaste clairière, si bien abritée par les arbres qu'elle était pratiquement coupée du soleil et du ciel.

Au centre se trouvait une fosse rectangulaire, creusée par la main de l'homme. Non loin de là, on distinguait un tas de tuyaux métalliques noirs deux fois plus haut que

Twilly Spree et du même diamètre (vingt centimètres) que ceux qu'il avait confisqués sur le terrain de la compagnie pétrolière pour en faire don à Haïti. Il y avait aussi quatre palettes de bois de construction, une cuve d'eau (vide) et une cuve de carburant (pleine). De l'autre côté de la clairière s'empilaient plusieurs caisses portant des étiquettes d'expédition de sociétés d'équipement du Texas et de l'Oklahoma, toutes libellées à l'ordre de « J. L. Bayliss, aux bons soins de la Red Diamond ». Twilly, soulevant le couvercle de l'un de ces volumineux containers, mit au jour un moteur Diesel neuf qu'on utiliserait, supposa-t-il, pour alimenter le trépan électrique.

Il s'avança jusqu'au bord de la fosse, remplie en partie d'eau souterraine. Dégager et creuser un tel site en secret avait dû nécessiter un emploi du temps rigoureux et une équipe réduite. La mise en chantier était ambitieuse, chère… et complètement illégale. D'après les renseignements réunis par ses détectives privés, Twilly savait que la Red Diamond n'était ni propriétaire ni concessionnaire de cette parcelle de terrain qui faisait partie de la réserve naturelle appartenant à l'État de Floride.

Sous le dôme frais et ombreux, Twilly Spree s'assit sur une caisse pour réfléchir à ce qu'il devait faire. Il caressait les vieux becs de vautour fragiles pendus autour de son cou, au cas où ils renfermeraient encore une trace de leur magie d'origine.

Ou de n'importe quelle autre magie.

Dès que le bébé panthère se fut endormi dans son chapeau, Mrs. Starch le rentra dans la tente. Quand elle en ressortit, elle dit :

– Et maintenant, où est cette délicieuse pizza froide ?

Nick lui présenta les boîtes. Elle engloutit quatre parts sans prendre le temps de respirer.

– Quel âge a ce petit ? demanda Marta.

– Quelques semaines à peine, d'après Mr. Spree. Excusez-moi… mais nous manquons de serviettes.

Mrs. Starch s'essuya les lèvres avec sa manche.

– Flac a besoin du lait de sa maman. Pour l'instant, on le nourrit de lait en poudre spécial préparé par une amie de Mr. Spree, qui travaille au Metrozoo. Les bouteilles sont livrées tous les mardis et tous les vendredis par hélicoptère privé, ce qui vous donne une petite idée des moyens de Mr. Spree.

– Vous voulez dire qu'il est, hum, riche ? s'exclama Marta. Il n'en a vraiment pas l'air.

– Ce petit est trop jeune, poursuivit Mrs. Starch. Sans sa mère, il ne s'en sortira pas. Même si je consacrais la prochaine année de ma vie, ici dans les bois, à m'occuper de lui, je ne pourrais pas lui apprendre à chasser.

– Et si vous le mettiez dans un zoo ? suggéra Marta.

– Mr. Spree refuse. Il ne veut pas en entendre parler.

Nick demanda à Mrs. Starch de commencer par le commencement.

– Le jour de la sortie nature, dit-il, quand le feu s'est déclaré.

– Oui, bien sûr.

– Et que vous êtes repartie chercher l'inhalateur de Libby.

– Ouais, c'était très… euh…, fit Marta.

Le professeur haussa un sourcil.

– Très quoi ?

– Courageux, termina Marta avec une grimace de culpabilité.

Nick savait qu'elle était ennuyée d'avoir dit tant d'horreurs sur le compte de Mrs. Starch.

– Désolée de vous décevoir, dit celle-ci, mais je ne suis pas une sorcière.

Marta rougit.

– Comment savez-vous que je vous ai appelée comme ça ?

– Je suis équipée d'un Sonotone en classe. Je n'en ai pas vraiment besoin, mais j'aime bien vous écouter à votre insu, quand vous autres, élèves, commencez à chuchoter.

Mrs. Starch eut un sourire entendu.

– L'appareil n'est pas plus gros qu'un bouton. Vous ne l'avez sans doute jamais remarqué.

Marta parut humiliée.

– Oh, vous n'êtes pas la première à me traiter de sorcière, continua-t-elle, ou pire encore.

Tout ce que Marta trouva à dire fut :

– Je ne le pensais pas.

– Mais si. Et ça ne fait rien.

Mrs. Starch, à l'entendre, n'avait l'air d'éprouver ni colère ni ressentiment.

– Écoutez, mon travail consiste à remplir vos jeunes têtes de connaissances et certains domaines de connaissances sont parfois ennuyeux. Vraiment ennuyeux. Ce qui signifie que je dois me montrer sévère pour conserver l'attention de mes élèves. Même si je ne m'attends pas à remporter la palme de la popularité, vous saurez en tout cas rédiger cinq cents mots intelligents sur le cycle de Calvin à la fin de mes cours.

Elle ouvrit une autre glacière, dont elle sortit trois bouteilles d'eau fraîche. S'en réservant une, elle tendit les deux autres à Nick et à Marta.

– Pour en revenir à l'incendie, dit-elle. Il m'a fallu un petit moment pour retrouver l'endroit où Libby avait laissé tomber son inhalateur. La fumée était épaisse et j'ai commencé à tousser. Mes poumons me brûlaient, mes yeux me piquaient et, assez vite, j'ai perdu ma route en revenant vers le chemin de planches. Je n'ai simplement pas réussi à le retrouver. En fait, je ne voyais pas plus loin que le bout de mon nez… et ce n'est pas un nez facile à rater, comme vous l'avez sans doute noté.

– Qu'est-ce que vous avez fait ? demanda Nick.

– J'ai paniqué, bien entendu.

Marta réprima un gloussement.

– J'ai bredouillé, j'ai pleurniché, j'ai hurlé à l'aide, poursuivit le professeur. Franchement, j'ai cru que j'allais mourir brûlée vive au milieu de ce marécage. Et puis, surgi de nulle part, quelqu'un est arrivé en courant dans mon dos.

– Twilly ? devina Marta.

– Exact. Il m'a prise par la main et traînée quasiment tout le temps jusqu'à son campement. Il ne m'a pas demandé qui j'étais ni même si j'étais blessée. Tout ce qu'il m'a dit, ça a été : « J'ai besoin de votre aide. »

Nick essayait de visualiser la scène. Twilly pouvait faire une forte impression, la première fois.

– Vous n'avez pas eu peur de lui ?

– J'avais bien plus peur du feu, répondit Mrs. Starch. Mr. Spree m'a baigné les yeux avec de l'eau distillée et m'a donné une bière tiède à boire, que j'ai refusée. Alors, il m'a montré cet exquis et magnifique petit félin…

Sa voix mourut alors qu'elle regardait tristement vers la tente.

– Vous saviez ce que c'était ? demanda Marta.

– Bien sûr. Je connais toutes les espèces menacées de Floride… et vous devriez les connaître, vous aussi.

– Oui. J'y travaille, dit Marta.

– Mr. Spree m'a raconté qu'un imbécile avait effrayé la mère panthère à coups de fusil. Il avait découvert son petit qui pleurait dans les bois… il était si minuscule que ses yeux n'étaient même pas ouverts. Avant que j'aie pu dire ouf, il me l'a mis dans les bras en me donnant un biberon, et il m'a dit : « Si vous ne le nourrissez pas, il va mourir. Et il pourrait bien mourir de toute façon si on ne retrouve pas bientôt sa maman. » Et me voilà.

– Une remplaçante, dit Nick.

C'étaient donc là « les problèmes familiaux urgents » qui tenaient Mrs. Starch éloignée de l'école.

– Une nounou suppléante. Une *cat-sitter*. Je n'avais pas d'autre choix que de prendre le train en marche, dit-elle. Mr. Spree ne pouvait pas s'occuper de Flac s'il partait toute la journée à la recherche de sa mère. Alors, je me suis arrangée pour me mettre en congé de l'école Truman, pour la première et unique fois en dix-huit ans. Mon seul regret, c'est de vous avoir livrés, vous mes élèves, au Dr Waxmo qui, franchement, appartient à une autre branche professionnelle… celle d'artiste de cirque, peut-être.

Marta poussa un gémissement.

– Ce type est un vrai cauchemar.

– Oh, je sais, fit Mrs. Starch tristement. Duane m'a fait un rapport complet sur Wendell. J'ai envoyé Mr. Spree bavarder avec lui et il est tombé malade peu après. En tout cas, la nouvelle remplaçante, Mrs. Robertson, est une enseignante des plus capables…

– Attendez une minute. Comment Duane s'inscrit dans le tableau ? demanda Nick.

– J'y viens. Soyez patients.

– La police le poursuit ! On pense qu'il a mis le feu pour se venger après ce qui s'est passé en classe, mais il m'a dit qu'il ne l'avait pas fait. Quelqu'un a volé sa sacoche puis l'a déposée par ici pour le faire accuser.

Mrs. Starch but longuement à la bouteille d'eau, en prenant son temps.

– Selon le journal, dit-elle, on a découvert aussi un allume-feu au butane. Ça me paraît terriblement suspect.

Nick se sentit hausser le ton.

– Mais je sais que Duane dit la vérité, qu'on lui a bien fauché son sac parce qu'il est venu m'emprunter mon manuel de biologie…

– Ouais, pour étudier en vue d'un contrôle imaginaire…, le coupa Marta.

Mrs. Starch leva la main.

– Il n'avait rien d'imaginaire… j'ai rédigé un contrôle, spécialement pour Duane. Je lui ai donné des cours particuliers dans plusieurs matières, scolaires et autres. Vous avez sans doute remarqué un changement dans sa ponctualité et son hygiène, à l'école. Même son acné s'est améliorée, grâce aux bonnes vieilles méthodes de l'eau et du savon.

« Voilà qui explique la mystérieuse transformation de Smoke », songea Nick. C'était Mrs. Starch qui avait créé le nouveau Duane Scrod junior.

– Soit dit en passant, ajouta-t-elle, vous avez raison : ce jeune homme n'a rien à voir avec cet incendie volontaire. Et maintenant, s'il vous plaît, ne m'interrompez plus.

Son ton leur rappela celui qu'ils avaient trop souvent entendu en cours. Ils se turent et l'écoutèrent.

– Il peut vous sembler étrange que Duane et moi faisions partie de la même « équipe », leur dit Mrs. Starch. Mais nous avons plus de choses en commun que vous ne le pensez.

Nick n'arrivait pas à imaginer quoi.

– Primo, nous aimons tous deux la nature sauvage, continua-t-elle. Duane est au comble du bonheur quand il s'en va pêcher ou camper, ou encore observer des ours et des daims. Moi, je m'intéresse à la faune en danger, comme vous l'avez compris à coup sûr après vous être faufilés chez moi. Chacun des oiseaux, reptiles ou mammifères naturalisés que vous avez vus a été tué sur la grand-route, dans une tempête ou encore abattu.

– La jeune panthère, aussi ? demanda Nick.

– Oui, et c'est bien triste. Une voiture l'avait heurtée sur la Tamiami Trail. J'ai aperçu son corps un après-midi en rentrant de Miami et je l'ai apporté chez un vieil ami taxidermiste, ici, en ville.

Avec sa brusquerie habituelle, Marta lâcha :

– J'ai jamais vu jusqu'ici autant d'animaux morts que dans votre maison, sauf dans un musée.

Mrs. Starch leur expliqua qu'elle avait fait effectuer ces taxidermies parce qu'elle croyait qu'elle n'apercevrait jamais plus l'une de ces espèces en liberté dans la nature :

– C'est tragique, il y en a trop peu qui subsistent.

Elle retourna surveiller le panthéreau puis revint avec un sachet de mélange de fruits secs.

Nick et Marta n'avaient pas faim, le récit de Mrs. Starch les passionnait trop.

Tout en mâchant, celle-ci continua :

– Voici autre chose que nous avons en commun, Duane et moi : nous savons tous les deux ce qu'être abandonné veut dire. Largué, en langage courant. Un beau jour, la mère de Duane s'est envolée pour la France, sans même l'avertir. Mon mari a fait la même chose… pas pour Paris, mais pour Plano, au Texas, ce qui est plus dans ses goûts. J'ignore pourquoi il m'a quittée, mais ça m'a fait mal. Et ça me fait encore mal.

Marta se tortillait, ce qui signifiait qu'elle avait pensé à une autre question. Nick savait ce qui allait suivre.

– Le bruit court qu'il est arrivé quelque chose de fâcheux à Mr. Starch, dit-elle. Qu'il est, hum, mort et empaillé comme un élan.

– Il n'en mérite pas tant, remarqua Mrs. Starch, d'un ton pince-sans-rire. Non, Stanley Starch est tout ce qu'il y a de vivant et de bien portant. Chaque mois d'avril, je reçois une carte d'anniversaire où il me parle de sa dernière petite amie. Y a-t-il encore un sale racontar que je devrais connaître ?

– Les serpents… on dit que vous gardez des serpents venimeux dans votre cave, des serpents à sonnette, des mocassins d'eau et à tête cuivrée.

Marta était lancée et Nick ne pouvait rien y faire.

– Faux encore une fois, dit-elle. Pendant un moment, j'ai eu la chance de posséder deux serpents indigo, que l'un de mes élèves avait sauvés sur un chantier de construction. Cette espèce est absolument magnifique et totalement inoffensive mais a quasiment disparu. J'ai relâché les miens très loin dans la réserve de Fakahatchee, où j'espère qu'ils ont trouvé un véritable amour serpentin et fait plein de bébés. Autre chose ?

– Non, s'empressa de répondre Nick.

– Oui, dit Marta. *Ça*.

Et elle se posa un doigt sur le menton de Mrs. Starch.

– Ah. La cicatrice.

Loin d'être contrariée, celle-ci parut amusée par l'audace de Marta.

Nick dit pour l'excuser :

– Ça ne nous regarde pas.

– C'est vrai, mais je vais vous répondre quand même. Ça m'est arrivé quand j'avais à peu près votre âge. Un petit balbuzard était tombé du nid et, encore jeune et intrépide, j'ai décidé de grimper et de remettre l'oisillon avec ses frères et sœurs. Le nid se trouvait au sommet d'un poteau électrique, le vent hurlait, mais je me suis débrouillée je ne sais trop comment pour arriver en haut.

– Alors, qu'est-ce qui s'est passé ? demanda Marta. Les oiseaux vous ont donné un coup de bec dans la figure ou quoi ?

– Juste ciel, non ! Il n'y a pas plus craintif qu'eux. En redescendant, à mi-poteau, l'une de mes sandales a glissé sur les échelons et j'ai fait une chute de six mètres, atterrissant – je crois que l'expression est « en pleine poire » – sur une bouteille de soda qu'un pollueur avait jetée au bord de la route.

Mrs. Starch tapota sa cicatrice.

– Certains disent qu'elle est en forme d'enclume, d'autres de sablier. Mais, non, Marta, ce n'est pas la marque du diable. Mais celle de Pepsi-Cola.

– Combien de points de suture ?

– Bêtement, j'ai refusé d'aller à l'hôpital. D'où ce résultat peu ragoûtant à voir.

Elle s'étira. Puis leur dit qu'elle était fatiguée et avait besoin de faire un somme.

– Attendez Mr. Spree ici. Il vous reconduira en ville. Et, rappelez-vous, vous avez juré tous les deux de garder le secret.

– Vous n'êtes pas revenue chez vous depuis le feu ? lui demanda Nick.

– Non, je suis restée ici jour et nuit. Mr. Spree a été assez bon pour faire toutes mes courses, à commencer par la restitution de l'inhalateur de Libby. Il a même interverti les pneus de ma voiture.

Marta se redressa.

– Écoutez !

C'était le gémissement lointain mais aigu d'un moteur, en plein changement de vitesse.

Mrs. Starch parut tout sauf inquiète.
– Un sympathisant, dit-elle. L'un d'entre nous.
– C'est Duane ? demanda Nick.
– Exact.
– Il y a un truc que je ne comprends pas : comment l'avez-vous obligé à vous aider ? Le fameux jour où il a cassé votre crayon en deux d'un coup de dents… le devoir à écrire sur son acné l'énervait vraiment, lui dit Nick.
– Oh, je n'ai jamais demandé à Duane de s'impliquer dans ce projet. Je n'aurais même pas rêvé qu'il le fasse ! affirma Mrs. Starch. Croyez-moi, ce garçon était le premier sur ma liste des trublions. C'est Mr. Spree qui l'a recruté. Ils se connaissaient déjà car ils ont partagé une aventure.
– Ça va sans dire, fit Marta.
– Oui, le monde est petit. Imaginez le choc que j'ai eu en voyant Duane débarquer au campement un beau matin.
« Et imaginez *le sien* », songea Nick.
La moto, plus proche et plus bruyante qu'auparavant, s'arrêta soudain en toussotant.
– Il va la cacher dans les bois et venir à pied par le sud, leur expliqua Mrs. Starch. Il met une bonne demi-heure, d'habitude.
La tête de Nick lui faisait mal alors qu'il s'efforçait d'absorber tout ce que venait de leur raconter leur professeur.
– Mais comment Twilly a-t-il rencontré Duane ? demanda-t-il. De quelle aventure vous nous parlez ?
– Là, je ne peux pas vous répondre. Posez la question à Mr. Spree.
Mrs. Starch bâilla et dit :
– Marta, puis-je dire un mot à Nick en privé dans ma tente ?
Marta jeta un regard incertain alentour.

– Et qu'est-ce que je suis censée faire toute seule dans ce coin ?

– Écouter le chant des oiseaux.

Nick se baissa et suivit son professeur sous la tente. Ramper n'était pas facile avec le bras droit attaché. Il sautilla comme un chien à trois pattes et se débrouilla pour s'asseoir en tailleur sur le sol, près du sac de couchage de Mrs. Starch. Bien rangés sur un carton carré, on voyait quelques articles de base : lampe électrique, brosse à dents, bain de bouche, brosse à cheveux, flacon d'aspirine, morceau de savon, plus quelques enveloppes lavande. Il y avait aussi une petite machine à écrire. Nick se sentait mal à l'aise dans l'espace personnel de son professeur.

– Tenez.

Elle lui tendit le chapeau de paille qu'il tint au creux de son bras gauche.

La petite panthère sommeillait, adoptant la forme d'une virgule dodue et crépue. Ses pattes à coussinets lui recouvraient la tête, étouffant ses ronflements musclés.

Mrs. Starch baissa la voix.

– Nick, voulez-vous faire partie de ceci… et aider votre ami Duane par la même occasion ?

Nick ne pouvait détacher ses yeux du petit félin. C'était étonnant de penser qu'il tenait l'une des dernières panthères de la planète.

– Vous marchez avec nous ou pas ? demanda-t-elle.

– Je marche avec vous.

– Vous devez en être certain.

– Je le suis.

– Parfait.

Elle lui reprit le chapeau, et le panthéreau avec, qu'elle déposa avec précaution sur le rabat en flanelle douillet de son sac de couchage.

– Nick, je vais vous demander de faire quelque chose.
– Bien sûr.
– Retirez cette attelle.
Elle le prit par surprise.
– Comment ça ?
– Je sais pourquoi vous la portez, dit Mrs. Starch. Duane nous a raconté ce qui est arrivé à votre père, et j'admire votre dévouement. Mais voici comment se présente la situation dans le Black Vine Swamp : face à ce qui nous attend, chacun de nous va avoir besoin de tout son courage et de ses deux bras valides. On a besoin de vous à cent pour cent.
Nick hésitait.
– Votre père comprendrait, lui dit-elle.
Il ôta sa chemise et elle l'aida à enlever la bande. Une fois son bras droit libéré, il fléchit le coude et ferma le poing pour refaire circuler le sang.
– Et si Twilly n'arrive pas à retrouver la mère panthère ? demanda-t-il. Et si elle ne veut pas reprendre son petit ?
– L'espoir fait vivre, Nick.
Ils entendirent à nouveau un moteur au loin. Mrs. Starch tiqua, tendant l'oreille.
– Ce n'est pas une moto, dit-elle. Mais un hélicoptère.
– Un sympathisant ?
– J'en doute fort.

VINGT ET UN

Jimmy Lee Bayliss tenait l'arme sur ses genoux, ce qui rendait nerveux le pilote de l'hélico.

– Relax, je sais ce que je fais, lui dit-il, ce qui n'était pas tout à fait vrai.

Il n'avait jamais été bon tireur. Toute cible, mouvante ou non, représentait un défi pour lui. Ses copains, là-bas au Texas, l'invitaient à la chasse surtout par pitié.

Le fusil qu'il avait entre les mains n'avait jamais tué de daim, pas même failli en tuer un, même s'il en avait effrayé beaucoup. C'était tout ce que voulait Jimmy Lee Bayliss si jamais il tombait sur les intrus qui harcelaient Melton et touchaient au matériel de la Red Diamond : les mettre en fuite, en tirant deux ou trois coups de feu au-dessus de leurs têtes de fouineurs.

Il avait fait pareil avec cette panthère.

– Vous avez mis la sécurité, hein ? fit le pilote.

– Lâchez-moi.

Il jeta un coup d'œil au cran de sûreté, au-dessus de la détente, et fut soulagé de constater qu'il était bien en place.

– Vous auriez des Tums ? demanda-t-il au pilote.

– Non, j'en ai pas.

– Des Rolaids ?

– Désolé.

– Du Maalox ?

– Vous voulez que je me pose pour un arrêt popo ?
– Non.
Jimmy Lee Bayliss se demanda si son patron se sentait mieux. Les infirmières bandaient les côtes de Drake McBride quand il avait quitté l'hôpital, jurant, geignant de manière insupportable.
– Vous voulez descendre jusqu'où ? demanda le pilote.
– À deux cents pieds, plus ou moins.
Ils firent plusieurs fois le tour de la section 21 pendant un quart d'heure sans voir âme qui vive, mis à part deux sangliers sauvages. Jimmy Lee Bayliss décida de leur tirer dessus pour s'entraîner. Cependant, comme le pilote mit beaucoup de temps à mettre l'hélicoptère en vol stationnaire, les sangliers se réfugièrent au trot dans les broussailles.
– Beau travail, grommela-t-il.
– On va où maintenant ?
– À l'endroit habituel.
La section 22 paraissait tranquille, elle aussi. Jimmy Lee Bayliss donna l'ordre au pilote de survoler très lentement le puits pirate de la Red Diamond pour s'assurer qu'il était toujours invisible depuis les airs. Une personne scrutant d'assez près aurait pu remarquer des traces de véhicules tout-terrain dans la zone de déchargement, mais les suspects naturels auraient été des braconniers, pas des foreurs de pétrole.
Comme l'hélico remontait à cinq cents pieds et virait lentement pour revenir vers la côte, le pilote désigna un point au-delà de la vitre en disant :
– Eh, visez-moi ça !
Jimmy Lee Bayliss n'arriva d'abord pas à distinguer de quoi il parlait. Puis, l'appareil piqua du nez et lui en mit plein la vue. Il en eut la bouche sèche et chaud aux oreilles.

– Bougez plus d'ici ! aboya-t-il au pilote. Maintenant !
– Reçu cinq sur cinq.
– Pourquoi vous riez ?
– Parce que c'est marrant, répondit le pilote.
– Ça ne l'est pas du tout pour moi. Ni pour Mr. MacBride qui paie quand même cet hélico !
– OK, d'accord. C'est pas marrant.
– Vous avez bougrement raison, ça ne l'est pas.
Jimmy Lee Bayliss écumait de rage.
Tous les fanions roses – disposés auparavant avec la précision d'un œil d'arpenteur, et qui marquaient le futur tracé de l'oléoduc clandestin, reliant la section 22 à la section 21 – avaient été arrachés par une main inconnue.
C'était aussi une main criminelle : celle d'une canaille et d'un pervers, d'un comique pas drôle, qui avait replanté sur leurs tiges tous ces petits fanions roses, pour mieux égayer un carré de prairie desséchée, comme des bougies sur un gâteau.
On les avait disposés de façon tellement évidente que quiconque volait assez bas en hélico ne pouvait s'empêcher de lire l'insulte.
« O-U-S-T-E », disaient les fanions moqueurs en majuscules flottantes, aussi gaies que des confettis. OUSTE.
– J'ai l'impression que vous n'êtes pas les bienvenus par ici..., fit remarquer le pilote.
Dissimulant toujours un large sourire, il ajouta :
– Vous voulez que j'atterrisse afin que vous jetiez un coup d'œil aux alentours ?
– Non, m'sieur, fit-il gravement. Je veux que vous me trouviez un endroit où on loue des chiens de meute.

Ils entendirent Smoke faire démarrer sa moto et s'éloigner à toute vitesse.

– L’hélicoptère a dû l’effrayer, fit Mrs. Starch.

Nick, la tête en l’air, scruta à travers l’épaisseur des branches un pan de ciel bleu.

– C’était le shérif ?

– Je ne pense pas.

Marta, découragée, examinait ses baskets gorgées d’eau.

– Il faut qu’on y aille, dit-elle. C’est sans danger ?

– Pas sans Mr. Spree.

Mrs. Starch ouvrit la seconde boîte à pizza.

– Quelqu’un a envie d’une part ?

– Bon, c’est quoi le plan exactement ? fit Nick.

Marta le tira par la manche droite.

– Si je rentre pas bientôt à la maison, je serai privée de sortie jusqu’à mes, hum, cent ans. Eh, ton bras a repoussé !

– Ordre du professeur, dit Mrs. Starch en grignotant une lamelle de poivron. On est samedi ou dimanche ? Je perds la notion du temps, par ici.

Nick lui répondit qu’on était samedi. Elle fronça les sourcils, mais continua à manger. Marta tendit la main et chassa d’une chiquenaude une grosse fourmi rouge du pantalon du professeur.

– Le plan, reprit Mrs. Starch, c’est de réunir ce petit et sa maman au plus tôt. Plus longtemps ils seront séparés, plus ce sera difficile. Viendra un jour, un triste jour, où la mère renoncera et ira de l’avant…

– OK. Que peut-on faire ? demanda Nick.

– Premièrement : rester proche de Duane. Vous assurer qu’il ne fasse pas de folies.

Marta leva les yeux au ciel.

– Vous voulez dire genre échapper aux flics ? Tu parles, c’est pas une folie du tout.

– Mrs. Starch, dit Nick, personne n’est proche de Smoke.

– Et qu'est-ce que ça a à voir avec les panthères, d'ailleurs ? renchérit Marta.

Patiemment, le professeur s'expliqua :

– Votre ami Duane possède un talent particulier qui est essentiel pour cette mission. On n'a aucune chance de réussir sans lui.

Nick fut intrigué.

– Quel genre de talent ?

Marta, exaspérée, lança :

– Il est en cavale ! Si on l'aide, on viole la loi.

« Mais il est aussi innocent », songea Nick. Nouvelle et lourde décision à prendre.

– Veillez sur Duane, je vous en prie, les pressa Mrs. Starch. Si vous ne le faites pas, Flac pourrait mourir ici dans mes bras. Alors, veillez sur lui.

Un sifflement bref et familier s'éleva à cinquante mètres de là. Le professeur sourit et consulta sa montre-bracelet.

Twilly Spree arriva au campement à toutes jambes. Il était très essoufflé et luisant de sueur.

– Bougeons-nous ! dit-il d'un ton sec, en faisant signe à Nick et Marta.

– Enfin, dit celle-ci en sautant sur ses pieds.

Nick demanda à Twilly ce qui n'allait pas.

– Contentez-vous de me suivre et ne faites pas de bruit, répondit-il.

Mrs. Starch se leva.

– Attendez. Que se passe-t-il ?

– Je vous le dirai plus tard.

Elle croisa les bras avec raideur comme si elle s'adressait à un élève dissipé.

– Qu'avez-vous encore fait, Mr. Spree ?

– Je leur ai laissé un message. Ils ne l'avaient pas volé.

– Quelle sorte de message ?

– Genre mot de cinq lettres.

– Oh, Seigneur, fit Mrs. Starch. Ne vous donnez pas la peine de nous le communiquer.

– Je n'ai pas pu résister.

– Ramenez ces deux jeunes gens en ville immédiatement et tâchez de ne pas les pervertir, chemin faisant.

Le trajet jusqu'à la voiture fut tendu et précipité. Twilly devançait Nick et Marta de beaucoup, tout en fonçant et en se frayant un passage parmi les hammocks, bondissant à travers les terrains plats marécageux et sautant par-dessus les palmiers scies. Nick était ravi d'avoir les deux bras libres pour se protéger la figure des branchages qui le giflaient, des lianes visqueuses et des toiles d'araignée gluantes. Marta s'efforçait de ne pas se laisser distancer et, comme Twilly lui en avait donné l'ordre, de ne rien dire. C'était une telle épreuve pour elle de se taire plus de quelques minutes que Nick fut impressionné par sa maîtrise d'elle-même.

La Prius filait sur le chemin de traverse, plein d'ornières – ballottant Nick et Marta contre leurs ceintures de sécurité –, quand Twilly prit enfin la parole :

– Que vous a raconté tante Bunny, au juste ? leur demanda-t-il.

– Tout, sauf la partie concernant le rôle de Smoke, répondit Nick.

– Je vois.

– Ce serait bien qu'on sache.

– Bien pour qui ? fit Twilly.

Il mit son bonnet de ski et des lunettes de soleil panoramiques.

Marta s'avança sur son siège.

– Vous nous faites confiance. Alors, arrêtez de faire semblant.

– Ah !

Mais quelques instants plus tard, Twilly expliqua à contrecœur :

– Il y a de ça deux ou trois ans, je me rendais de Tallahassee à Chokoloskee sans pause – ne me demandez pas pourquoi. Après avoir bu à peu près dix-sept tasses de café, j'ai quitté l'interstate pour soulager un besoin naturel.

– Où ça ? demanda Nick.

– Ici même à Naples. La Belle Bretelle de sortie 101, fit Twilly. Il était quatre heures du matin, le brouillard était plus épais que de la soupe de palourdes et j'arrosais les mauvaises herbes sous un panneau publicitaire quand j'ai senti de la fumée… et je ne fais pas allusion à votre ami. Je veux dire de la fumée comme dans « il n'y a pas de fumée sans feu ». J'ai levé les yeux et, à travers le brouillard, j'ai aperçu des flammes. Le panneau brûlait pour de bon.

– C'était Duane qui jouait au pyromane, pas vrai ? dit Marta.

– Je suis passé d'un côté et lui de l'autre, et on s'est littéralement rentré dedans, se rappela Twilly. Les premiers mots qui lui sont sortis de la bouche furent : « C'est moi qui ai fait ça ! » Comme si je ne l'avais pas deviné tout seul, en le voyant avec son jerricane d'essence et ses serpillières cramées. Je lui ai demandé pourquoi et il m'a expliqué. Je lui ai demandé son nom et il me l'a donné aussi. On a alors entendu les sirènes et je me suis barré vite fait. Duane est resté en arrière et s'est rendu.

Marta voulut savoir pourquoi Smoke ne s'était pas enfui pendant qu'il en avait l'occasion.

Twilly répondit qu'il n'en savait rien.

– Mais je peux vous dire ce qu'il y avait sur le panneau qu'il a incendié : une pub géante pour American Airlines. Ils lançaient une offre spéciale d'hiver : un aller Miami-Paris pour trois cent quatre-vingt-dix dollars.

– Paris ? s’exclama Nick.

Maintenant, ça prenait tout son sens.

– Mrs. Starch nous a parlé de la mère de Duane.

– Ouais. Dur, dur, dit Twilly en secouant la tête tristement.

– C’est ce vol-là qu’elle a pris ? demanda Marta.

– Sans même lui dire au revoir.

– C’est moche, fit Nick.

– Super moche. Il m’a fait de la peine, ce gamin, dit Twilly. J’ai proposé de lui trouver un bon avocat mais sa grand-mère s’en est chargée. Il a obtenu au final la liberté conditionnelle pour avoir incendié le panneau publicitaire.

– Mais vous êtes restés en contact, conclut Marta.

– On va pêcher ensemble de temps en temps.

Nick ne put résister plus longtemps à poser la question :

– Pourquoi avez-vous besoin de l’aide de Smoke pour sauver le bébé panthère ? C’est quoi son « talent particulier », dont nous a parlé Mrs. Starch ?

– C’est simple : ce garçon est un pisteur-né. Si quelqu’un peut retrouver la mère, c’est bien lui.

Twilly leur raconta une virée en camping dans Highlands County où Duane Scrod junior s’était lancé sur la trace d’un ours noir pendant des kilomètres, dans la nuit et sous une pluie battante, en traversant deux cours d’eau boueux et trois routes de campagne, et ce, jusqu’à l’arbre qui servait de tanière à l’animal. Il avait alors gravé ses initiales dans le tronc, fait demi-tour et était revenu en bravant la tempête, aussi excité qu’un enfant le matin de Noël.

– C’est un don. Même les vieux Séminoles ne savent pas vraiment comment il fait, dit Twilly. Donc, le plan pour moi, c’est de trouver des excréments, puis de lancer Duane sur les traces de la panthère. Une fois qu’on saura où elle est, on lâchera son petit à proximité. Après ça, il nous faudra prier pour qu'ils se retrouvent avant qu'un lynx ou un coyote ne fasse qu'une bouchée du bébé panthère.

Marta frissonna à cette idée.

– Vous avez vu du… vous savez bien… ?

– Du popo de panthère ? Oui, m'dame, j'ai touché le jackpot hier. Mais je ne saurais dire si c'est la mère de Flac ou non.

La voiture passa dans un nid-de-poule et Twilly grogna.

– Il y a dans le coin une compagnie pétrolière qui ne trafique rien de bon, dit-il. Ils n'aiment pas que des gens viennent fouiner, en particulier les gardes-chasses à l'affût des espèces menacées.

Pour Nick, tous les fils de l'histoire se nouaient enfin.

– Ce sont eux qui ont mis le feu dans le Black Vine Swamp, n'est-ce pas ? Les pétroliers. Ils ont piégé Smoke.

– Ouais. Et ce sont eux qui ont effrayé et fait fuir la maman panthère à coups de fusil, ajouta Twilly. La Red Diamond Energy Corporation.

Marta était scandalisée.

– Comment peut-on les arrêter ?

– Ils ont eu quelques petits problèmes pour achever leur projet. Et ils vont en avoir davantage.

– Vous faites partie du gang de la Clé à molette ? fit Nick.

Dans le rétroviseur, il aperçut Twilly réagir par un curieux sourire.

– Eh bien, vous en êtes membre ? insista Nick. Dans le livre que je lis, cette bande de barjos parcourt le désert, fait sauter des ponts, détruit des bulldozers…

– Brûle des panneaux publicitaires, ajouta Twilly en clignant de l'œil. Rien que des délits graves, sans aucune exception. Même si ce n'est pas difficile d'être dans leur camp, pas vrai ? Eux qui se battent pour sauvegarder les endroits qu'ils aiment.

Marta chuchota à Nick :
– Je suppose que ça répond à ta question.
– Le langage est un peu grossier dans ce livre, dit Twilly. Peut-être que tu devrais le mettre en réserve, pour quand tu seras plus grand.
– Dites-moi la vérité. Vous essayez d'imiter Hayduke ?
Nick faisait référence au chef fictif du gang de la Clé à molette.
Quand Twilly reprit la parole, il avait l'air las et impatient.
– Vous vous rappelez le cri de la panthère, le jour de l'incendie ?
– Je ne l'oublierai jamais, dit Nick.
– Moi non plus, fit Marta en frissonnant.
– Eh bien, c'était celle que je pourchasse. J'étais tombé sur ses traces près de la route où votre bus scolaire était garé, j'ai su alors qu'elle s'était tapie non loin et attendait le crépuscule… sans doute pour partir à la recherche de son petit.
Les doigts de Twilly tambourinaient sur le volant.
– Puis le feu s'est déclaré. Ou plutôt l'incendie volontaire, je devrais dire.
– Et elle s'est enfuie de nouveau ? dit Nick.
Twilly opina d'un air sombre.
– La plupart des bêtes sauvages s'enfuient à la première bouffée de fumée, dit-il. Mais il y a une chance qu'elle soit revenue. Les crottes que j'ai trouvées hier étaient fraîches.
Ils atteignirent le carrefour de la route 29, où Twilly tourna vers le sud et se retrouva pour finir derrière une file de camions de transport de légumes.
– Combien de temps avant qu'elle oublie son petit ? demanda Nick.
– Chaque jour qui passe, les chances diminuent.

Une voiture du shérif les croisa à vive allure. Nick remarqua que Twilly roulait dix kilomètres à l'heure en dessous de la limite de vitesse et avait bouclé consciencieusement sa ceinture de sécurité.

– Mais qu'est-ce que vous fabriquiez dans ce marécage quand vous avez découvert le panthéreau ? demanda Marta.

– Je m'occupais de mes oignons, répondit Twilly. Tu devrais essayer de temps en temps.

– Mrs. Starch nous a dit que vous étiez riche.

– Je suis né chanceux, c'est tout.

– Carrément rien de Hayduke, commenta Nick.

Twilly quitta la chaussée, puis se gara près d'une rangée de caissettes à journaux. Il arracha le bonnet de ski de sa tête et se frotta le front. Puis il frappa le tableau de bord si fort que Nick et Marta sursautèrent.

Pivotant sur son siège, Twilly remonta ses lunettes noires et fixa les deux enfants de ses yeux rougis.

– Laissez-moi vous dire quelque chose que même cette chère tante Bunny ignore, fit-il. Après ça, ne me demandez plus jamais qui je suis ou qui je ne suis pas, ni pourquoi un type comme moi vit sous une tente. J'ai la rage au ventre de ce qu'on fait à cette terre et à tout ce qui y vit. C'est tout ce que vous avez besoin de savoir.

À l'entendre, il avait plus de chagrin que de colère.

– Il y a des jours pires que d'autres, ajouta-t-il.

Nick et Marta ne savaient pas trop comment réagir.

Twilly leva deux doigts.

– Voilà combien il y en avait.

– Combien de quoi ? demanda Marta, perplexe.

– De bébés panthères, fit-il. Voilà combien j'en ai trouvé. La mère en avait eu deux.

Nick ferma les yeux.

– L'un des deux est mort, continua Twilly. J'ai tout essayé mais le plus petit n'a pas survécu à la première nuit. Je ne l'ai jamais dit à Bunny ni à Duane. Je ne l'ai jamais dit à personne.

Marta se couvrit le visage.

Twilly remit ses lunettes de soleil.

– D'autres questions ?

– Non, dit Nick calmement. Plus de questions.

VINGT-DEUX

Le dimanche matin, Duane Scrod senior se traîna hors du lit et s'approcha de la porte d'entrée en titubant.

– Comment vous avez fait pour arriver si vite ? demanda-t-il à Millicent Winship.

– J'ai affrété un jet. Maintenant, ouvrez la porte.

Il accueillit sa belle-mère dans la maison avec une bonne humeur feinte. Dans sa hâte, elle le renversa presque au passage. Pas un pli ne froissait son élégant ensemble pantalon gris, pas un seul de ses cheveux blancs ne dépassait de sa coiffure.

– Vous avez dormi avec cette casquette stupide ? demanda-t-elle.

– Je crois bien.

Duane Scrod senior s'inquiétait plus de sa réaction devant son boxer-short NASCAR[1].

Mrs. Winship lui jeta un œil noir, puis détourna le regard.

– Allez enfiler un pantalon, au nom du ciel. Et que cet horrible perroquet ne s'approche pas de moi ou je le plume jusqu'à ce qu'il soit chauve.

– C'est pas un perroquet, Millie. Mais un ara femelle.

– Une nuisance, voilà ce qu'il est. Dépêchez-vous.

Il enfila un jean et enferma, non sans difficulté, Nadine

1. Très célèbre organisation de courses de stock-cars *(N. d. T.)*.

dans sa cage. En revenant au salon, il trouva Mrs. Winship qui l'attendait, les bras croisés.

– Alors mon petit-fils est un fugitif à présent, dit-elle. J'ai tout appris de cette vilaine histoire par le directeur. Et D. J. a été exclu de l'école par-dessus le marché ! Mais je suppose que c'est là le moindre de nos problèmes.

– Les flics font une grosse erreur.

– Où se trouve-t-il en ce moment ?

– Franchement, j'en sais rien, répondit Duane senior. Il va et vient comme une espèce de fantôme.

– Vous n'avez aucun moyen de le joindre ? Et le portable que je lui ai acheté ?

– Il ne décroche jamais, Millie. Vous avez prévenu sa mère de cette galère ?

– Bien entendu. Je lui ai téléphoné immédiatement.

– Elle va revenir ?

– Non, Duane. Quel bien cela ferait-il ?

Mrs. Winship balaya de la main de vieilles miettes de cracker de l'un des fauteuils et s'y assit. Si sa fille lui avait proposé d'appeler son garçon et de le pousser à se rendre, elle n'avait pas proposé de venir le voir.

– Ça doit pas être donné le voyage depuis la France en avion, fit Duane senior.

– L'argent n'a rien à voir là-dedans. Je lui aurais payé un billet en première classe.

– Alors, quoi ?

Les seules fois où Mrs. Winship se sentait vieille, c'était quand elle était obligée de parler de sa fille.

– Whitney m'a dit qu'elle devait rester pour s'occuper de son magasin. D'après elle, c'est une période chargée.

Duane senior contempla tristement le sol.

– En d'autres termes, le fromage compte plus pour elle que sa propre chair et son propre sang.

– Je le déplore, Duane. Je le déplore vraiment.

– Que va-t-il arriver à Junior ?

– J'ai pris contact avec un avocat. Où croyez-vous qu'il se cache ?

– Quelque part par là-bas, dans la cambrousse, indiqua-t-il mollement de la main.

– Voilà qui nous aide beaucoup, marmonna Mrs. Winship. Ça restreint les recherches à environ un million d'hectares.

Elle se leva, défroissa son pantalon et mit son sac en bandoulière.

– La prochaine fois que vous verrez votre fils, dites-lui, je vous prie, que sa grand-mère lui suggère fortement qu'il se livre à la police le plus tôt possible. Dites-lui que c'est la seule solution que j'ai pour l'aider à se tirer de ce mauvais pas.

– J'y manquerai pas, Millie, mais D. J. m'écoute aussi bien que Whitney vous écoute.

Mrs. Winship ne releva pas la remarque. Duane senior avait une bonne raison d'être amer. Il aimait Whitney et elle l'avait quand même quitté.

– À en croire les journaux, on a découvert la sacoche de Duane sur le lieu de l'incendie, dit-elle. Comment est-ce possible s'il est innocent ?

Duane senior débita son hypothèse de bric et de broc : le contrôleur des impôts avait volé le sac de Junior dans la maison. Mrs. Winship eut l'air d'en douter.

– Eh bien, voilà qui ne nous mâche certainement pas le travail, dit-elle en poussant Duane senior de l'épaule pour franchir la porte.

– Merci, Millie, lui cria-t-il.

Elle pivota sur les marches.

– Merci de quoi ?

– De vous soucier autant de mon garçon.

– Croyez-le ou non, je me soucie de vous deux, lui lança Mrs. Winship d'un ton bourru. Maintenant vous pouvez retourner jouer avec votre perroquet.

Drake McBride passa directement de l'hôpital à une suite luxueuse au Ritz-Carlton, afin de pouvoir récupérer en volupté et en beauté. Jimmy Lee Bayliss, obéissant aux ordres, fit monter l'homme au chien limier dans la chambre.

L'animal s'appelait Horace. Il avait de très longues oreilles tombantes, des bajoues humides et caoutchouteuses et une truffe pareille à une tranche de pain d'épice. Il se coucha aussitôt sur le sol et s'assoupit dans une flaque de bave.

– Horace est fatigué, expliqua le maître-chien.

– C'est le seul que vous ayez ? On a besoin de plus d'un limier, se plaignit Drake McBride.

– Mais non, fit le maître-chien.

– Ils chassent mieux seuls. J'ai vérifié auprès de mes potes, là-bas à Houston, renchérit Jimmy Lee Bayliss.

Son patron, toujours affalé sur le lit, affirma avec insistance qu'ils avaient besoin d'une véritable meute.

– C'est comme ça qu'on attrape les ours, hein ?

– J'savais pas que vous en aviez après des ours, fit le maître-chien. J'croyais que vous en aviez après des bonshommes.

– Mais oui, bien sûr, fit Jimmy Lee Bayliss.

Il avait l'impression d'avoir avalé une poignée de charbons de barbecue incandescents. Il expliqua à son patron qu'Horace était un champion de classe internationale pour la chasse à l'homme.

– On s'en sert pour retrouver des personnes disparues, par exemple des motards égarés ou des condamnés en cavale. Il est passé deux fois dans l'émission *America Most Wanted*[1].

– Tout ce qu'il lui faut, c'est une piste, fit le maître-chien.

– Est-ce qu'on en a une ? bougonna Drake McBride.

– Oui, affirma Jimmy Lee Bayliss.

Le fautif avait laissé traîner son odeur sur les dizaines de fanions roses en les touchant pour les disposer autrement.

En tendant la main vers un verre d'eau posé sur la table de nuit, Drake McBride poussa un glapissement de douleur, ce qui fit ouvrir brièvement à Horace ses yeux bruns larmoyants, qui cillèrent.

– Mr. McBride a été désarçonné par un cheval et s'est pété quelques côtes, expliqua Jimmy Lee Bayliss au maître-chien.

– J'me suis payé aussi une commotion cérébrale, ajouta le convalescent. Hé, mon pote, vous connaîtriez pas quelqu'un qui voudrait acheter un pur-sang à prix bradé ?

Le maître-chien répondit que non.

– Vous pouvez démarrer aujourd'hui ? demanda Jimmy Lee Bayliss. On vous emmènera sur place en hélicoptère.

– Ça me va.

– Et vous êtes sûr que ce chien-là peut suivre l'odeur d'une personne dans un marais tropical ?

– Il pourrait suivre l'odeur d'une personne dans une vinaigrerie.

Drake McBride pointa du doigt le limier dont les paupières venaient à nouveau de se refermer en s'affaissant.

– Quand Horace aura-t-il fini sa sieste ?

– Dès que je le lui dirai.

1. L'équivalent américain de *Perdu de vue (N. d. T.)*.

– Alors, pourquoi pas tout de suite ? Je dois parler avec Mr. Bayliss en privé.

Drake McBride tapa très fort dans ses mains, trois fois.

– Réveille-toi, Horace ! Horace !

Le chien ne remua pas, à la grande consternation de Jimmy Lee Bayliss.

Son patron gratta ses joues mal rasées.

– Ma foi, je suis pas impressionné. Trouvons-nous un autre clébard, Jimmy Lee.

Le maître-chien fit doucement claquer sa langue. Horace se leva d'un bond, comme électrisé, le nez au vent, la queue dressée, l'œil grand ouvert et brillant.

– Le traitez pas de clébard, dit-il.

Drake McBride gloussa.

– Pardon, Horace. À présent, vous voulez bien nous excuser, tous les deux, s'il vous plaît ?

Jimmy Lee Bayliss raccompagna limier et maître-chien à la porte de la suite en disant qu'il les retrouverait dans le hall dix minutes plus tard. En revenant dans la chambre, il trouva son patron debout en train de se masser le crâne. Sa veste de pyjama déboutonnée révélait son torse solidement bandé.

– Mon paternel a appelé hier soir, fit-il, mécontent. Je lui ai menti en lui disant que tout marchait comme sur des roulettes par ici.

– Ce qui sera le cas, une fois qu'on sera débarrassés de notre problème.

Jimmy Lee Bayliss était bien conscient que la Red Diamond Energy Corporation n'existerait pas sans le riche père de Drake McBride. Il était aussi conscient que la patience de ce même père envers son fils diminuait.

– M'sieur, une fois que ce limier aura débusqué cet individu sur la propriété…

– Ou ces individus, rectifia Drake McBride. Quiconque vient se mêler de nos affaires.

– D'accord. Mais après les avoir chopés, qu'est-ce qu'on en fera ? demanda Jimmy Lee Bayliss. Et s'ils ont déjà découvert le puits pirate ? On pourra pas appeler les flics parce qu'ils nous balanceront aussi sec. Alors, c'est vous et moi qu'on embarquera en taule.

– Non, on peut pas prévenir les flics, approuva Drake McBride.

– Alors, qu'est-ce qu'on est censés faire avec ces vandales ? S'ils sont déjà au courant pour la section 22, je veux dire.

Il y eut un silence qui s'alourdissait à chaque seconde qui passait.

– J'ai pas mis tous les détails au point, dit-il enfin. Mais on fera tout ce qu'il faudra pour protéger ce projet. Compris, mon pote ? Tout ce qu'il faudra.

Cette réponse n'était pas de nature à mettre fin aux brûlures d'estomac de Jimmy Lee Bayliss.

Le réveil numérique au chevet de Nick indiquait neuf heures quinze, ce qui était bizarre. La plupart des dimanches matin, sa mère le réveillait à huit heures afin qu'ils puissent préparer des crêpes au babeurre et du bacon.

Il se laissa rouler au bas de son lit et enfila son peignoir. Des voix étouffées montaient de l'entrée : une discussion était en cours. Par la fenêtre, il vit un fourgon gris de l'armée américaine garé dans l'allée.

Nick surgit en courant dans le salon juste au moment où deux jeunes soldats aidaient son père à s'installer dans un fauteuil roulant. Sa mère se tenait, toute raide, près de la porte, une main sous le menton.

– Qu'est-ce qui se passe ? demanda Nick.

– Une rechute bénigne, lui dit son père d'une voix enrouée. Je leur manque à Walter Reed, je suppose.

Il avait la mine fiévreuse et les yeux rougis de fatigue.

Nick se tourna vers sa mère.

– L'infection a repris ?

– Elle n'a jamais cessé.

L'un des soldats fit rouler le fauteuil jusqu'au fourgon. Il était muni d'une rampe qui l'éleva jusqu'à la portière latérale. L'autre soldat portait une petite valise qu'avait préparée sa mère, et la déposa près du fauteuil roulant dans le fourgon. Le capitaine Gregory Waters se débarrassa d'un coup de pied d'une couverture de laine, qui lui couvrait les jambes, en disant :

– J'ai pas quatre-vingts ans !

La mère de Nick dit au revoir à son mari en l'embrassant et lui assura :

– Je monterai te voir dans un jour ou deux.

– Moi aussi, fit Nick.

– Non, chef, tu ne rateras pas un jour de classe de plus, lui dit son père.

– Mais, papa…

– Ça suffit. Je serai rentré avant que t'aies eu le temps de t'en apercevoir.

Il pressa le bras droit de son fils.

– Eh, tu t'es débarrassé de l'attelle ? Ne me dis pas que tu renonces à ton existence en « fausse garde ».

– Attends, et tu verras. À ton retour, je jouerai comme un gaucher.

Son père s'arrangea pour sourire. Mais Nick lisait de la souffrance sur ses traits.

– Ouais, Nicky, on ira pêcher à la mouche à Everglades City, rien que nous deux.

Nick et sa mère saluèrent d'un geste le fourgon qui quittait l'allée et continuèrent à agiter la main, même une fois que le capitaine Gregory Waters ne pouvait plus les apercevoir. Nick était comme hébété ; la scène avait tout d'un horrible rêve. Son père lui avait paru en pleine forme, pas plus tard que la veille au soir.

– Qu'est-ce qui se passe, maman ? Dis-moi !

– Après le petit déjeuner, fit-elle de mauvaise humeur.

– J'ai pas faim.

– Eh bien, moi, si.

C'était le cas de le dire : elle avala trois crêpes, deux tranches de bacon, une banane, une demi-tasse de mûres et un grand verre de jus d'orange pressé de frais.

Nick picorait dans un bol de müesli. Il attendait, ne tenant pas en place, que sa mère ait fini de manger. Ça ne servait à rien d'insister.

Après s'être versé une tasse de café, elle se posa et lui raconta ce qui s'était passé.

– Tu te souviens du jour où tu as essayé d'appeler ton père à l'hôpital et qu'il n'y était plus ?

– Bien sûr, c'est ce jour-là qu'il est rentré à la maison.

– Oui, il est rentré à la maison, mais sans d'abord en parler à ses médecins. Il a quitté tranquillement Walter Reed à quatre heures du matin, pris un taxi et filé tout droit à l'aéroport.

– Pas possible !

– C'était imprudent de faire une chose pareille. Il n'était pas prêt, Nicky.

– Alors, il a menti ?

– Il n'avait pas envie qu'on s'inquiète.

– Mais il est dingue ou quoi ? s'écria Nick avec colère.

– Ton père avait envie d'être ici plus que tout au monde. Il était sûr de guérir plus vite, s'il était à la maison avec nous.

– Mais il n'est pas allé mieux, dit Nick, la mine sombre. Au contraire.

Sa mère fixait son café, le remuant lentement avec le mauvais bout de la cuillère.

– Cette nuit, dit-elle, il s'est réveillé avec des frissons et quarante de fièvre et j'ai compris que l'infection n'avait pas disparu. Il était si déprimé qu'il a fini par m'avouer la vérité : il a encore un éclat de cette roquette dans l'épaule. Il faut qu'on le réopère.

– Oh, non.

Nick s'affaissa sur sa chaise.

– Ton père est une force de la nature. Il s'en tirera.

– Et toi, maman ?

– Moi aussi, je suis super forte, au cas où tu ne l'aurais pas remarqué. Bon, fit-elle en se levant, je ferais mieux d'aller faire ma valise ; je vais rejoindre ton père.

Nick la serra fort.

– J'arrive pas à croire qu'il soit parti de l'hôpital sans autorisation. Si jamais je faisais un truc pareil, je serais privé de sortie pendant un an.

– Ce n'était pas très malin de sa part, approuva sa mère. Mais on lui manquait, Nicky, c'est tout. Estimons-nous simplement heureux qu'il ne soit plus en Irak. Dès que les médecins, à Washington, auront fini de le remettre d'aplomb, il reviendra à la maison une bonne fois pour toutes.

Après le départ de sa mère, Nick tenta de s'activer et de ne pas se faire du souci pour son père. Il nettoya l'évier de la cuisine et chargea son linge sale dans la machine à laver. Puis il fit quelques problèmes d'algèbre et rédigea le plan d'une dissertation d'anglais qu'il ne devait pas rendre avant deux semaines.

Marta appela deux fois, mais Nick ne répondit pas au téléphone. Il n'était pas d'humeur à parler, même à ses amis. Pour le déjeuner, il se prépara un sandwich au beurre de cacahuète, mais n'en avala que trois bouchées; il n'avait absolument pas d'appétit et beaucoup trop d'énergie en réserve.

Alors, il coiffa une casquette des Red Sox, sortit dans le jardin et lança trois balles de base-ball de la main gauche dans le filet d'arrêt jusqu'à ce que son coude l'élance. Il y avait tant de choses dont il avait eu envie de parler avec son père, il comprenait pourtant que ce n'était pas le moment de se montrer égoïste. Il était essentiel pour son père de retourner à l'hôpital y subir cette opération nécessaire.

Après avoir récupéré les balles dans le filet, Nick traîna le seau jusqu'au monticule bricolé maison et se remit à lancer aussi fort que possible, malgré la douleur qui le brûlait.

Une voix l'interrompit en plein *windup* :

– Tu vas te bousiller le bras, mec.

Nick pivota et aperçut Smoke, qui contournait la maison en poussant sa moto.

– Qu'est-ce que tu viens faire ici ? lui demanda-t-il.

Duane Scrod junior appuya sa moto contre le mur.

– Faut que tu m'aides, répondit-il. Ils ont lâché un chien de meute là-bas, près du campement.

– Qui a fait ça ?

– La compagnie pétrolière.

– Où est Twilly ?

– Il court à droite à gauche. C'est lui qui m'a dit de venir te trouver.

Smoke regarda autour de lui avec nervosité.

– Je ne peux pas me cacher chez moi à cause des flics. Y a maintenant une voiture de patrouille, garée juste en face de la maison !

– Et Mrs. Starch et le bébé panthère ? fit Nick.

– Ça va pour eux, pour l'instant. Mais ce chien est bon. Un vrai pro.

– En quoi je peux t'aider ? demanda Nick qui connaissait d'avance la réponse.

– Y me faut un endroit où me poser, lui dit Smoke. Juste pour quelque temps.

– Ouais, bien sûr.

Nick laissa tomber la balle dans le seau. Il se demanda comment il allait annoncer ça à sa mère. Ce serait sans doute la première fois qu'elle hébergerait un fugitif en cavale.

VINGT-TROIS

L'inspecteur Jason Marshall ne travaillait pas le dimanche, d'habitude. Mais il ne pourrait pas souffler tant qu'il n'aurait pas retrouvé Duane Scrod junior, le suspect incendiaire disparu. Et ça ne l'aidait pas que ses collègues n'arrêtent pas de le titiller parce que le gamin lui avait filé entre les doigts avant qu'il ait pu lui passer les menottes, puis l'avait distancé facilement.

Chaque soir, l'inspecteur prenait deux aspirines, appliquait un coussin chauffant contre son muscle de la loge douloureux puis glissait dans un sommeil agité, en se demandant où Duane junior se cachait.

Et chaque matin, il se réveillait en songeant à une piste à suivre qui pourrait le conduire jusqu'au garçon, ou du moins à boucler cette affaire d'incendie criminel. Ce jour-là, en particulier, il décida de ne pas aller à l'église et d'effectuer sur Internet des recherches sur les allume-feu de poche.

Le nom de la marque de celui retrouvé dans la sacoche de Duane Scrod junior était Ultra Flam. Et le site web de son fabricant fournissait obligeamment une liste des magasins qui vendaient ses produits à Collier County. Il n'y en avait que trois, c'étaient tous des quincailleries.

L'une d'elles avait mis la clé sous la porte et Jason Marshall supposa que les deux autres seraient fermées un dimanche, mais il se trompait. Le magasin à l'est de Naples était ouvert.

L'inspecteur s'y rendit en voiture et montra une photo de Duane Scrod junior prise après son arrestation pour avoir mis le feu au panneau publicitaire. Le propriétaire de la quincaillerie jura qu'il ne l'avait jamais vu.

– Ce genre d'allume-feu, vous en vendez beaucoup ? demanda l'inspecteur.

– Pas des masses, répondit-il. Je peux vérifier sur l'ordinateur et vous dire le nombre exact.

Le magasin n'avait vendu que deux Ultra Flam au cours du mois écoulé. Jason Marshall releva les dates.

– Vous n'auriez pas par hasard le nom des clients ? demanda-t-il.

– Non. Tout ce que je peux vous dire, c'est que les deux articles ont été réglés par carte de crédit.

– Vous en êtes sûr ?

– Ouaip. Notre logiciel d'inventaire indique si c'est un achat en liquide ou par carte, expliqua le commerçant.

Jason Marshall se dit qu'il était hautement improbable que Duane Scrod junior se soit servi d'une carte de crédit, à moins que ce ne fût celle de son père ou qu'il l'ait volée.

– Je remarque que vous avez des caméras de surveillance, dit l'inspecteur.

– C'est pas le cas partout, aujourd'hui ?

– Vous auriez encore les bandes vidéo correspondant aux dates où vous avez vendu les Ultra Flam ?

– Ça m'étonnerait, répliqua le propriétaire, ce qui était un mensonge.

Il conservait toutes les vidéos pendant six mois, au cas où on en aurait besoin pour poursuivre en justice des voleurs à l'étalage. Mais ce jour-là, précisément, il n'avait aucune envie de visionner des heures de bande.

– Jetons un œil, lui dit Jason Marshall.
– En fait, je suis plutôt occupé pour le moment. Vous pourriez peut-être repasser une autre fois.
– Moi aussi, je suis plutôt occupé. Alors, voyons un peu ces bandes.
Ça ne prit pas très longtemps d'examiner les vidéos de surveillance et l'inspecteur trouva les deux ventes qu'il cherchait. Il informa le propriétaire qu'il gardait les bandes comme preuves.
– À quoi ça rime, tout ça ? s'inquiéta l'homme. Ça va me causer des ennuis ou quoi ?
– Pas du tout, le rassura Jason Marshall.
Tout en revenant au bureau du shérif, il téléphona à Torkelsen, l'expert en incendie des sapeurs-pompiers, et lui apprit qu'il avait localisé un magasin ayant vendu deux allume-feu au butane, identiques à celui découvert dans la sacoche de Duane Scrod junior.
– L'un d'eux a été vendu la veille de l'incendie du marécage, fit l'inspecteur.
– Bon boulot !
– Mais le deuxième n'a été acheté qu'il y a trois jours à peine.
– Celui-là ne m'intéresse pas, fit l'expert en incendie.
– Eh bien, il devrait, reprit Jason Marshall. Parce que c'est le même homme qui a acheté les deux… et ce n'était pas le jeune Scrod.
– Comment le savez-vous ?
– La quincaillerie est équipée de caméras de surveillance. J'ai les bandes.
Il y eut un silence crispé à l'autre bout du fil. Torkelsen tâchait de comprendre ce que pouvait signifier cette information.
– Peut-être que le garçon avait un complice. Peut-être

qu'ils ont acheté le deuxième allume-feu en prévision d'un autre incendie, dit-il pour finir. Quel âge a ce client sur la vidéo ?

– Entre cinquante-cinq et soixante ans, je dirais.

– Oh, fit Torkelsen. Alors, ce n'est pas le père de ce garçon.

– Non.

– Ma foi, il doit bien y avoir une explication.

– Moi, j'en ai une, fit l'inspecteur.

– J'écoute.

– Peut-être que notre homme n'est pas le bon.

Après une nouvelle pause embarrassée, l'expert en incendie dit :

– Il faut que je voie ces bandes.

– Oui, il le faut, acquiesça Jason Marshall.

Le chêne, qui faisait douze mètres de haut, était bel et bien mort, foudroyé des années plus tôt. Tout en haut, il y avait un trou dans le tronc où vivaient une femelle raton laveur et ses trois petits.

Un beau jour, une énorme pelleteuse arriva sur les lieux et entreprit d'abattre les arbres. Le garçon, qui observait la famille raton laveur depuis des semaines, sauta de sa bicyclette et cria au conducteur de la pelleteuse d'éviter le chêne mort.

Mais celui-ci ne l'entendit pas. Il chassa juste le garçon de la main, accéléra et aplatit l'arbre refuge, tuant tous les ratons laveurs, y compris la mère. Le garçon ne put rien faire d'autre que d'assister à la scène de loin en sanglotant.

La société de construction, à qui appartenait la pelleteuse, nettoyait le périmètre afin de faire place nette pour un entrepôt de mobilier de jardin. Deux jours après la destruction des arbres, la société installa une caravane double brillante en guise de bureau ; une bannière de couleur vive claironnait la nouvelle fonction de l'endroit. Le même soir, le garçon se rendit à vélo sur le terrain et mit le feu à la caravane qui, en brûlant, fut réduite à l'état d'un immense parpaing déformé. Personne ne se trouvait à l'intérieur à ce moment-là.

– J'm'en étais assuré, affirma Smoke à Nick, qui venait d'écouter le récit de cet incendie criminel *in extenso*, sans l'interrompre. Tu vois, je suis pas un vrai pyromane, ajouta-t-il. J'ai pas fait ça pour m'éclater. J'avais juste la rage.

– N'empêche, c'est…

– Débile, c'est le mot. Même chose quand j'ai fichu le feu au panneau publicitaire, dit Smoke. Ma mère venait de se barrer à Paris et j'étais détruit. Quand j'ai vu cette grande affiche d'une compagnie aérienne, j'ai craqué. Tu ne peux pas comprendre, mec. Personne ne peut.

Nick ne dit mot. Il était impossible pour lui d'imaginer sa mère montant dans un avion et s'envolant pour toujours sans même lui dire au revoir. Un tel crève-cœur dépassait sa propre expérience.

Smoke ricana amèrement.

– On a quand même construit cette saleté d'entrepôt. Tout comme on a replanté un panneau de pub tout neuf à la place de l'ancien.

– Tu as allumé d'autres incendies ? demanda Nick.

– Non, jamais.

– Alors, pourquoi tu tiens à ce qu'on t'appelle Smoke ?

– Parce que ça sonne bien plus cool que Duane.

Ils étaient assis par terre dans la chambre de Nick. Les stores étaient tirés et la porte verrouillée.

– Twilly dit que tu es un pisteur, fit Nick.

– C'est le seul truc à quoi je suis bon, j'crois bien.
– Il dit que s'il y a quelqu'un qui peut retrouver cette maman panthère, c'est toi.
– Sûr que je vais essayer.
Smoke parlait avec détermination.
– Mrs. Starch dit qu'il ne reste pas beaucoup de temps.
– Elle a raison. Et ce molosse qui flaire partout dans le coin complique le boulot. Les félins sauvages fuient les clebs comme la peste.
Nick se devait de poser la question :
– C'est quoi le deal entre elle et toi ?
– Mrs. Starch ? Elle est pas si mauvaise.
– Tout le monde pensait que tu la détestais après ce qui s'était passé en cours.
Smoke fit un grand sourire.
– Oui, tu parles. Mais j'ai découvert qu'elle n'était pas aussi garce que ça. Eh, j'ai entendu une voiture s'arrêter !
Quelques instants plus tard, la porte d'entrée s'ouvrit et la mère de Nick l'appela. Smoke l'attrapa par les épaules.
– Pas un mot sur moi !
– Mais je peux pas lui mentir, chuchota Nick.
– Écoute. À peine elle saura que je me planque ici qu'elle sera obligée de le dire aux flics, sinon elle ira en prison.
– Qu'est-ce que tu racontes ?
– Héberger un fugitif en cavale, voilà de quoi je parle, fit Smoke. Si tu dis à ta mère que je suis là, tu l'entraînes en plein dans cette galère. C'est ça que tu veux ?
Sa mère l'appela du bout du couloir :
– Nicky ? Où es-tu ?
– J'arrive tout de suite, m'man !
Smoke se glissa dans la penderie de la chambre.
– Vas-y, lui dit-il. Fais comme si tout était normal.

Nick se faufila par la porte et la referma derrière lui. Il longea le couloir jusqu'au salon où il fut surpris de voir que sa mère n'était pas seule.

– Nicky, tu te souviens de Peyton ?

– Bien sûr, fit-il.

Peyton Lynch était l'une des baby-sitters régulières de Nick quand il était en primaire et elle au lycée. Elle allait à présent à l'IUT et travaillait à mi-temps dans un magasin de chaussures.

– Salut, Nicky, dit-elle en lui faisant la bise, les joues gonflées de chewing-gum.

Sa mère lui annonça que Peyton allait s'installer à domicile pour quelques jours, pendant qu'elle irait voir son père.

– Il y a un vol pour Washington en fin d'après-midi.

– C'est bon, lui dit-il.

Et ça irait… pour son père et pour Nick lui-même. Peyton Lynch était une fille sympa, mais qui n'avait pas inventé la poudre, comme dirait Mrs. Starch.

Quand il était petit, il faisait quasiment tout ce qu'il voulait quand elle le gardait, parce qu'elle avait l'habitude de discuter au téléphone, de se peindre les ongles des orteils en bleu ou de regarder passionnément MTV. Elle était la baby-sitter idéale : nulle.

Une fois, alors que Nick avait neuf ans, il avait expédié par accident une balle de golf dans l'écran de son ordinateur. Peyton n'avait pas entendu l'explosion car le son de ses écouteurs était monté à fond. Pas plus qu'elle n'avait manifesté la moindre étincelle de curiosité quand Nick avait surgi de sa chambre en portant une boîte remplie d'éclats de verre.

– Fais comme chez toi, Peyton, lui dit la mère de Nick. Je vais finir mes bagages.

La fille laissa tomber son sac de voyage sur la moquette et s'affala sur le canapé.

– Alors, comment ça marche l'école, Nicky ?

– Ça va, répondit-il.

– Et vous avez pas du Snapple light, vous autres ?

– Je crois pas.

– Du thé vert ? demanda-t-elle en s'enfonçant les écouteurs de son iPod dans les oreilles. Des burgers au tofu ? Des rouleaux de printemps ?

– Je vais regarder dans le frigo, lui dit Nick en souriant tout seul.

Peyton Lynch ne remarquerait jamais que Duane Scrod junior séjournait à la maison tant qu'il ne garerait pas sa moto dans la cuisine.

Drake McBride était contrarié à l'extrême.

En gémissant, il s'extirpa du lit et suivit en boitillant Jimmy Lee Bayliss jusqu'au salon, où le maître-chien patientait, la mine sombre.

– Que s'est-il passé ? demanda Drake McBride sans la moindre trace de sympathie.

– Vous me devez deux mille dollars, répondit le maître-chien.

– Parce que votre crétin de clebs s'est paumé ? Ça va pas la tête ?

– Horace s'est pas paumé, répondit l'homme d'un ton péremptoire. Et je partirai pas d'ici sans mon blé.

Jimmy Lee Bayliss se mordit la lèvre. Il avait fortement encouragé son patron à payer le type et à en finir, mais celui-ci lui avait répondu : « Pas question, mon pote, je ne vous donnerai pas un centime. »

– Voici c'que j'en pense, fit Drake McBride en boutonnant la veste de son pyjama violet. D'après moi, vous avez essayé de nous arnaquer avec un chien policier déficient. Je crois que ce vieil Horace ne savait rien retrouver du tout.

Si le maître-chien n'était pas aussi grand que Drake McBride, il était sec et nerveux. Jimmy Lee Bayliss connaissait bien le genre.

– Écoutez, peu importe ce qui s'est passé là-bas, son chien a disparu, rappela Jimmy Lee Bayliss à son patron. Et faut qu'on trouve une espèce d'accord.

– Horace était un champion, affirma avec fierté le maître-chien. Horace était le meilleur des pisteurs.

– Horace était un naze ! pouffa Drake McBride. Qui a jamais entendu parler d'un chien champion qui se paume ?

Arrivé là, Jimmy Lee Bayliss comprit que rien ne pouvait protéger son patron de sa propre grande gueule. Le PDG de la Red Diamond Energy Corporation était à présent cloué contre le mur de sa chambre d'hôtel, son visage prenant la couleur de son pyjama ridicule.

– Horace s'est pas perdu. On l'a tuyé ! dit le maître-chien en lui serrant la gorge. Et puis buffé !

Jimmy Lee Bayliss tenta de détacher ses mains du cou de son patron, sauf que le maître-chien était très fort et très remonté. Les yeux de Drake McBride lui sortaient de la tête, il battait des bras et ses poumons ne laissaient filtrer que de petits cris de souris.

– Lâchez-le, je vous en prie ! implora Jimmy Lee Bayliss. Il vous les donnera, vos deux mille dollars.

– Y s'escusera aussi de ce qu'il a dit d'Horace ?

– Il passera un rectificatif dans le journal, si vous voulez.

Le maître-chien relâcha sa prise sur Drake McBride qui s'effondra, à genoux sur la moquette. Après cinq bonnes minutes à tousser et à crachoter, il finit par reprendre sa respiration et présenter ses excuses.

– Filez-moi mon blé, dit le maître-chien.

– D'après vous, votre chien a été dévoré ?

– Vous pouvez en être sûr.

– Dévoré par quoi, si je peux demander ?

– Comme si vous le saviez pas, dit l'homme froidement.

Drake McBride lança un coup d'œil interrogateur à Jimmy Lee Bayliss.

– De quoi il parle, là ?

Jimmy Lee Bayliss songea : « Je suis au service d'un crétin intégral. »

– Il parle d'une panthère, m'sieur.

– Ah, bah ! Y a pas de panthères, là-bas ! affirma Drake McBride.

Mais tout ça, c'était de la frime. Son visage pâle n'était qu'un masque d'anxiété.

– J'ai vu les crottes de mes yeux, affirma le maître-chien.

– Vous vous êtes trompé, mon vieux. C'était très probablement un lynx.

– Ah, ouais ?

Le bonhomme remit Drake McBride sur ses pieds puis le poussa dans un fauteuil.

– Chais faire la différence entre des crottes de panthère et celles d'un lynx. Et celles que j'ai vues, elles venaient pas d'un lynx de rien du tout.

Redoutant une nouvelle tentative d'étranglement, Drake McBride abandonna la discussion.

– Comme vous voudrez, c'est vous le connaisseur.

– Oui, et pas qu'un peu, fit le maître-chien.

Pour clore le débat calmement, Jimmy Lee Bayliss expliqua à son patron que le maître-chien n'aurait jamais laissé Horace fureter dans le Black Vine Swamp s'il avait su qu'une panthère rôdait dans le coin.

– Son chien piste uniquement l'homme, pas les félins, acheva Jimmy Lee Bayliss. Je crois qu'on est dans l'obligation de lui offrir un dédommagement pour cette perte.

– Très bien, très bien, marmonna Drake McBride qui revint en boitillant dans la chambre pour y prendre son chéquier.

– Là-bas, dans l'Ouest, on utilise des chiens spéciaux pour chasser le couguar, fit le maître-chien. Mais Horace, on lui a pas appris ça. Il s'est sans doute jeté sur cette panthère de mes deux sans même aboyer, et elle l'a tuyé et buffé. Le truc, c'est que j'm'y étais attaché, moi, à mon vieux compagnon.

– On regrette vraiment ce qui s'est passé. On regrette profondément, dit Jimmy Lee Bayliss de son ton le plus sincère.

– Z'avez intérêt, reprit le maître-chien.

– Mr. MacBride et moi, on avait pas idée qu'il y avait une panthère dangereuse sur notre terrain.

– Savez quoi ? Tous les deux, vous dites que des conneries, je crois.

Jimmy Lee Bayliss ne contesta pas cette remarque. Son patron revint et s'affala dans le fauteuil, stylo-bille en main et chéquier ouvert sur les genoux.

– Deux mille tout rond, c'est bien ça ? fit-il avec une politesse forcée.

Le maître-chien frotta pensivement son menton tanné d'une façon si exagérée que Jimmy Lee Bayliss en chercha ses Tums à tâtons.

– Juste avant qu'il disparaisse, Horace était tombé sur une piste toute chaude, bouillante, se rappela-t-il. Ça nous a conduits hors du terrain de votre compagnie et vous allez pas croire ce que j'ai trouvé dans la section d'à côté… ou peut-être bien que si.

Jimmy Lee Bayliss ravala un rot aigre. Les épaules de Drake McBride s'affaissèrent.

– Y avait tout un gros tas de tuyaux et de caisses d'outils de forage, poursuivit le maître-chien, comme si quelqu'un s'préparait à creuser un puits de pétrole sur une propriété de l'État ! Vous devinerez jamais quel nom y avait sur les étiquettes de ces caisses… ou peut-être bien que si. C'était écrit « Red Diamond Energy », tout pareil que votre boîte. C'est pas bizarre, ça ?

Drake McBride releva la tête et dit d'une voix rauque :

– Qu'est-ce que vous attendez de moi au juste, monsieur ?

Le maître-chien poussa un long soupir bidon.

– Mon chien de chasse me manque, ça, c'est sûr.

– Abrégeons, dit Jimmy Lee Bayliss. Ça irait mieux avec cinq mille dollars ?

– Beaucoup mieux.

– Mais s'il arrive qu'on vous pose la question, vous avez jamais mis les pieds dans la section 22, hein ? Vous n'avez jamais vu de fosse ni d'équipement de forage ni rien.

– Non, monsieur. Le seul qui sait le contraire, c'est Horace et il est plus là pour cracher le morceau. Dieu ait son âme.

Drake McBride tiqua.

– Suffit. Vous allez me faire pleurer.

Il griffonna un chèque d'un montant de cinq mille dollars et le lui tendit.

– Tenez, voilà de quoi vous payer un autre clebs, fit-il avant de regagner son lit en titubant.

VINGT-QUATRE

Nick sentit qu'on le secouait rudement. Il espéra qu'il rêvait, parce qu'il n'était pas prêt à se réveiller.

– Allez, bouge ! lui ordonna une voix étouffée.

Il ouvrit un œil et vit Duane Scrod junior au-dessus de lui, en tenue de chasse camouflage.

– Twilly vient d'appeler, lui dit-il en montrant son portable. Faut qu'on y aille.

– Où ça ?

– *Là-bas.*

– Mais, et l'école ? demanda Nick.

Smoke l'attrapa par les chevilles et le tira hors des draps.

– Va écrire un mot à ta baby-sitter.

– C'est pas ma baby-sitter !

– Pareil. Laisse-lui un mot dans la cuisine… dis-lui qu'un grand te véhicule à Truman ce matin.

– Mais il fait encore nuit, objecta-t-il.

– Non, mec, c'est le brouillard.

Nick revêtit la tenue réglementaire de l'école, blazer et cravate compris, au cas où Peyton Lynch s'éveillerait et le verrait partir. Il ignorait qu'elle dormait comme un ours en hibernation, ayant veillé jusqu'à trois heures du matin à échanger des textos avec des copines qui étaient en voyage à Hong Kong.

Nick et Smoke se faufilèrent par la porte d'entrée.

– On prend la moto ? s'enquit Nick, se demandant s'il s'était habillé assez chaudement pour une balade en plein air.

– Twilly ne veut pas, son pot d'échappement fait trop de bruit, répondit Smoke. Aujourd'hui, faut qu'on soit discrets.

À l'extrémité du pâté de maisons, ils tombèrent sur la Prius bleue, garée tous phares allumés. Même si le pare-brise était luisant de rosée, Nick distingua deux silhouettes à l'intérieur de l'habitacle. Il supposa qu'il s'agissait de Twilly et de Mrs. Starch : il n'avait raison qu'à moitié.

La vitre côté conducteur se baissa et Twilly dit aux garçons de monter à l'arrière. Une fois qu'ils eurent bouclé leur ceinture, il leur désigna son passager à quatre pattes.

– Dites bonjour à Horace.

Le limier tourna ses paupières lourdes vers les deux garçons, un filet de bave s'écoulant de sa babine inférieure.

Smoke exulta, au comble du ravissement.

– C'est le même que celui qui nous poursuivait ?

– Tout est pardonné, dit Twilly, derrière ses lunettes noires.

Nick caressa les oreilles soyeuses du chien.

– Me dites pas qu'il est tombé dans le vieux panneau du hamburger cru.

– Non, c'était du steak tartare, dit Twilly. Un seul *snif* et Horace a décidé que j'étais son nouveau meilleur ami. Il s'avère qu'il est de très bonne compagnie. Il ne pose pas des tas de questions indiscrètes, lui.

– Comment vous savez qu'il s'appelle Horace ?

– Parce que c'est le nom que son maître a braillé aux quatre coins des bois après l'avoir perdu. À propos, fit Twilly, en examinant Nick dans le rétroviseur, pourquoi tu t'es habillé comme un ouvreur de théâtre ? Ou bien c'est comme ça que tu te fringues d'habitude pour te balader dans les marais ?

– Euh, non. Je devais faire semblant d'être sur le chemin de l'école, expliqua-t-il en rougissant.

Il ôta son blazer et sa cravate.

– Et vous, pourquoi vous portez des lunettes de soleil ? fit-il brusquement à Twilly. Il fait presque noir dehors.

– Pas pour moi.

– Tu as trouvé plus de tu-sais-quoi ? demanda Smoke.

– Ouaip, fit Twilly.

– Fraîches ?

– Deux heures, maxi.

Nick s'avança sur le siège, tout excité.

– Des crottes de panthère ?

– Exact.

Smoke regarda à l'extérieur par la vitre de la voiture.

– Trop bien, murmura-t-il.

Nick lui emprunta son portable pour appeler Marta, qui le supplia de la laisser venir avec eux. D'abord, Twilly fut réticent, mais Smoke éleva la voix et dit que ça ne pouvait pas faire de mal d'avoir une paire d'yeux et d'oreilles supplémentaires pour leurs recherches. Nick donna instruction à Marta de les retrouver à la boîte aux lettres, près de l'arrêt de bus. Elle les attendait en jean et sweat-shirt avec capuche quand la voiture s'arrêta.

Elle était si excitée qu'elle se jeta pratiquement sur la banquette arrière. Il lui fallut quelques instants avant qu'elle ne remarque le grand chien, bavant à l'avant.

– C'est quoi le plan avec *lui* ? demanda-t-elle.

– C'est Horace, tout simplement, répondit Nick.

– C'est un limier, ajouta Smoke. Et un bon.

Horace bâilla devant le compliment.

– Oh, je pige, fit Marta. Il va nous aider à retrouver la maman panthère.

Twilly émit un son pareil au *buzzer* d'une émission de jeu télévisé.

– Faux, dit-il. Horace sera bientôt attaché sous un arbre et ronflera comme un sapeur. Il ne chasse pas les félins.

– Il est dressé pour la chasse à l'homme, expliqua Smoke.

– Et il sort d'où ? demanda Marta.

– Twilly l'a « dognappé », fit Nick.

– Pas vrai. Je l'ai soudoyé avec un steak, c'est tout, rétorqua Twilly.

Comme il roulait plus lentement que la normale à cause de l'épais brouillard, ça leur prit un petit moment pour atteindre la route de terre menant au Black Vine Swamp. Chemin faisant, Twilly s'arrêta brièvement pour bien ajuster la ceinture de sécurité autour d'Horace, ce qui était une bonne idée, songea Nick. Un trajet cahoteux pouvait causer des problèmes déplaisants à un grand chien au ventre plein comme aux autres passagers.

Ils dissimulèrent la voiture de Mrs. Starch au même endroit que précédemment, sous le même figuier étrangleur et continuèrent à pied. Twilly tenait Horace en laisse au bout d'une corde, Smoke venait ensuite. Nick et Marta les suivaient de près afin de ne pas être distancés dans le brouillard, suspendu comme un linceul de laine humide au-dessus du marais et des îlots d'arbres.

Un petit feu brûlait au campement de Twilly. Smoke rejoignit Marta et Nick qui se tenaient devant, laissant son agréable chaleur caresser leurs joues. Twilly attacha le chien à un chou palmiste et disposa devant lui une écuelle d'eau qu'il lapa bruyamment.

Après ça, il prépara du café et chacun eut droit à une tasse, qu'il leur dit de boire vite fait. Si Nick ne raffola pas du goût, il apprécia cet afflux de tiédeur.

Mrs. Starch sortit de sa tente en tenant le chapeau de paille. Le bébé panthère dressa la tête avec un cri plaintif.

– Patience, Flac de mon cœur, lui dit-elle.

Les trois gamins se rassemblèrent autour de lui pour le regarder. Si adorable qu'il fût, le petit félin s'agitait, se tortillait, toutes griffes sorties. Nick remarqua de longues et vilaines éraflures sur les bras de Mrs. Starch. Pendant ce temps, Horace le limier s'était déjà mis à dormir sous le palmier.

Twilly, qui se tenait loin du feu et appuyait sur des boutons de son GPS portable, leur dit :

– La bonne nouvelle, c'est qu'ils ne se serviront pas d'hélicoptères pour nous repérer – pas par un temps pareil. La mauvaise, c'est que ça va être deux fois plus dur pour nous de retrouver la mère de ce petit bonhomme.

Mrs. Starch fixa Nick et Marta d'un œil glacial.

– Le silence pendant l'expédition est absolument essentiel, leur dit-elle. Le plus infime éternuement peut effrayer la maman panthère et la faire fuir pour de bon. Ce qui condamnerait Flac à mort, compris ? Il ne pourra pas se nourrir de lait en poudre toute sa vie.

Marta et Nick acquiescèrent gravement. Tous deux songeaient à l'autre petite panthère, celle qui était morte.

– Il est temps d'y aller, dit Smoke.

Twilly entra en se baissant dans sa tente, puis en ressortit, armé d'un fusil.

– À quoi bon *ça* ? demanda Marta avec nervosité.

– Pour avoir l'esprit tranquille.

Il vérifia que les compartiments de sa cartouchière étaient bien pleins.

– Tout le monde est prêt ?

La panthère miniature grogna d'impatience dans le chapeau de paille et même Twilly éclata de rire. Ils quittèrent la clairière en file indienne pour entrer dans les bois embrumés. Twilly ouvrait la voie, suivi de Duane Scrod junior, Nick, Marta et enfin de Mrs. Starch, poussant un biberon entre les babines du petit affamé.

Pendant une demi-heure ou presque, ils avancèrent avec détermination et pourtant silencieusement, traversant futaies de cyprès, étendues marécageuses, hammocks, puis d'autres pinèdes, mêlées de palmiers nains. Seul le brouillard parut devenir plus épais, plus humide et plus froid.

Twilly se servait du GPS pour revenir sur ses pas ; sans lui, Nick le savait, ils ne trouveraient jamais ce qu'ils cherchaient. Pas un mot ne fut prononcé, même par Marta quand elle perdit brièvement l'une de ses baskets dans la vase. De même, Mrs. Starch ne poussa pas le plus petit cri, quand le bébé panthère, énervé de ne plus avoir de lait, lui griffa le nez jusqu'au sang de sa patte démesurée.

Twilly fit enfin signe au groupe de faire halte et de se rassembler autour de lui. Il se pencha et, soulevant avec précaution une branche de chou palmiste, révéla sur le sol un tas d'un vert noirâtre, dont l'origine était irréfutable et qui contenait des touffes de poil de daim, de petits morceaux d'os et des fragments de plumes d'aigrette blanche.

Marta pointa du doigt l'amas qui sentait mauvais et articula muettement les mots :

– Popo de panthère ?

Twilly leva les deux pouces. Duane Scrod junior mit un genou à terre et examina l'excrément. Le seul son, qui sortait de l'ordinaire dans le marais, était celui du panthéreau, grondant dans le chapeau de paille de Mrs. Starch. Nick sentit Marta le saisir doucement par un pan de sa chemise.

Au bout de quelques instants, Smoke se releva et se mit à avancer furtivement, à petits pas, suivant comme en apesanteur une piste embrouillée que lui seul pouvait détecter.

Les autres le suivirent, le cœur battant par anticipation.

Jimmy Lee Bayliss avait beau penser qu'il vaudrait mieux qu'il parle au garde-chasse, seul à seul, Drake McBride insista pour venir avec lui. Jimmy Lee Bayliss avait déjà dit à Melton et au reste de l'équipe de prendre la matinée afin d'éviter tout risque qu'un agent fédéral n'entende par hasard les machines de la Red Diamond en action sur la section 22.

Le trajet cahoteux jusqu'au Black Vine Swamp fut un cauchemar pour les côtes fracturées de Drake McBride, qui gémit et jura sans discontinuer. Jimmy Lee Bayliss arrêta le pick-up de la compagnie non loin de l'entrée du chemin de planches public ; il n'avait jamais vu de brouillard aussi dense. On aurait dit une fumée froide qui s'accrochait.

Son patron descendit en frottant son torse bandé. Il ne décolérait pas d'avoir donné cinq mille dollars au propriétaire du limier disparu.

– Vous pensez qu'une panthère a vraiment croqué ce chien ? Impossible, mon pote.

– Pas d'importance, répliqua Jimmy Lee Bayliss. On n'avait pas d'autre choix que de soudoyer ce type.

Drake McBride eut un renfilement de mépris.

– C'est rien qu'un arnaqueur.

– Et alors ? Il avait découvert la fosse sur la section 22, lui rappela-t-il pour la dixième fois. Il nous aurait balancés si on ne lui avait pas filé un peu de monnaie.

– Ah, qu'est-ce que je déteste les arnaqueurs, dit Drake McBride.

Jimmy Lee Bayliss éclata de rire. Il ne put s'en empêcher.

Il comprenait parfaitement pourquoi le père de Drake McBride jugeait que son fils n'était qu'un incapable.

Un pick-up vert roula hors de la brume et s'arrêta. Sur le flanc de la camionnette, on voyait le logo de l'US Fish and Wildlife Service[1].

– Laissez-moi me charger de ce blanc-bec, Jimmy Lee, dit Drake McBride.

Le blanc-bec en question se révéla bien plus âgé que Drake McBride lui-même, quoique en bien meilleure forme physique. Arborant insigne et arme dans son étui, il se présenta comme étant l'agent spécial Conway.

– Agent spécial ? fit-il avec un sourire suffisant. Alors, comme ça vous êtes, hum, un genre de James Bond de la cambrousse ?

– Et vous, qui êtes-vous donc ? répliqua ledit Conway.

– Drake McBride. Je suis le PDG de la Red Diamond Energy.

– Bien. Et vous ? demanda l'agent en jetant un coup d'œil à Jimmy Lee Bayliss.

– C'est mon chef de projet, fit Drake McBride. Il s'appelle Mr. Bayliss. Permettez que j'nous évite de perdre une seconde de plus de notre temps précieux à nous tous : il n'y a pas de panthères par ici, d'accord ? *Nada*. Quelqu'un a commis une grosse bourde.

Conway se fendit d'un sourire poli.

– Un citoyen, tout à fait sûr de son fait, nous a signalé en avoir aperçu une dans ce secteur, donc nous sommes tenus de vérifier. Mais pas aujourd'hui, monsieur. Pas par ce brouillard à couper au couteau.

1. Département des ressources naturelles et de protection de l'environnement des États-Unis *(N. d. T.)*.

Jimmy Lee Bayliss souffla de soulagement en silence. Drake McBride était sur des charbons ardents.

– Où commencent les limites de votre concession pétrolière ? demanda Conway.

– À un kilomètre d'ici, plus loin sur la route, répondit Jimmy Lee Bayliss en montrant du doigt. Il y a un panneau et un portail métallique.

– Ne le verrouillez pas demain matin, lui conseilla l'agent de la faune. Si la météo le permet, je reviendrai avec deux collègues et un chien pisteur.

– Ah, super, marmonna Drake McBride entre ses dents. Un nouveau clebs.

– Pardon ?

– Rien, rien.

Jimmy Lee Bayliss s'empressa d'intervenir :

– On coopérera pleinement avec vous, agent Conway. Tout ce dont vous aurez besoin, considérez-le comme acquis.

– Bien.

Le fonctionnaire retira ses lunettes à monture métallique et en essuya les verres embués.

– Il y a peu d'animaux sur terre davantage menacés que la panthère de Floride… en êtes-vous conscients ? Il en reste environ entre soixante et cent, c'est tout, et notre boulot c'est d'essayer d'empêcher l'extinction de leur espèce. C'est pourquoi on enquête à la moindre apparition possible.

– Mais, comme je vous l'ai dit, il peut pas y avoir d'apparition possible par ici, pasque y a pas de panthère, bon Dieu ! protesta Drake McBride.

– Elles sont vraiment de toute beauté, dit l'agent. Vous n'en avez jamais vu en photo ?

– Non, mais j'ai vu des couguars, là-bas dans l'Ouest. On les abat et on les dépèce, c'est tout ce qu'il y a de légal. Au fond, c'est le même genre de vermine.

Conway remit ses lunettes et tourna le dos au PDG de la Red Diamond Energy Corporation.

– Assurez-vous de laisser ce portail déverrouillé, dit-il à Jimmy Lee Bayliss.

– Oui, monsieur. Je peux vous demander qui vous a appelé en disant qu'il avait aperçu un de ces félins dans le coin ?

Conway rejoignit son pick-up et regarda sur son écritoire.

– Le nom qui figure sur cette déposition est Hayduke, fit-il. George W. Hayduke.

Ce nom ne dit rien à Jimmy Lee Bayliss ni à son patron, qui n'avait lu aucun livre jusqu'au bout depuis sa première année de fac.

– Il nous a donné aussi un relevé de position GPS, ajouta Conway. Donc, on a un bon endroit par où commencer.

– Vraiment ?

Jimmy Lee Bayliss se sentit soudain pris de nausée.

Son patron déclara, boudeur :

– Alors, comme ça, n'importe quel tordu peut appeler le gouvernement américain en disant qu'il a vu une panthère, une licorne ou même un OVNI et vous autres, vous envoyez un détachement dès le lendemain. C'est comme ça que ça marche ?

L'agent spécial Conway monta dans sa camionnette dont il baissa la vitre.

– Soyez prudents dans ce brouillard, leur dit-il avant de s'éloigner.

L'inspecteur Jason Marshall avait reçu deux coups de fil inattendus, ce lundi matin-là. Le premier appel émanait d'un certain Bernard Beanstoop III, plus connu sous le nom de Bernie le Haricot, qui n'était rien de moins que l'avocat le plus célèbre et le plus cher de Tampa.

Bernie le Haricot informa Jason Marshall que la grand-mère de Duane Scrod junior l'avait engagé pour représenter le jeune homme qu'on accusait d'incendie criminel. Bernie le Haricot ajouta qu'il s'employait en ce moment même avec la famille à retrouver Duane junior et à le persuader de se livrer. L'avocat affirma aussi que le garçon était « innocent à mille pour cent » et qu'il contesterait toutes les charges qui pesaient sur lui.

– Mais il m'a échappé et s'est enfui, souligna l'inspecteur. C'est de la résistance aux forces de l'ordre.

– Circonstances atténuantes, pépia Bernie le Haricot. Ce pauvre gamin a paniqué, tout simplement. De toute façon, si vous retrouviez Duane avant nous, je vous prierais de l'informer que sa grand-mère lui a déjà pris un avocat. Et pas n'importe quel avocat… le meilleur !

La conversation n'était pas le point fort de Jason Marshall, qui nourrissait des doutes à propos de l'affaire du Black Vine Swamp depuis sa visite à la quincaillerie où l'on avait vendu les deux allume-feu au butane.

Le second appel téléphonique de la journée ne fut pas moins troublant. Il émanait d'un procureur d'État zélé qui demanda à l'inspecteur de ne pas se mettre martel en tête si les bandes vidéo montraient que les allume-feu n'avaient pas été achetés par Duane Scrod junior. L'adolescent en cavale demeurait le principal suspect, lui affirma ledit procureur.

– Les bandes ne prouvent pas que ce voyou n'a pas mis le feu, ajouta-t-il. Elles prouvent seulement qu'il n'a pas fait ses courses dans cette boutique-là. Et puis zut, il pourrait avoir acheté exactement la même marque d'allume-feu sur Internet !

Ce qui était sans doute la vérité, songea l'inspecteur, et

cependant, ça lui paraissait une coïncidence suspecte, étant donné le timing de l'incendie volontaire.

– Le seul et unique mystère dans cette affaire, continua le procureur, c'est comment un fruit pourri comme Scrod a pu entrer dans un établissement privé aussi sélect que l'école Truman. Je veux dire, votre fille va bien là-bas, pas vrai, Jason ?

– Oui, dit l'inspecteur du bout des lèvres.

– Ma foi, si c'était mon enfant, ça me ferait sérieusement baliser… qu'un gars avec le casier de Scrod hante les mêmes couloirs qu'elle.

– Je vous préviendrai dès que nous l'aurons retrouvé, fit l'inspecteur, sans grand enthousiasme.

Torkelsen, l'expert en incendie, arriva à dix heures pile dans les locaux du shérif. Jason Marshall l'emmena dans son bureau et lui confia ses doutes concernant l'affaire. Torkelsen l'écouta pensivement, puis lui demanda :

– Je peux voir ces bandes ?

L'inspecteur installa un magnétoscope et s'assit derrière Torkelsen qui visionna la vidéo en mettant sur « pause » à plusieurs reprises pour scruter les traits de l'individu, qui gobait des cachets d'antiacide près de la caisse enregistreuse, en attendant de payer les allume-feu Ultra Flam.

– Ça n'est pas le jeune Scrod, fit Jason Marshall.

– C'est évident.

L'expert en incendie s'accroupit devant l'écran de télévision, le menton appuyé sur son poing.

– Eh bien, qu'en pensez-vous ? demanda l'inspecteur.

– J'en pense que notre ami le procureur va être extrêmement déçu.

Torkelsen pressa la touche « pause » du magnétoscope, ouvrit sa serviette et en sortit un sachet en plastique transparent qu'il brandit sous le nez de l'inspecteur.

À l'intérieur, il y avait un stylo-bille bas de gamme, frappé du nom de la Red Diamond Energy.

– Je me souviens de ce stylo, dit Jason Marshall. Vous l'avez trouvé près du point de départ de l'incendie.

– C'est exact, dit Torkelsen. L'homme qui l'avait perdu est le même qui m'a appelé plus tard pour me dire qu'il avait découvert la sacoche du garçon sur les lieux.

L'inspecteur ajusta son nœud de cravate. Souriant à présent, il dit :

– Ça alors, hein ? Le même sac avec l'allume-feu au butane dissimulé dans l'une des poches.

– Ouais. Ça alors.

L'expert en incendie revint vers l'écran de télévision où le visage du client était figé en noir et blanc ; malgré le grain de l'image, on le reconnaissait sans peine.

– Il s'appelle Jimmy Lee Bayliss, dit-il. Il travaille pour cette compagnie pétrolière, la Red Diamond.

Jason Marshall fit en sorte de paraître calme et professionnel, bien qu'il fût au comble de l'excitation.

– Alors, voilà comment les choses se sont passées : Bayliss est allé à la quincaillerie et y a acheté l'allume-feu n° 1 pour déclencher l'incendie.

Torkelsen opina du chef et dit :

– Il s'en est sans doute débarrassé le jour même.

– Mais, plus tard, en apprenant que vous saviez qu'il s'agissait d'un incendie criminel, il s'est inquiété.

– « Il a été pris de panique » serait plus juste.

– Alors, il s'est précipité dans la même quincaillerie où il a acheté un allume-feu identique au premier, fit l'inspecteur. Afin de faire porter le chapeau au jeune Scrod.

– Et là, ça tient debout, n'est-ce pas ?

L'expert en incendie remit le stylo-bille à conviction dans sa serviette.

Jason Marshall se leva et vérifia que l'étui à menottes était bien fixé au dos de sa ceinture.

– Il manque encore une grosse pièce du puzzle, dit-il. Pourquoi Bayliss a-t-il mis le feu dans les marais au départ ?

Torkelsen éjecta la cassette du magnétoscope.

– Allons le lui demander.

VINGT-CINQ

C'était comme marcher sur la pointe des pieds parmi les nuages.

Trempée d'humidité par le brouillard, la chemise de Nick lui collait au torse. Sa peau était poisseuse et de minuscules gouttelettes de rosée étaient accrochées à ses cils comme des globes d'argent. Le marais baignait dans un crépuscule gris pâle ; Nick avait du mal à croire que c'était le matin et que, quelque part là-haut, le soleil brillait de tous ses feux.

Smoke progressait à allure régulière sur les traces de la mère panthère, faisant des pauses çà et là pour désigner un rameau brisé, une touffe d'herbe aplatie ou une empreinte de patte partielle. Les sauveteurs avaient beau se rapprocher du fauve à chaque pas, la panthère demeurait un fantôme invisible, une vapeur de leur imagination.

Est-ce qu'elle courait ? Se cachait-elle quelque part ? Les observait-elle du haut de la branche d'un chêne ?

Twilly Spree avait retiré son collier porte-bonheur de peur que le cliquetis des becs de vautour séchés n'alerte le fauve. Il collait aux talons de Smoke, tenant le fusil par la crosse, son canon bleuâtre pointé vers le ciel. Marta avait reculé de quelques pas pour marcher avec Mrs. Starch et être proche du panthéreau endormi.

Nick s'émerveillait en constatant à quel point tous les cinq avaient appris à se déplacer en silence à travers taillis épineux et marais détrempé… ils marchaient de conserve, de façon fluide, comme un mille-pattes ou l'ondulation d'un serpent. Mais il savait aussi que les panthères possédaient une ouïe si aiguisée qu'une toux étouffée ou un léger raclement de gorge pouvait faire s'enfuir le félin de frayeur, et qu'il risquait de ne plus s'arrêter avant des kilomètres et des kilomètres.

Poursuivre un animal aussi méfiant réclamait tellement de discrétion et de concentration que les pensées de Nick ne pouvaient vagabonder loin, ce qui était une bonne chose. Il aurait passé une journée interminable à l'école, à s'inquiéter, impatient, heure après heure, de son père, couché sur une table d'opération à l'hôpital militaire. Cette chasse au fauve était la distraction parfaite, physiquement et émotionnellement. Nick ne s'était jamais senti plus vigilant, plus absorbé.

Il n'avait aucune idée de l'endroit où ils se trouvaient ni même de la direction dans laquelle ils allaient jusqu'à ce que le chemin de planches ne surgisse du brouillard. Smoke s'accroupit soudain en boule, imité par les autres. Twilly fit signe à Mrs. Starch d'amener vite fait le panthéreau en tête de file.

Tenant son chapeau de paille à deux mains, comme s'il renfermait un trésor rare et fragile, la femme dégingandée s'avança au ralenti d'un pas chancelant. Elle rappela à Nick une cigogne s'apprêtant à becqueter un insecte. Il chercha à tâtons derrière lui la main de Marta et la tira plus près afin qu'elle puisse mieux voir.

Smoke était à nouveau debout, scrutant le banc de brouillard. Twilly chuchota quelque chose à Mrs. Starch, qui extirpa le bébé panthère du fond de son chapeau. Le félin étira ses pattes courtes et boudinées en bâillant largement. Puis il commença à gigoter, à se contorsionner et à se débattre, ratissant de ses griffes démesurées les mains et les avant-bras de Mrs. Starch. Celle-ci réussit d'une façon ou d'une autre à le maîtriser, mais Nick et Marta furent surpris de voir autant de puissance dans une boule de poils si mignonne.

Bientôt, le panthéreau se mit à pousser des cris plaintifs, ce qui provoqua un sourire de tendresse chez Mrs. Starch et des signes de tête approbateurs chez Twilly et Smoke. Les cris, espéraient-ils, feraient sortir la mère panthère des bois et, espéraient-ils aussi, la conduiraient jusqu'à son petit.

Mais uniquement si elle les entendait.

Smoke dit quelque chose à Twilly, qui se raidit et mit son fusil en position de tir. Nick sentit le souffle de Marta dans son cou.

– Il y a quelqu'un d'autre dans le coin !

– Impossible.

– Écoute, Nick ! Des voix.

Smoke avait dû lui aussi les entendre, au contraire de Nick. Les seuls bruits qui lui arrivaient aux oreilles, c'étaient les geignements du panthéreau et le boum-badaboum de son propre cœur.

Quand Mrs. Starch libéra le petit félin, il gambada sur quelques mètres jusqu'à une clairière, avant de s'asseoir tout à coup, déboussolé, en ouvrant de grands yeux.

Twilly leur fit signe à tous de reculer. Ils se regroupèrent dans un bouquet de jeunes pins d'où, malgré le brouillard, ils apercevaient encore Flac… houppette de fourrure tachetée sur le sol. Le panthéreau cria encore et encore, sachant cependant d'instinct qu'il ne devait pas bouger, car le moindre frémissement pouvait attirer l'attention d'un faucon.

– Dépêche-toi, maman panthère, murmura Mrs. Starch d'une voix angoissée, que ni Nick ni Marta ne lui connaissaient. Plus rien à voir avec la personne qui les terrorisait en cours de biologie.

– Tu as vu la panthère en vrai ? chuchota Nick à Smoke, qui fit non de la tête.

– Mais elle n'est pas loin, ajouta-t-il.

– Comment tu le sais ? demanda Marta.

– On a pissé de frais sur une rose de Jéricho.

– Charmant.

Nick demanda à Smoke si, comme Marta, il avait entendu des voix, lui aussi.

– Ouais, mon frère, fit-il avec appréhension.

Twilly ne regardait pas le panthéreau ; il scrutait arbres et fourrés, braquant son arme, calée contre sa poitrine. Les cris du petit félin, à entendre, étaient pitoyables, comme perdus dans l'immensité du marais, pareils aux couinements d'un jouet en peluche.

– N'abandonne pas, petit gars, fit Mrs. Starch.

Elle agrippait son chapeau de paille si farouchement qu'elle l'avait écrasé.

Marta ferma les yeux. Nick supposa qu'elle disait une prière pour le bébé panthère ; sa famille étant très croyante, Marta ne manquait jamais la messe du dimanche. Nick songea : « Prier ne peut pas faire de mal. »

Les secondes s'égrenaient avec une affreuse lenteur, les appels émis par le panthéreau faiblissaient. Il se fatiguait de crier.

– Pas bon, ça, dit Smoke.

Twilly était d'accord avec lui.

– On s'accorde encore cinq minutes.

Le panthéreau avait dû entendre leurs murmures, car il dressa l'oreille et tourna la tête vers leur cachette parmi les pins.

– Ça me brise le cœur, dit Mrs. Starch.

Du plus profond du brouillard s'éleva alors un feulement perçant et sauvage, comme sorti d'un film de tueur à l'arme blanche. Twilly se figea, Mrs. Starch resta bouche bée et Marta enfonça ses ongles dans l'épaule de Nick.

– La panthère ! dit Smoke d'un ton triomphant.

Puis vinrent les coups de feu.

Longtemps après que le pick-up de l'agent spécial Conway eut disparu dans la brume, Drake McBride et Jimmy Lee Bayliss faisaient les cent pas sur la route de terre. Ils avaient une conversation pénible au sujet de l'avenir de la magouille pétrolière de la section 22.

– Tout est fichu, affirma Drake McBride avec amertume. On est cuits.

– Peut-être pas. Rappelez-vous, il s'agit du gouvernement. La moitié de tout ce qu'ils font est bâclée.

– Non, z'avez entendu ce bonhomme. Ils vont venir en commando et ratisser tout ce marais… avec un chien, et sans doute pas un rigolo, cette fois. C'est obligé qu'ils tombent sur notre site de forage, Jimmy Lee, et alors là, on sera bel et bien *fichus* !

Jimmy Lee Bayliss craignait que, pour une fois, son patron n'eût raison. Les agents, en recherchant la panthère, tomberaient probablement sur le puits pirate d'entrée, la Red Diamond Energy aurait alors de graves ennuis pour avoir essayé de voler du pétrole sur un terrain qui appartenait aux honnêtes citoyens de la Floride.

– Vous ne trouvez rien d'autre à dire ? C'est tout ? bafouilla Drake McBride.

– Je réfléchis, simplement, répondit-il.

– Vous réfléchissez à quoi… à celui de nous deux qui aura droit à la couchette du haut dans notre cellule de prison ?

En fait, Jimmy Lee Bayliss songeait au Mexique. Vu à la télé, ça paraissait un pays chaleureux et amical où il faisait bon vivre et où personne ne vous posait trop de questions. Il devait y avoir des vols directs depuis Tampa ou peut-être Orlando. Le problème était le suivant : avait-il laissé son passeport là-bas, au Texas ?

Drake McBride frotta ses côtes endolories en rouspétant contre toute cette poisse qui lui était tombée dessus comme une avalanche.

– Je donnerais n'importe quoi pour savoir qui a prévenu les fédés à propos de cette panthère. Ça doit être le même farceur qui s'en est pris à Melton.

– Aucun doute là-dessus.

Il revit en pensée le spectacle de tous ces petits fanions roses, perfidement réarrangés pour intimer à l'hélicoptère de la Red Diamond : O-U-S-T-E. Jimmy Lee Bayliss n'avait pas communiqué cette mésaventure à son patron et ne voyait plus de raison de le faire maintenant.

– Mais qu'est-ce que je vais dire à mon vieux père ? se lamenta Drake McBride.

– De vous prendre un avocat.

– Ah, très drôle, vraiment.

– Je ne plaisante pas, fit-il.

Son patron donna un coup de pied dans un caillou.

– C'est juste pas juste.

– J'vous avais dit que toute cette histoire était une mauvaise idée. J'vous avais averti, mais z'avez rien voulu écouter, râla Jimmy Lee Bayliss.

– Ah, ouais ? Ben, moi, mon pote, je me rappelle que vos p'tits yeux éblouis se sont illuminés comme les feux d'artifice du 4-Juillet quand z'avez entendu combien de billions de dollars on allait se faire dans cette opération.

Jimmy Lee Bayliss prit appui contre l'aile mouillée du

pick-up et réfléchit à la situation. Enlever l'ensemble des tuyaux et de l'équipement de la Red Diamond de la section 22 prendrait plusieurs jours, puis il faudrait combler le puits. Il n'y avait simplement pas assez de temps. Glissant la main dans les poches de son pantalon, il découvrit avec consternation qu'il était à nouveau à court de Tums.

– Eh, on pourrait toujours remettre le feu, suggéra Drake McBride, histoire de retarder les gardes-chasses.

– Vous êtes sérieux ?

– Cette fois, je parle d'un très grand. Vraiment maousse.

– Non.

– Un incendie qui brûlerait pendant des semaines ! On contiendrait les flammes à deux ou trois cents mètres du site de forage, dans le sens du vent, puis on ferait venir en douce Melton et les gars pour débarrasser le matos et boucher la fosse. Et illico presto, on serait plus dans les bois !

Drake McBride marqua un temps.

– Pourquoi vous me regardez comme ça ?

– Parce que vous êtes sans doute le plus grand abruti que j'aie jamais rencontré.

– Quoi !

– Vous m'avez bien entendu.

Dans sa tête, Jimmy Lee Bayliss n'était plus employé par la Red Diamond Energy et se sentait donc libre d'insulter Drake McBride. Plus jamais il ne s'adresserait à cet imbécile en lui disant « m'sieur ».

– Si vous avez envie d'un autre feu de forêt, allumez-le vous-même, lança-t-il d'un ton persifleur à son ex-patron.

Rouge comme une tomate, celui-ci serra les poings et s'avança vers Jimmy Lee Bayliss qui se leva, prêt à lui refracturer les côtes si nécessaire.

Les deux hommes se tenaient à quelques centimètres d'écart, occupés à se fusiller mutuellement du regard, quand un feulement à glacer le sang fendit le brouillard. Il avait l'air presque humain à l'entendre, comme un cri qu'on pourrait pousser après s'être ébouillanté.

Jimmy Lee Bayliss sentit ses poils se dresser sur sa nuque. Drake McBride, pris de panique, s'empara de son fusil qu'il brandit imprudemment vers le rideau de brume.

– Filez-moi mon flingue, lui dit Jimmy Lee Bayliss.

– Lâchez-moi ! fit Drake McBride, les yeux étincelants. C'était une panthère, ajouta-t-il en chuchotant d'une voix rauque.

– Tirons-nous d'ici.

– Non, c'est notre seule chance.

– M'obligez pas à vous faire mal, dit Jimmy Lee Bayliss.

– On peut se débarrasser de cette saleté sur-le-champ… et d'une seule balle !

Le fusil pointé en avant, Drake McBride se mit à ramper le long de la route de terre en direction du hurlement. Jimmy Lee Bayliss le suivait de près, prévoyant de maîtriser son écervelé d'ex-patron, de lui arracher l'arme et de fuir le Black Vine Swamp pour toujours. Sûrement qu'un pétrolier d'expérience pouvait se trouver un boulot correct au Mexique.

– Vous voyez ça ? demanda McBride en se raidissant et en ralentissant l'allure.

– Quoi ?

– Quelque chose a bougé devant nous, promis juré.

– Je vois rien du tout, moi.

Mais Drake McBride n'avait pas eu la berlue.

Le brouillard se dissipa et une forme de couleur fauve se matérialisa, lustrée et surbaissée. En équilibre sur son postérieur musclé, à dix mètres à peine, elle rivait ses pupilles d'or pâle sur les deux hommes surpris. Le félin demeura immobile, mis à part une contraction de sa longue queue sinueuse.

Jimmy Lee Bayliss retint son souffle. Jamais il n'avait vu un prédateur si impérial d'aussi près, et pourtant il était plus stupéfait qu'effrayé. La présence de cette panthère rare était si hypnotique qu'il ne remarqua pas que Drake McBride levait son fusil.

Aussitôt un chou palmiste explosa près du fauve, qui gronda et disparut en deux grands sauts dans le brouillard. À moitié fou de peur et de rage, Drake McBride tira deux autres coups de feu.

Jimmy Lee Bayliss tendit le bras vers l'arme, mais son ex-patron fit un bond de côté, visant à l'aveuglette entre les arbres voilés de brume. Le temps qu'il réussisse à le plaquer, Drake McBride avait épuisé toutes les munitions. Un silence lourd, chargé d'électricité, s'abattit sur le marais.

Tout en arrachant le fusil des mains de son ex-patron, Jimmy Lee Bayliss lui dit :

– J'devrais vous laisser pourrir ici.

– J'l'ai touchée cette saleté de bestiole ? demanda-t-il.

– Vaudrait mieux pas.

– Quoi… vous allez me balancer ? J'crois pas, fit Drake McBride avec un rictus suffisant. Maintenant, arrêtez de faire l'andouille, mon pote, et aidez-moi à me relever.

Mais tous deux sursautèrent au bruit d'un déclic métallique, suivi d'une voix monocorde :

– Lâchez votre arme et relevez-vous lentement, les mains sur la tête. Je ne vous le dirai pas deux fois.

Deux hommes surgirent du brouillard. Le premier, en costume cravate, braquait sur Jimmy Lee Bayliss un revolver qu'il venait d'armer. L'autre portait une combinaison bleu foncé sur laquelle on lisait ces mots : « Service des Sapeurs-Pompiers de Collier County ». À son grand désespoir, il reconnut immédiatement le deuxième homme : c'était Torkelsen, l'expert en incendie.

– Mr. Bayliss, fit-il, je vous conseille vivement de faire ce que l'inspecteur Marshall vient de vous dire.

Jimmy Lee Bayliss se mit debout docilement, lâchant le fusil comme si c'était un tisonnier chauffé à blanc. Tout en levant les mains, il envoya un coup de pied aux fesses à Drake McBride en grommelant :

– T'es content, maintenant, espèce d'idiot ?

Ce dernier se releva lentement, en se tenant les côtes. S'il espérait inspirer de la compassion aux représentants de l'ordre, il fut déçu.

– Vous êtes tous les deux en état d'arrestation, déclara l'inspecteur Marshall.

– Attendez, dit Jimmy Lee Bayliss. J'veux passer un marché.

Drake McBride lui jeta un regard noir.

– J'y crois pas… z'allez pas essayer de me coller tout ça sur le dos ?

– Et avec plaisir encore.

– Messieurs, s'il vous plaît, intervint Torkelsen. Accordez toute votre attention à l'inspecteur Marshall.

– Non, m'sieur ! Non, m'sieur ! brailla Drake McBride en s'enfuyant bruyamment dans le marais.

L'expert en incendie et l'inspecteur échangèrent un haussement d'épaules sans faire mine de se lancer aux trousses du PDG de la Red Diamond Energy Corporation.

– Il est débile à ce point ? demanda Torkelsen.

– Dix fois plus, répondit Jimmy Lee Bayliss en tendant ses poignets à Jason Marshall qui lui passa les menottes.

VINGT-SIX

Au premier coup de feu tiré, ils se jetèrent au sol. Deux détonations retentirent, suivies de près par d'autres encore. Nick fut certain d'avoir entendu l'une des balles ricocher sur un arbre voisin.

Quand la fusillade s'arrêta, Twilly se releva en braquant sa propre arme. Il respirait fort, l'oreille tendue, guettant d'éventuels bruits de pas.

Smoke fut le suivant à se remettre debout, puis Nick et Marta qui tremblait de tous ses membres.

– Tout le monde va bien ? demanda Twilly.

Les gamins acquiescèrent.

Mais ce n'était pas le cas de tout le monde. Mrs. Starch était toujours à terre. Elle était pâle, les yeux vitreux, une tache cramoisie fleurissait latéralement sur une jambe de son pantalon de toile.

– Oh, non, fit Twilly.

Posant le fusil, il s'accroupit près d'elle. Nick et Smoke l'aidèrent à la retourner pendant que Marta se tenait en arrière, pleurant doucement.

Twilly s'empressa de découper la jambe de pantalon sanglante pour examiner la blessure par balle, qui était grave. Nick avait le tournis et la nausée.

– Il lui faut un médecin, dit-il.

– Elle va mourir ? s'écria Marta d'un ton paniqué.

Mrs. Starch releva la tête.

– Non, ma chère, je ne vais pas mourir.

Sa voix, bien que faible, était ferme.

– On vous emmène à l'hôpital, lui dit Twilly.

Il n'y eut ni débat ni même discussion. Comme elle était une personne de grande taille, Twilly et Duane Scrod junior, les deux plus costauds du groupe, essaieraient de la porter jusqu'à la voiture. Ce serait un périple long et difficile à travers les hammocks et le marais.

Sans lui demander la permission, Twilly déchira une bande de tissu dans la chemise de Smoke pour en faire un garrot.

– On n'a pas beaucoup de temps. Vous saignez énormément.

– Je le sais très bien, dit Mrs. Starch. Où est le bébé ?

À cet instant précis, quelque chose de véloce et de pesant déboula d'un proche fourré : une traînée roussâtre grognant hargneusement passa à portée de main du professeur à terre et de ceux qui l'aidaient avant de bondir au sommet crevassé d'un pin mort.

– C'est elle, fit Smoke.

Il leva les yeux avec crainte et respect vers la mère panthère, qui haletait fortement, encore épouvantée par la fusillade.

– Où est le bébé ? répéta Mrs. Starch en chuchotant.

Nick fouilla la clairière du regard et découvrit la petite boule terrorisée blottie sur un lit d'aiguilles de pin.

– Il va bien, lui assura Nick.

– Vous pouvez vous en occuper ? C'est à votre tour maintenant, dit-elle. À vous et à Marta.

– Oui, on peut.

Avec efficacité et détermination, Twilly s'employa à étancher le saignement de la jambe de Mrs. Starch. Smoke gardait les yeux rivés sur la panthère dans l'arbre, tandis que Nick et Marta surveillaient son petit. Les deux félins, la mère et son bébé, s'ignoraient.

Au bout de quelques minutes, Twilly souleva Mrs. Starch, l'aida à se lever puis lui montra comment s'appuyer sur lui. Smoke passa de l'autre côté et, ensemble, ils formèrent une béquille humaine.

– Si vous entendez quelqu'un approcher, recommanda Twilly à Nick et à Marta, prenez vos jambes à votre cou. Vous pouvez utiliser ça en dernier recours.

Il leur désigna de la tête le fusil, appuyé contre la souche d'un arbre.

Nick n'avait jamais tiré avec une arme véritable ; son père n'en possédait pas, même s'il était devenu un tireur d'élite chevronné dans la Garde nationale.

– Je me suis déjà servi d'un calibre 22, fit Marta. Mes cousins de Miami m'ont emmenée à un stand de tir.

– Rien à voir, lui dit Smoke. C'est très différent.

De sa main libre, Twilly sortit le collier de becs de vautour de sa poche et le lança à Marta.

– Tu auras besoin de toute la magie possible, lui dit-il avec un sourire figé.

Il était évident que Mrs. Starch avait mal et s'affaiblissait.

– Faites de votre mieux, dit-elle à Nick et à Marta, puis elle se mit à papillonner des paupières.

Twilly prit Nick à part et lui dit :

– Je reviendrai le plus tôt possible. Ne vous égarez pas.

– On ne bougera pas d'ici.

Puis, sans un mot de plus, Twilly et Smoke s'enfoncèrent avec détermination dans les terres marécageuses envahies par le brouillard. Ils soutenaient Mrs. Starch, complètement avachie, dont les pieds traînaient sur le sol, un bras passé autour de l'épaule de chacun d'eux. Smoke ne lança qu'un seul regard en arrière, l'air anxieux, et Nick le salua de la main.

Marta enfila l'étrange collier de Twilly en disant :

– Tu es prêt ?

On ne percevait plus aucune trace de peur dans sa voix.

– Allons-y, dit-il.

Le bébé panthère tremblait encore, à cause du bruit de la fusillade, quand Nick le cueillit sur le sol. Il n'y eut ni griffure ni morsure ; le petit Flac paraissait presque soulagé d'être porté, même par un humain inconnu.

Le petit roulé en boule contre sa poitrine, Nick se campa sous le grand pin mort pour en étudier l'escalade. Il voulait déposer le panthéreau le plus près possible de sa mère, qui se dressait comme une ombre parmi les branches tordues.

– Et si c'était pas la bonne panthère ? demanda Marta.

– Non, Smoke a dit que c'était elle.

– Mais s'il s'était trompé ?

– Il ne peut pas se tromper, répondit Nick. Et il ne s'est pas trompé.

– C'est un vieil arbre dangereux. Va pas te casser le cou.

– Merci de m'encourager.

Il se mit à grimper lentement, en se servant uniquement de sa main droite pour se hisser d'une branche nue et cassante à la suivante. Remuant à peine, le petit était blotti au creux de son autre bras.

Si Nick, à dessein, ne levait pas la tête vers le fauve puissant qui observait chaque étape de son ascension, il jetait de temps à autre un coup d'œil en contrebas, où Marta montait la garde au pied de l'arbre. Même si ça lui faisait bizarre de voir sa jeune amie armée du fusil de Twilly, Nick se sentait étrangement en sécurité. Sans raison particulière, il avait confiance : Marta saurait s'en servir si nécessaire.

Ce qu'elle fit.

Il était à mi-chemin de son escalade du pin mort, à une bonne dizaine de mètres du sol, quand il l'entendit crier :

– Arrêtez-vous ou je tire ! Bougez plus de là !

Alarmé, Nick tendit le cou pour voir ce qu'il se passait en bas. En déplaçant son poids, il fit céder la branche sous lui et se retrouva en train de tomber, les pieds les premiers, comme s'il était dans un ascenseur en chute libre.

Tout se passa en une fraction de seconde vertigineuse : le bras de Nick heurta une branche déchiquetée et il entendit un craquement écœurant. Un éclair de douleur aveuglante dans son poignet fila jusqu'à son cerveau, puis une vague noire compacte l'engloutit.

Il eut la sensation de tourbillonner lentement dans les airs, comme un acrobate de cirque. En rouvrant les yeux, il comprit qu'il était suspendu, le bras cassé, et qu'il allait s'évanouir sous peu. Il avait le torse en feu, piqué d'aiguilles brûlantes : le bébé panthère s'était cramponné en plantant ses griffes dans sa chair.

– Il s'est enfui ! Il est parti ! exulta Marta, triomphante, au bas de l'arbre.

– Qui ça ? demanda Nick d'une voix rauque.

– Un type enveloppé de bandages. Je lui ai fait peur !

Puis, levant la tête vers l'arbre, elle aperçut Nick qui se balançait, accroché par la manche de sa chemise.

– Mais qu'est-ce que tu fabriques, bon sang ?

– D'après toi ? gémit-il.

– Tu vas tomber et te tuer !

Nick avait déjà envisagé cette possibilité. Tendant son bras valide vers le haut – le gauche, ce même bras qu'il avait entraîné et musclé pendant des semaines –, il saisit la branche à laquelle il était suspendu…

Et entreprit de se hisser.

De se hisser de toutes ses forces.

De se hisser malgré la pire douleur qu'il ait jamais ressentie ou qu'il ait jamais imaginé ressentir.

De se hisser, alors qu'un petit animal terrorisé s'agrippait comme un cactus à sa chair, en feulant et en lui crachant au visage.

De se hisser encore et toujours comme s'il effectuait une simple traction à la barre fixe d'une seule main, sans souci.

Nick conserva cette posture exténuante, le temps de décrocher sa chemise avec ses dents. Son bras endommagé pendait, inutile, contre son flanc ; son coude avait adopté un angle très bizarre.

Un instant plus tard, il trouva miraculeusement un appui du bout du pied. Il s'agissait d'un nid de pivert abandonné, un trou de la taille d'une balle de base-ball dans un nœud de l'arbre.

– Je monte ! lui cria Marta.

– Non ! fit Nick.

Parce que la mère panthère, elle, descendait.

Il l'apercevait, silhouette sur fond de brouillard, qui se rapprochait. L'animal pesait facilement plus de cinquante kilos, et pourtant passait de branche en branche comme s'il était aussi léger qu'un moineau.

Il ne restait à Nick qu'à retenir son souffle en attendant que les cris du panthéreau attirent sa mère plus près. Il supposa qu'il aurait dû être terrifié mais, au lieu de ça, il se sentait étrangement serein.

La panthère était élégante, agile et fantomatique, fascinante à regarder. Même s'il en avait vu de nombreuses photos dans des livres ou des magazines, il se retrouva dans un état de stupéfaction rêveuse. La douleur cuisante de son bras cassé avait pratiquement disparu, si bien qu'il se demandait s'il n'était pas en train de glisser en état de choc.

Bientôt, la mère panthère ne fut plus qu'à quelques mètres, tapie sur une grosse branche en forme d'Y, juste au-dessus de la tête de Nick. Ses oreilles se couchèrent, son nez frémit et ses yeux brillants fixèrent avec une intensité farouche le baluchon bruyant, qui s'était accroché à la chemise de Nick. Il savait que la panthère devait se demander pourquoi il n'y avait qu'un seul petit qui criait et ce qui était arrivé à l'autre.

Il entendit le roulement profond qui précédait un grondement et qui ne pouvait sortir, c'était impossible, du corps minuscule du panthéreau. Il sut que le moment était venu.

Même les deux pieds calés dans le trou de pivert, Nick chancelait et tanguait, en s'efforçant de détacher le bébé apeuré de sa poitrine. Le petit félin hurlait de frayeur à présent, impossible de s'y tromper. Nick s'inquiéta : la mère allait bondir sur lui pour défendre son rejeton.

Marta devait partager la même inquiétude car, ayant pris appui contre le tronc pour stabiliser le fusil de Twilly, elle le braquait sur le félin adulte.

Nick leva les yeux vers la panthère et lui dit très doucement :

– Tout va bien. Je ne ferai pas de mal à ton petit.

La panthère cilla et ses oreilles se dressèrent. Son petit lâcha la chemise du garçon et, avec d'infinies précautions, ce dernier le déposa sur le tronc de l'arbre. Plongeant ses griffes recourbées dans l'écorce friable et poussant un jappement puissant, le petit fauve tenta de grimper.

Immédiatement, la panthère adulte se dressa et un grondement nettement plus doux sortit de sa gorge.

Nick sut ce qu'il fallait faire à présent. Tant qu'il serait dans l'arbre, la mère resterait sans doute à distance de son bébé. Il était facile d'imaginer le panthéreau glissant et tombant avant d'avoir atteint la branche en forme d'Y.

Alors Nick regarda en contrebas et choisit une zone pour atterrir.

– Fais pas ça ! s'écria Marta.

– Écarte-toi ! lui dit-il.

Et de son bras gauche, valide et fort, il s'écarta du tronc de l'arbre. Cette fois, heureusement, il ne heurta aucune branche dans sa chute.

Il atterrit sur le dos dans un tas d'aiguilles de pin. La dernière chose qu'il vit avant de s'évanouir fut la panthère, gagnant d'un bond gracieux un autre arbre.

Elle tenait son petit par la peau du cou.

Drake McBride essayait de compenser toutes les horreurs qu'il avait dites sur le compte d'Horace.

– Tu es un bon chien ! lui cria-t-il du haut du cyprès.

Mais Horace ne bougeait pas. Il aboyait, hurlant de plus belle. Des gouttes de bave écumante volaient des larges babines du limier.

Drake McBride avait peur de mettre pied à terre parce qu'Horace avait l'air absolument furieux et féroce… il n'avait plus rien à voir avec l'animal apathique que le maître-chien avait amené dans sa suite, à l'hôtel.

Horace était au comble de l'excitation. Il campait au pied du cyprès en haut duquel s'était réfugié le PDG de la Red Diamond Energy Corporation.

C'était le deuxième couac dans la fuite de Drake McBride. Le premier était survenu quand, en débouchant dans une clairière, il s'était retrouvé nez à nez avec une petite Cubaine maigrichonne, armée d'un fusil drôlement grand. Elle avait juré de lui tirer dessus s'il avançait d'un seul pas et ne semblait pas plaisanter.

Alors, il avait tourné les talons et s'était enfui, continuant à courir jusqu'à ce que le limier flaire sa piste et le fasse grimper dans un arbre comme un opossum idiot.

– T'es un bon garçon ! beugla Drake McBride pour la énième fois.

– Oooooouuuuuhhhhh ! répliqua Horace.

Ceci se poursuivit pendant deux heures jusqu'à ce que, soudain, le chien fasse volte-face, se taise et se mette à remuer la queue. Horace fut bientôt rejoint au pied de l'arbre par un type torse nu, en bonnet de laine tricotée, portant des lunettes noires panoramiques et une cartouchière.

Drake McBride supposa qu'il s'agissait d'un braconnier, ce dont il se fichait éperdument.

– Aidez-moi, mon vieux ! le supplia-t-il.

– Descendez donc de là-haut, lui dit l'inconnu.

– Et le chien ?

– Dépêchez, je n'ai pas toute la journée.

Timidement, Drake McBride regagna la terre ferme. Il fut soulagé de voir que le limier se préoccupait à présent d'un sac de hamburgers.

– J'arrive pas à croire que j'ai payé cinq mille dollars pour ce barjo de chien, dit-il à l'inconnu, tout ça pasqu'on m'a dit qu'une panthère l'avait bouffé. J'aurais préféré que ça soit vrai.

– Vous voulez le récupérer ?

– Alors qu'il m'a poursuivi jusqu'en haut d'un arbre ? Je pense pas.

L'homme parut amusé.

– Je suppose qu'à force de s'ennuyer, Horace a mâchouillé sa corde jusqu'à ce qu'elle lâche.

Drake McBride en fut tout secoué.

– Comment vous savez son nom ?

– Horace et moi, on se connaît depuis un bail. Et vous, qui êtes-vous ?

– Drake W. McBride.

– Eh ben, ça alors, le monde est petit.

L'homme au bandage tendit sa main droite. L'inconnu ne la lui serra pas, même s'il lui adressait un grand sourire.

– Vous savez qui je suis ? demanda-t-il surpris, avec un vague sentiment d'effroi.

– Ouais, fit l'homme. Vous êtes le patron de la compagnie pétrolière à deux balles qui fore un puits de façon illégale dans la réserve naturelle de l'État. Ou dois-je dire : qui forait ?

Drake McBride, découragé, se demandait à quel point sa journée pouvait encore empirer.

– Et vous, qui êtes-vous ? demanda-t-il d'une voix caverneuse.

– Celui qui a prévenu les agents de protection de la faune au sujet de la panthère, a collé Melton, votre employé, à un arbre, l'a bombé de peinture orange, a désossé sa camionnette et fauché ce chargement de tuyaux. Et celui qui va vous faire mettre la clé sous la porte.

L'inconnu sortit un portable et composa un numéro.

– Le brouillard se lève. Faites décoller l'hélico et venez directo par ici, ordonna-t-il.

Drake McBride envisagea de s'enfuir, tout en sachant bien qu'il ne ferait que se perdre davantage. De plus, il serait facile à cet inconnu d'allure athlétique de rattraper un individu aux côtes cassées, grassouillet et tout sauf en forme.

– Je vous donnerai cinq mille dollars pour oublier tout ça et me laisser partir, proposa Drake McBride.

L'inconnu éclata d'un rire si méprisant qu'Horace releva la tête des restes réduits en purée de ses Royal Cheese.

– Vous me rappelez mon paternel, dit l'homme au PDG de la Red Diamond.

– À vous entendre, ça ne semble pas un compliment.

– Ça n'en est pas un.

– Alors, dix mille, qu'en dites-vous ?

L'inconnu redevint sérieux et écrasa d'une tape une mouche sur son cou.

– Mr. McBride, je vous laisserai partir gratuitement, dit-il, mais aucune somme au monde ne me fera oublier ce que vous faisiez ici.

– J'vous file vingt mille dollars si vous me ramenez en ville avec votre hélicoptère. Vingt mille, cash !

– Désolé, mon vieux. L'hélico est complet.

– Oh, attendez…

– Allez, viens, Horace.

L'inconnu disparut au trot dans le Black Vine Swamp, le limier sur les talons.

– Eh, où allez-vous ? lui cria Drake McBride. Et moi ? Comment je vais sortir d'ici ?

ÉPILOGUE

Plus d'un mois après la disparition de Mrs. Starch, ses élèves entrèrent avec anxiété dans la salle de classe. On lisait sur leurs visages un mélange d'excitation et d'incertitude, car la rumeur disait que le professeur le plus craint (et certainement le plus célèbre) de l'école Truman y retournait pour la première fois depuis l'incendie du Black Vine Swamp.

À cette heure-là, tous les élèves étaient au courant de ce qui s'était passé… Nick et Marta avaient raconté l'histoire de la panthère une bonne centaine de fois.

Le récit par Nick de son escalade audacieuse à la rencontre du grand fauve se terminait sur lui qui sautait de l'arbre et s'évanouissait. Il se rappelait vaguement aussi avoir repris conscience dans un hélicoptère pour voir un chien de chasse, ô prodige, couvrir ses chaussures de bave.

Le collier en becs de vautour de Marta eut un grand succès à l'école. Dans sa version de l'aventure avec la panthère, elle racontait comment elle avait monté la garde, armée d'un fusil de gros calibre, et fait fuir un inconnu complètement givré, pendant que Nick s'occupait de réunir le bébé panthère et sa mère en haut de l'arbre. Elle avait fourni aussi des détails saisissants du sauvetage en hélicoptère, y compris celui d'un atterrissage risqué sur le toit de l'hôpital.

L'histoire était bonne, peu importait celui ou celle qui la racontait.

Quand la sonnerie de l'école retentit, le Dr Dressler entra dans la salle de classe. Il semblait plus impeccable et imperturbable que d'ordinaire, mais avait une bonne raison pour ça. Le conseil d'administration venant de lui renouveler son contrat pour cinq ans, il resterait directeur de l'école. Les membres avaient arrangé l'affaire avec une généreuse augmentation, en se fondant sur la vague de publicité positive que l'établissement avait connue récemment.

Bunny Starch et trois de ses élèves avaient sauvé la vie du rejeton d'une panthère rare et, ce faisant, aidé à démasquer une affaire de forage pétrolier illégal au cœur de la réserve naturelle de Big Cypress. La nouvelle avait fait le tour des infos de Floride et même Anderson Cooper l'avait reprise sur CNN.

Résultat des courses : l'école Truman était inondée de demandes d'inscription et, bien plus important, de chèques de donateurs. Même si le Dr Dressler n'avait rien à voir avec les actes héroïques de Mrs. Starch et de ses élèves, il était enchanté de bénéficier du coup de projecteur.

– J'ai deux brèves annonces à vous faire, dit-il à la classe de biologie. Primo, je déclare l'exclusion de Duane Scrod junior suspendue. Je suis fier et ravi de lui souhaiter la bienvenue à l'occasion de son retour parmi nous.

Le directeur, se tournant vers la porte ouverte, fit un signe avec deux doigts. Dès que Smoke entra dans la salle, tout le monde se mit à applaudir sauf Nick, dont le bras droit était encore plâtré du bout des doigts à l'épaule. Au lieu d'applaudir, il frappa de la paume de sa main gauche le dessus de son pupitre.

Smoke parut embarrassé par autant d'attention et s'empressa de s'asseoir le plus vite possible.

Marta glissa un petit mot à Nick : « Il a l'air plus mince ! »

Il l'avait remarqué lui aussi. Smoke venait de passer les quatorze derniers jours dans le centre des jeunes délinquants du comté, qui n'était pas renommé pour servir des repas substantiels et nourrissants.

Les camarades de classe de Smoke avaient été scandalisés qu'on le mette sous les verrous après tout le bien qu'il avait fait. Sans ses dons de pisteur, la mère panthère disparue n'aurait jamais été retrouvée. Et sans son aide musclée, Mrs. Starch ne serait jamais arrivée en vie au service des urgences après avoir été blessée par balle.

Même si les charges pour incendie criminel contre Smoke avaient été abandonnées – un pétrolier du nom de Jimmy Lee Bayliss avait avoué en être l'auteur – le procureur de l'État avait tenu à ce que le garçon soit sanctionné pour s'être soustrait à la police. Au moment des faits, Smoke était encore en liberté conditionnelle pour les deux incendies volontaires qu'il avait allumés auparavant.

Jason Marshall lui-même jugea qu'un séjour de deux semaines derrière les barreaux était trop sévère, étant donné les circonstances. Libby avait persuadé son père de passer un coup de fil en faveur de Duane junior, mais le procureur n'avait rien voulu entendre.

Smoke avait donc purgé sa peine sans se plaindre, en détenu modèle.

– Ma seconde annonce concerne une autre rumeur qui court dans l'école, fit le Dr Dressler. Mais il se trouve qu'elle est vraie : aujourd'hui, il n'y aura pas de professeur remplaçant en biologie. Mrs. Starch, avez-vous besoin qu'on vous aide ?

Une voix familière au ton glacial s'éleva du couloir :

– Certainement pas.

Elle entra clopin-clopant, mais avec vivacité et détermination, dans la salle de cours. Les béquilles ne la faisaient paraître ni frêle ni chancelante, en fait, elle semblait plus grande et plus imposante que jamais.

Elle avait empilé ses cheveux décolorés en une choucroute à l'à-pic exceptionnel et semblait avoir appliqué en quantité industrielle le violet qui ombrait ses paupières. Sa cicatrice en forme d'enclume ressortait comme une ecchymose de fraîche date sur sa peau pâlie par son séjour à l'hôpital.

Pourtant, ses élèves réagirent à son arrivée d'une façon inattendue et spontanée : ils se levèrent tous en poussant des hourras, accompagnés de sifflets et d'applaudissements. Le Dr Dressler, à sa légère surprise, se joignit à eux.

Pour une fois, Mrs. Starch resta sans voix.

Elle joua des béquilles jusqu'à son bureau et entreprit d'y disposer énergiquement ses affaires de classe. Nick eut l'impression qu'elle essayait de ne pas pleurer.

Les élèves se calmèrent et finirent par se rasseoir, et le directeur s'éclipsa en douceur. Après un silence embarrassé, Mrs. Starch s'éclaircit la gorge et dit :

– Bonjour, tout le monde. Ouvrez vos livres, s'il vous plaît… nous avons beaucoup de choses à rattraper.

Graham Carson leva aussitôt la main. Et, naturellement, Mrs. Starch l'ignora. Nick sourit en songeant : « Certaines choses ne changent jamais. »

– Qui est disposé à tout me dire sur la structure de l'ADN, telle que l'ont décrite Crick et Watson ? demanda-t-elle.

Le silence habituel suivit sa question.

– Quelqu'un s'est-il donné la peine de lire le chapitre 11 ? fit-elle. Si vous avez du mal à le trouver, essayez de regarder entre les chapitres 10 et 12.

Seul Graham agitait la main. Mrs. Starch pivota vers Mickey Maris et lui dit :

– Eh bien…

Mickey Maris ravala sa salive et se mit à feuilleter son manuel avec affolement.

– Les criquets de Watson ? demanda-t-il.

– Il s'agit de *Crick et* Watson, rectifia Mrs. Starch avec irritation.

– S'il vous plaît ? implora Graham Carson à l'autre bout de la salle. S'il vous plaît, Mrs. Starch ?

Elle se retourna et poussa un soupir, vaincue.

– Très bien, Graham, finissons-en.

Il bondit sur ses pieds et se composa une mine de circonstance.

– Crick et Watson sont deux savants qui ont trouvé un modèle d'ADN dit à double hélice. Il présente deux brins de nucléotides qui s'enroulent l'un autour de l'autre. L'extérieur de l'hélice se compose de phosphates de sucre, et l'intérieur de bases nitrogènes.

Les autres élèves en restèrent bouche bée. Mrs. Starch elle-même en imprima un léger mouvement de balancier arrière à ses béquilles.

– Très bien, Graham, finit-elle par dire. C'est une journée historique.

Nick jeta en douce un coup d'œil à Marta, qui n'avait pas l'air nauséeuse, comme c'était souvent le cas pendant ce cours. Elle lui sourit en retour en lui murmurant :

– Moi aussi, j'ai mémorisé tout le chapitre.

Remise du choc que lui avait causé la bonne réponse de Graham, Mrs. Starch lui dit qu'il pouvait se rasseoir.

– Mais j'ai une question à vous poser. Une question très importante, lui dit Graham.

– Il vaudrait mieux pour vous qu'elle le soit.

– Comment allez-vous ?

– Quoi ?

– Je veux dire, ça va aller ? demanda Graham. Tout le monde s'est fait du souci.

Le professeur parut complètement dépassé. Elle lança un bref coup d'œil à Nick et à Marta, puis à Duane Scrod junior.

Après cet instant de flottement, elle répondit :

– Merci de votre sollicitude, Graham. Tout ira très bien.

Elle cueillit un Ticonderonga n° 2 dans le pot à crayons posé sur son bureau, et tapota sa hanche gauche avec la gomme.

– La balle est entrée ici, juste en dessous de l'articulation, expliqua-t-elle. Et a transpercé ma jambe de part en part. Heureusement, elle n'a pas touché l'artère fémorale, même si elle l'a ratée de peu.

D'un œil sceptique, elle scruta l'air captivé de ses élèves.

– Je suppose que personne à part Libby Marshall ne peut me décrire le rôle de l'artère fémorale dans le système circulatoire de l'être humain.

Les joues de Libby s'empourprèrent. Mrs. Starch lui dit :

– Du calme, ma petite. Il n'y a pas de honte à être intelligente.

À cause de sa blessure, elle ne parcourait pas autant de distance qu'auparavant dans ses allées et venues. Cependant, comme d'habitude, elle était toujours en mouvement.

– Avant de traiter des caractéristiques de la double hélice, fit-elle en arpentant la travée centrale, il me reste encore à terminer une petite affaire.

Elle s'arrêta devant le pupitre de Smoke auquel elle tendit quelques feuilles de papier. Il les examina de près, en fronçant le sourcil.

– C'est votre essai sur l'acné, lui dit Mrs. Starch.

– Oui, fit-il en balayant une mèche de cheveux bruns de son front.

– Le titre en est tout à fait ingénieux. « La Malédiction du bouton d'acné obstiné ». Avec un agréable soupçon d'allitération.

– Merci, murmura Smoke, méfiant.

– Je savais que vous étiez doté du sens de l'humour, Duane. Ne vous l'avais-je pas dit devant toute la classe ? Un sens de l'humour noir.

Il leva les yeux vers elle.

– Mais je lis ici que j'ai eu un A -.

Mrs. Starch acquiesça.

– Exact. Si vous n'aviez pas fait de faute à « endocrine », je vous aurais mis A.

Marta siffla entre ses dents. Mrs. Starch, c'était notoire, était avare de A.

– Mais le Dr Waxmo m'avait donné D +, fit Smoke.

– Parce que le Dr Waxmo est un incapable, dit-elle. Un cas désespéré, si j'ose m'exprimer ainsi.

Les ratures rouges, tracées avec cruauté par Wendell Waxmo, étaient aussi nettes que des taches de ketchup sur le devoir de Smoke. Mais le gigantesque A que Mrs. Starch avait griffonné sur la page de garde pour annuler la note du professeur remplaçant l'était aussi.

– J'ai jamais eu de A avant, dit Smoke. C'est pas une blague, hein ?

Nick espéra que non. Il espéra que le professeur ne charriait pas Smoke, pas après qu'il eut aidé Twilly à la traîner hors des marais et à l'emmener en vitesse à l'hôpital afin qu'elle ne meure pas en perdant son sang.

Se maintenant en équilibre sur ses béquilles, Mrs. Starch fit :

– Duane, je ne plaisante jamais sur le plan scolaire. Jamais.

– Il faut toujours que je le lise à haute voix ?

– Non, à moins que vous n'y teniez.

– Alors, non, fit Smoke.

– Vous avez rédigé un devoir sérieux et bien documenté. J'y ai appris quelques petites choses sur l'acné que j'ignorais jusque-là.

Elle se pencha, agita le bout de son Ticonderonga n° 2 en direction du A, noté sur l'essai.

– Vous l'avez amplement mérité, dit-elle à Duane Scrod junior.

– J'crois bien, fit ce dernier.

Puis il croqua avec décontraction le crayon qu'il coupa en deux, en mâcha les esquilles et la mine de graphite avant d'avaler le tout d'une seule bouchée craquant sous la dent.

La salle de classe devint aussi silencieuse qu'une tombe ; personne n'arrivait à en croire ses yeux. Nick fut vaguement conscient d'avoir gardé la bouche ouverte. Du coin de l'œil, il remarqua que Marta se prenait la tête avec désespoir.

Mrs. Starch plissa les yeux, étudiant d'un air de mauvais augure le tronçon de bois humide qui lui restait entre les doigts. Puis, peu à peu, son visage se fendit d'un large sourire.

– Vous m'avez bien eue cette fois, Duane.

– Carrément, dit-il en lui rendant son sourire.

Au cours de la même matinée, Jimmy Lee Bayliss paya sa caution à la prison de Collier County. Une gardienne du nom de Mrs. Waters l'escorta de sa cellule au greffe, où il récupéra ses affaires.

– Il n'a pas encore refait surface ? lui demanda Jimmy Lee Bayliss.

Il faisait allusion à Drake McBride, son ex-patron, porté disparu dans la réserve de Big Cypress, depuis le jour où il s'était enfui dans le brouillard. Entre-temps, pour s'éviter un long séjour en prison, Jimmy Lee Bayliss avait accepté de plaider coupable et donc reconnu avoir allumé un incendie volontaire dans le Black Vine Swamp. Il avait aussi promis de témoigner à charge contre Drake McBride, contre lequel pesaient de lourdes accusations, y compris d'avoir essayé de tuer une panthère de Floride, espèce en voie de disparition.

– C'est drôle que vous me posiez la question, dit l'agent Waters. Mr. McBride a réapparu hier dans un hôtel chic de Miami Beach. Il s'était laissé pousser le bouc, rasé le crâne et utilisait un faux nom.

Jimmy Lee Bayliss fut étonné que ce crétin ait réussi à s'échapper de ce milieu sauvage, étant donné son inaptitude pour la survie et son sens de l'orientation déplorable. La gardienne de prison lui dit que Drake McBride avait perdu onze kilos pendant qu'il avait tourné en rond, à travers le Black Vine Swamp. Il avait fini par débouler sur la route 29, où un routier sympa l'avait ramassé.

– On l'a arrêté alors qu'il se faisait faire un massage, précisa l'agent Waters.

– Comment on a su où il se planquait ? demanda-t-il.

– Son propre père l'a dénoncé.

– Magnifique.

– Apparemment, Mr. McBride l'a appelé pour qu'il lui envoie de l'argent. Son père en a été si furieux qu'il a téléphoné à la police et lui a donné l'adresse de l'hôtel. Et même le numéro de la chambre.

– Ça ne pouvait pas tomber sur un type plus sympa, commenta Jimmy Lee Bayliss. Mon avocat est là ?

– Il vous attend dehors, fit l'agent Waters.

Elle lui tendit un sac en papier contenant sa montre-bracelet, son portefeuille, son téléphone portable, plus un emballage froissé et vide d'antiacides Tums. Il la remercia puis s'avança vers la porte métallique grillagée, qui conduisait au monde extérieur.

– Avant que vous ne partiez, Mr. Bayliss, lui dit la gardienne, il y a autre chose que vous devez savoir. Mon fils était l'un des élèves qui se trouvaient dans le marais, le jour où vous y avez mis le feu. Il s'y trouvait aussi quand votre copain a pété les plombs et tiré des coups de fusil.

Jimmy Lee Bayliss comprit qu'il était un auditoire captif, au sens littéral du terme. Si l'agent Waters tenait les clés de la porte de la prison, elle semblait n'avoir aucune hâte de l'ouvrir.

– Je regrette vraiment, m'dame. J'espère que votre garçon n'a pas été blessé, dit-il. Et je vous prie de me croire, Drake McBride n'a jamais été mon copain.

– Un peu de cran, Mr. Bayliss. Vous trempiez ensemble dans cette magouille pétrolière. Tout ce qui s'est passé là-bas est autant votre faute que la sienne.

Elle avait raison. Il n'eut pas le culot de contester.

– Je vais essayer de me rattraper, fit-il d'un ton morne.

– Vous avez été trop gourmand.

– Oui, m'dame, c'est assez vrai.

– Et vous n'avez pas pensé aux conséquences, ajouta-t-elle.

– Je sais.

Jimmy Lee Bayliss lorgnait avec envie la porte de sortie verrouillée. L'agent Waters s'approcha plus près et le poussa dans la poitrine.

– Mon fils s'est cassé le bras là-bas, fit-elle.

– Bon Dieu, de combien de façons je dois vous dire que je regrette ?

Il se sentait nerveux et piégé. Jusqu'à maintenant, la gardienne l'avait toujours bien traité.

– Le jour du procès, Mr. Bayliss, dit-elle, vous feriez mieux de dire la vérité quand vous témoignerez à la barre.

Ça signifie dire au juge tout ce que vous avez fait et tout ce que vous savez.

– D'accord. Bien sûr.

– Vous avez passé un accord. Respectez-le.

– C'est bien mon intention, dit-il avec insistance.

– Et n'allez pas vous mettre en tête de jouer au plus malin.

L'agent Waters lui présenta une pile de brochures de voyage sur papier glacé consacrées au Mexique. Jimmy Lee Bayliss blêmit.

– Je les ai trouvées dans votre cellule sous le matelas, fit-elle.

Il se contenta de hausser les épaules.

– On peut toujours rêver, non ?

– Pas quand un juge détient votre passeport. Au revoir, Mr. Bayliss.

La mère de Nick Waters déverrouilla la lourde porte d'acier et Jimmy Lee Bayliss sortit de prison, le pied tout sauf léger.

L'avocat, qu'il ne connaissait que par téléphone, l'attendait dans le vestibule. En costume croisé noir, il tenait une serviette en peau de crocodile. Son nom était Bernard Beanstoop III.

– Mais tout le monde m'appelle Bernie le Haricot, dit-il, enjoué.

Jimmy Lee Bayliss serra la main de l'avocat en disant :

– Enchanté de vous connaître, Bernie.

Mais il n'en pensait pas un traître mot.

Millicent Winship cognait sur la porte à moustiquaire avec toute la force que lui permettait son corps de soixante-dix-sept ans et de quarante-six kilos. Elle était déterminée à être entendue malgré la symphonie de Mahler qui résonnait à plein tube dans la maison de son beau-fils.

Elle finit par dévaler les marches et alla ramasser un pied-de-biche rouillé, qui gisait dans la cour jonchée de débris. Son chauffeur se garda bien d'intervenir quand elle s'avança calmement jusqu'à une fenêtre et fracassa le carreau d'un seul coup.

La musique cessa immédiatement et Duane Scrod senior apparut sur la véranda, son ara poussant des cris hystériques sur son épaule.

– Vous avez perdu la tête, Millie ! hurla-t-il.

– Veuillez dire à votre perroquet de la mettre en sourdine.

– Ne touchez pas à Nadine !

– Au secours ! cria l'oiseau. *Help ! Hilfe !*

Une tête marron aux oreilles pendantes et à l'air somnolent s'encadra dans la fenêtre brisée, faisant sursauter Mrs. Winship.

– Quelqu'un a donné un chien de chasse à Junior, expliqua Duane Scrod senior d'un ton mécontent. Il s'appelle Horace.

Mrs. Winship reposa le pied-de-biche contre la maison.

– On avait rendez-vous pour déjeuner à midi pile, fit-elle. Et il est une heure et demie passée.

Duane Scrod senior se frappa un côté de la tête en disant :

– Zut.

Mrs. Winship caressa le front plissé du chien de chasse.

– Vous savez ce que je pense de l'impolitesse, Duane.

– J'ai confondu… j'ai cru que notre déjeuner, c'était demain.

– Vous savez aussi ce que je pense de la négligence.

– Pardon, Millie.

L'ara poussa son cri rauque en déployant ses ailes comme s'il s'apprêtait à voler dans les plumes de Mrs. Winship. Elle foudroya l'oiseau du regard en lui disant :

– N'y songe même pas, Nadine.

Duane Scrod senior poussa son bruyant animal de compagnie dans sa cage. Puis enfila une chemise propre et se passa un coup de peigne rapide dans les cheveux.

Sa belle-mère avait réservé dans un restaurant près de la jetée de Naples. Elle choisit une table en terrasse d'où l'on pouvait voir les mouettes et écouter les vagues sur la plage. Duane Scrod senior était trop nerveux pour profiter de ce cadre ensoleillé.

– Je vous rembourserai, dit-il tout à trac à sa belle-mère.

– Vous me rembourserez quoi ?

– Cet avocat que vous avez engagé pour Junior. Je sais qu'il n'est pas donné.

Mrs. Winship secoua la tête et piqua une crevette dans sa salade.

– Ce type se prend pour Perry Mason, mais il s'est désintéressé du tout au tout de D. J. dès que les charges d'incendie criminel ont été abandonnées. Deux semaines complètes en centre de jeunes délinquants ? Disons simplement que Mr. Beanstoop et moi avons négocié une réduction drastique de ses honoraires.

– C'est qui Perry Mason ? demanda Duane senior.

– Oh, aucune importance.

– Je tiens quand même à vous rembourser.

– Faites réparer cette vitre et on sera quittes.

– Mais j'ai du travail maintenant, Millie. L'argent va rentrer.

Elle resta la fourchette en l'air, où était empalée une autre crevette.

– Quel genre de travail ? demanda-t-elle.

– Professeur de piano. J'ai déjà trois élèves inscrits pour des cours hebdomadaires.

– C'est une excellente chose.

– Je ne deviendrai pas riche, fit Duane Scrod senior, mais c'est un travail qui me plaît bien.

– Vous avez toujours eu du talent. Là n'était pas le problème.

– Devinez quoi d'autre ? J'suis à nouveau motorisé : Smithers Chevrolet m'a remplacé l'axe de transmission de mon Tahoe ! Ils ont fini par céder, Millie. J'ai gagné !

– Félicitations, lui dit Mrs. Winship.

– On va me repeindre aussi la carrosserie.

– Comme il se doit.

Elle passa sous silence son récent entretien téléphonique avec Randolph Smithers. Comme elle l'avait soupçonné, le concessionnaire avait lu les articles des journaux et vu les informations télévisées se rapportant au sauvetage de la panthère, il était donc conscient du rôle important qu'avait joué le jeune Duane Scrod.

Mrs. Winship avait dit à Randolph Smithers que son petit-fils n'avait pas encore accordé d'interview à la presse mais que, s'il le faisait, on lui poserait certainement des questions sur son père.

Son père qui n'avait ni voiture, ni vie professionnelle, ni aucun avenir… tout ça parce que l'axe de transmission du véhicule qu'il avait acheté en toute confiance chez Smithers Chevrolet avait cassé.

Randolph Smithers était tombé rapidement d'accord avec Mrs. Winship, admettant qu'il était temps de passer l'éponge, même si Duane Scrod senior avait incendié la concession. Il déclara qu'il réparerait le Tahoe à condition que les Scrod père et fils n'aient que des paroles aimables pour son commerce automobile ou, mieux encore, le passent sous silence.

– Junior est retourné à l'école, aujourd'hui, fit Duane senior, mordant enfin dans son sandwich au mérou frit.

– Quelle est son attitude ? demanda Mrs. Winship.

– Tout vaut mieux que la prison. Je lui ai acheté un nouveau sac.

– Vous m'impressionnez, Duane. Et je ne plaisante pas.

– Plus une tente étanche pour aller faire du camping. Et j'ai bien l'intention de faire mieux pour ce garçon, Millie, je vous le jure.

– Il n'a pas besoin de plus sur le plan matériel. Juste besoin d'un père.

– Vous avez raison. C'est ce que je voulais dire.

– Vous voulez vraiment me rembourser, Duane ? Alors, soyez un père pour votre fils.

Mrs. Winship grignota délicatement la dernière crevette rose de son assiette. Elle savait quel serait le prochain sujet de conversation.

– Comment va Whitney ? demanda-t-il.

– Ça n'est pas la joie. Les services sanitaires lui ont fait fermer boutique après qu'un ministre en poste est tombé malade à cause d'un brie avarié qu'il avait acheté là.

– Les services sanitaires de Paris ont fait une descente chez elle ?

– Les Français prennent leurs fromages très au sérieux, expliqua-t-elle.

– Alors, ça veut dire que Whitney va rentrer au pays ?

– Non, Duane. Elle ne rentrera pas.

– Bon, fit-il.

– En fait, elle demande le divorce.

– OK pour moi.

Mrs. Winship cilla. Elle n'était pas sûre d'avoir bien entendu.

– J'ai l'intention de demander à une certaine dame de sortir avec moi, fit-il. Elle joue de la guitare folk à l'église unitarienne.

– Une coupe de cheveux et un coup de rasoir augmenteraient vos chances, suggéra Mrs. Winship.

– D. J. m'a dit la même chose.

– L'envie pourrait vous prendre de nettoyer la maison, au cas où votre guitariste travaillerait elle aussi pour les services sanitaires.

– Vous en faites pas, dit Duane Scrod senior, penaud.

– Et vous devriez vous débarrasser définitivement de ce perroquet.

– C'est pas un perroquet, Millie !

– Pensez-y simplement, s'il vous plaît, ajouta-t-elle.

Aucun compte rendu médiatique de l'épisode de la panthère ne faisait allusion à Twilly Spree, ce qui lui convenait à merveille. Mrs. Starch et ses élèves avaient accepté de le laisser en dehors de cette histoire, malgré le rôle non négligeable qu'il y avait tenu.

Après avoir conduit Mrs. Starch à l'hôpital (et l'y avoir laissée en compagnie de Duane Scrod junior), il était reparti en vitesse chercher les deux autres gamins. Dans le Black Vine Swamp, il était d'abord tombé sur Horace puis sur Drake McBride : un seul des deux pouvait tenir dans l'hélicoptère avec Nick et Marta. Opter pour le chien avait été une évidence.

Au moment où Twilly rejoignit Nick et Marta, le brouillard s'était dissipé et un doux soleil baignait l'endroit. Le garçon souffrait d'une grave fracture au bras droit et la douleur l'avait fait s'évanouir. Marta se tenait près de lui, protectrice, le fusil en position de tir. Twilly ne vit aucune bonne raison de lui dire qu'il en avait retiré toutes les balles avant son départ.

Avec une attelle rudimentaire faite d'une branche, il avait stabilisé le bras blessé de Nick. Puis, aidé par Marta, il avait hissé le garçon sur son dos et s'était frayé prudemment un chemin vers la clairière où devait se poser l'hélicoptère.

Ce fut là que Twilly repéra la panthère qui, les devançant au trot d'une centaine de mètres, emportait son petit vers un fourré de choux palmistes. Avant de disparaître, le fauve s'était retourné une seule fois.

– Va de l'avant, môman, l'avait-il encouragée entre ses dents.

Après l'atterrissage de l'hélicoptère, Twilly avait sanglé Nick à l'intérieur en recommandant à Marta de veiller sur lui. Il n'avait aucune intention de rentrer à Naples avec eux – les autorités auraient voulu lui poser des questions auxquelles il n'aurait pas eu envie de répondre. Il avait expliqué à son pilote qu'il devait raconter avoir aperçu en cours de vol, entre Miami et Fort Myers, les deux gamins perdus dans les Everglades.

Quant à Horace, le chien de chasse, Twilly avait recommandé à Marta de le donner à Duane Scrod junior, qui se trouvait déjà à l'hôpital avec Bunny Starch. Et comme les chiens n'étaient pas autorisés aux urgences, il avait dit à Marta d'attacher Horace au premier arbre venu et de lui donner à boire.

Après que l'hélicoptère se fut éloigné, Twilly était revenu au campement où il avait empaqueté vite fait ses affaires. Il savait que le marécage serait surmené, ces prochains jours : journalistes télé, agents de la faune, sans oublier les équipes qui viendraient enlever le matériel de forage illégal de la Red Diamond.

Donc, Twilly Spree était parti vers le sud à travers la réserve de Big Cypress, coupant Alligator Alley dans la nuit noire et, quelques jours plus tard, la Tamiami Trail. Tout en zigzaguant pour éviter plusieurs petits feux de forêt, il eut tout le temps de réfléchir à Drake McBride, dont il avait laissé le destin au bon vouloir du hasard.

Fut un temps où il aurait traité plus durement un idiot aussi cupide et lui aurait infligé une humiliation publique mais juste. Au lieu de ça, il s'était contenté de s'éloigner en laissant ce type hurler en plein marais. Twilly se demanda s'il se ramollissait ou bien il devenait plus sage.

Il se surprit aussi à penser avec affection à Duane junior, Marta et Nick, qui avaient risqué leur vie pour ce panthéreau. Ces gamins étaient tenaces, courageux et déterminés à faire ce qui était juste, qualités dont étaient souvent dépourvus les adultes que connaissait Twilly.

Tatie Bunny Starch avait raison, songea-t-il. L'espoir fait vivre.

En fin de compte, il prit la Turner River, dont il suivit le cours jusqu'à l'embouchure de la Chokoloskee Bay, où l'on avait disimulé pour lui un petit canoë bleu dans les mangroves.

Twilly fit le plein de vivres et d'eau à Everglades City. Et s'arrêta aussi au bureau de poste pour expédier quelque chose à Nick. Puis il chargea le canoë et entreprit de traverser à la pagaie les Dix Mille Îles sans avoir de destination particulière. Il était facile de s'y perdre, ce qu'il avait précisément en tête.

Trois semaines après son retour du centre médical de l'armée Walter Reed, le père de Nick lui annonça qu'ils partaient à la pêche.

Ils roulèrent jusqu'à Chokoloskee dans un épais brouillard, ce qui rappela à Nick le jour où il s'était retrouvé face à face avec la mère panthère. Le brouillard lui fit penser aussi à Twilly, qui avait complètement disparu de la circulation. Quelques jours plus tôt, un paquet enveloppé de banal papier Kraft, adressé à Nick, était arrivé par la poste. À l'intérieur, il y avait un livre : *Le Retour du gang de la Clé à molette*, d'Edward Abbey. Un mot sans signature disait : « De la part de ton Hayduke préféré. On se reverra. » Nick trouva que c'était le cadeau le plus cool qu'on lui ait jamais fait.

Le guide de pêche, bronzé et barbu, attendait la famille Waters à la marina. Le brouillard se dissipait, dévoilant une matinée claire et sans nuage. Nick et ses parents montèrent dans le bateau où ils s'enduisirent le visage d'écran total.

Le guide se dirigea tout droit vers Chatham Bend, filochant à travers des kilomètres de hauts-fonds opaques, jonchés de souches d'arbre et autres obstacles. Il leur dit que la marée était idéale pour le brochet de mer et le sébaste.

Une fois sur place, le capitaine Gregory Waters passa à l'avant, contemplant sa canne à mouche avec un certain malaise.

– Vas-y, Gaucher, l'encouragea Nick.

La plupart des cannes à mouche sont conçues pour qu'on les tienne et qu'on lance d'une seule main, pendant qu'on se sert de l'autre pour laisser filer la ligne. C'est ce qui fait que la mouche fuit comme un vairon dans l'eau et attire les gros poissons.

Des chirurgiens de Walter Reed avaient équipé le père de Nick d'un bras droit artificiel, muni d'une véritable main bionique. Cette main, du nom d'i-LIMB, contenait une puce électronique, transmettant des impulsions nerveuses depuis l'épaule abîmée de Greg Waters. De façon stupéfiante, les cinq doigts de cette main bionique étaient tous capables de bouger, avec presque la même agilité que des vrais.

Le père de Nick s'était entraîné à lancer de la main gauche chaque après-midi, au bord d'un étang proche du terrain de foot de l'école Truman. Il pouvait à présent projeter une mouche à vingt mètres à travers les airs avec précision.

Mais laisser filer la ligne le mettait dans tous ses états. La main artificielle était protégée par un gant spécial en silicone assez glissant. Ajouté à ça, les doigts mécaniques n'étaient pas suffisamment coordonnés pour assurer une prise ferme.

– Ça pourrait finir par m'énerver, marmonna le père de Nick après quelques essais infructueux.

– Oh, tais-toi et attrape-nous du poisson, répliqua sa femme.

Nick se moquait bien qu'ils prennent quelque chose ou non. Il était parfaitement heureux de regarder son père balancer d'avant en arrière la mince canne, la ligne sculptant des boucles gracieuses dans le ciel pâle. La mouche à brochet de mer, un streamer blanc à fibres brillantes, se posait si légèrement sur l'eau qu'elle y créait à peine une ondulation.

Le père de Nick fit plusieurs touches sérieuses sans pouvoir hameçonner à temps ; les réflexes de sa main artificielle étaient trop lents. Pourtant, ça valait mieux que de ne pas avoir de main du tout.

Il y aurait des moments de frustration, Nick le savait, mais au final son père assurerait. Pas plus tard que la veille, ils avaient fait un concours de lancers dans le jardin. La mère de Nick, qui avait emprunté un radar routier à un ami des forces de police de Naples, chronométra l'une des balles rapides de Greg Waters à cent trente kilomètres à l'heure… pas si mauvais pour un bleu de la fausse garde. Le lancer de gaucher de Nick le plus rapide n'atteignait que quatre-vingt-quinze kilomètres à l'heure et il avait failli estourbir le siamois d'une voisine.

– À ton tour, Nicky. J'ai besoin d'une pause-café.

Son père quitta l'avant et lui passa la canne.

Nick essaya encore et encore d'effectuer un lancer correct, mais sa coordination laissait vraiment à désirer. Le plâtre volumineux de son bras droit ne l'aidait guère ; le mouvement mécanique pour laisser filer la ligne était pratiquement impossible si on ne pouvait pas plier le coude. La plupart du temps, il finissait en se débattant dans un entrelacs de nœuds comique et, au bout de vingt minutes, ce fut de bon cœur qu'il rendit la canne. Lancer une balle de base-ball était mille fois plus facile, déclara-t-il.

Naturellement, sa mère prit le premier et le seul poisson de la matinée. C'était un gros brochet de mer de cinq kilos qui sauta une demi-douzaine de fois avant que le guide ne le récupère avec l'épuisette.

– On n'a pas fini d'en entendre parler, commenta le père de Nick.

Vers midi, un vent d'ouest s'étant levé, le guide déplaça le bateau jusqu'à Pavilion Key, en se mettant sous le vent. Pour déjeuner, la mère de Nick avait préparé des sandwiches à la dinde fumée et une salade d'avocats et le capitaine Gregory Waters déclara que c'était le meilleur repas qu'il avait jamais fait. Quand Nick lui demanda ce qu'il mangeait en opération, il éclata de rire et lui dit :

– Aucune importance. Tout avait un goût de sable.

L'île était pailletée d'oiseaux : hérons, aigrettes, cormorans, sternes, mouettes et même une colonie de pélicans blancs. Le guide de pêche dit qu'à peine une semaine plus tôt, il avait aperçu un grand lynx traverser les hauts-fonds à la nage.

Nick scrutait intensément le rivage.

– Il y a des panthères par ici ?

Le guide fit non de la tête.

– Pour la plupart, elles restent là-haut, dans les réserves de Big Cypress et de Fakahatchee.

– Vous en avez déjà vu une ? demanda le père de Nick.

– Non, monsieur, pourtant je suis né et j'ai été élevé ici. J'en ai jamais vu une seule, en cinquante-quatre ans.

– Nick, lui, oui, dit sa mère. Une mère et son petit.

Le guide fut impressionné.

– Il n'en reste plus beaucoup à voir, dit-il.

– C'est passé aux infos télévisées, ajouta-t-elle fièrement.

Dès qu'elle avait appris ce qu'il avait fait ce jour-là, au sommet du pin mort, elle lui avait pardonné d'avoir séché l'école.

– Je crains bien de ne pas beaucoup regarder la télé, observa le guide.

Le père de Nick pouffa.

– Vous loupez pas grand-chose.

– Je peux vous demander ce qui est arrivé à votre bras ?

– Je suis allé en Irak, dit le capitaine Gregory Waters simplement.

– Mon fils aîné, il est là-bas en ce moment. Mais ça ne me plaît pas trop.

Le guide mordit dans son sandwich et regarda Nick.

– Et au tien ?

– Je suis tombé d'un arbre. Pas important.

– Je parie que si.

– Vous avez raison, dit la mère de Nick. C'était très important.

Un autre skiff surgit et les dépassa à toute vitesse, plus près de l'île. Les oiseaux de mer jaillirent du rivage, emplissant l'air d'une explosion d'étoiles. Nick repéra quelque chose de bleu, bien plus haut sur la plage. Le guide dit que ça avait l'air d'un petit canoë.

Puis il ajouta que le déjeuner était terminé, qu'il était temps de se remettre à pêcher. Et que les deux gauchers avaient intérêt à assurer.

Carl Hiaasen

Carl Hiaasen est né et a grandi en Floride. Il a commencé à écrire dès l'âge de six ans, lorsqu'on lui fit cadeau d'une machine à écrire. Depuis 1979, il travaille au *Miami Herald*, comme journaliste d'investigation et éditorialiste. C'est par ailleurs un romancier à succès qui a déjà écrit neuf romans pour adultes, qui tous se situent en Floride et sont publiés par Denoël. Il est l'un des auteurs les plus drôles d'aventures policières et met son talent à dénoncer les dérives de la société ainsi qu'à lutter pour la préservation des beautés naturelles et sauvages de son pays. Gallimard Jeunesse a publié ses deux premiers romans pour jeunes lecteurs, *Chouette* et *Comme un poison dans l'eau.*

CHOUETTE

Roy ne se plaît pas en Floride. C'est plat et les brutes de l'école, comme Dana Matherson, y sont aussi stupides qu'ailleurs. Mais si, dans le bus, Dana n'avait pas écrasé la tête de Roy contre la vitre, celui-ci n'aurait jamais aperçu cet étrange garçon qui courait pieds nus. Il n'aurait pas pris part à cette affaire bizarre et croisé d'autres habitants inattendus de Floride, alligators, serpents à sonnette (et à paillettes !), mignonnes petites chouettes menacées, sans oublier quelques individus plutôt exotiques ! La vie en Floride devient enfin excitante...

Chouette est le premier roman écrit pour la jeunesse par Carl Hiaasen ; il a reçu le prestigieux "Newbery Honor" aux États-Unis.

COMME UN POISON DANS L'EAU

Le jeune Noah a des soucis ! Son père a coulé un bateau qui déversait illégalement ses eaux sales dans leur jolie baie de Floride, et se retrouve en prison. Comment Noah peut-il le tirer de ce mauvais pas ? Avec l'aide d'un matelot farfelu, d'une barmaid au grand cœur et de sa jeune sœur, l'intrépide Abbey, Noah met sur pied un plan si fou qu'il pourrait bien stopper la pollution, sauver les plages menacées, et prouver que le méchant n'est pas celui qu'on croit...

Loi n° 49-956 du 16 juillet 1949
sur les publications destinées à la jeunesse

Mise en pages : Dominique Guillaumin

ISBN : 978-2-07-062968-8
N° d'édition : 171484
Dépôt légal : septembre 2010
Achever d'imprimer sur Roto-Page
par l'imprimerie Grafica Veneta S.p.A.
Imprimé en Italie